D0892538

Le crime de mère supérieure

DONNÉES de catalogage avant publication, Canada
Gagnon, Sylvie, 1960-
Le crime de mère supérieure
ISBN 2-921493-72-1

I. Titre.

PS8563.A335C74 2003 C843'.6 C2003-941178-8
PS9563.A335C74 2003

Éditeurs :
Arion inc.
102, ch. du Tour-du-Lac
Lac Beauport
G0A 2C0
Québec (Québec)
(418) 841-0266

Conception graphique : Bussières communications

Dépôt Légal :
Bibliothèque nationale du Canada, 2003
Bibliothèque nationale du Québec, 2003
ISBN :2-921493-72-1

SYLVIE GAGNON

Le crime de mère supérieure

ARION INC.

Remerciements

« Le crime de mère supérieure »

Ce premier roman n'aurait certainement pas la même saveur sans les merveilleuses idées de ma mère. ***Merci maman d'avoir cru en moi et de m'avoir soutenue dans ce projet.***

Je tiens à remercier mon comité de lecture, soit mes trois sœurs, Christine, France et Audrey, ainsi que ma belle-sœur Hélène. ***Vos commentaires m'ont beaucoup encouragée. Ton expérience, France, en tant qu'infirmière en périnatalité m'a beaucoup servie.***

J'ai un merci tout spécialement pour Christine car, malgré ses journées bien remplies, elle n'a pas hésité une seconde à me consacrer de nombreuses heures afin de m'aider à peaufiner mon manuscrit. ***Mille mercis pour ta généreuse collaboration.***

Je remercie également mon mari Richard et mes deux filles, Hélène et AnnSophie, pour leur patience et leur compréhension. ***Je suis consciente que, pour que naisse ce volume, j'ai dû vous négliger bien souvent.***

Merci à toi mon amie Johanne, pour ton éternel optimisme.

Je veux remercier mon ami Jacques, artiste peintre, car malgré le mystère de mes absences prolongées à la galerie d'art, il a toujours manifesté une grande indulgence à mon égard.

Merci à toi d'être un si bon ami.

Pour terminer, je tiens principalement à remercier une personne que j'estime beaucoup, madame Cécile Fortier.

Vous avez été la première à me donner ma chance. Soyez certaine que je ne vous oublierai jamais. ***Mille mercis pour votre soutien. Que Dieu vous bénisse!***

Note de l'auteure

L'histoire que vous allez lire relève de la pure fiction. Les personnages, les caractères, les situations et les idées développées ne sont que le fruit de mon imagination. Toute ressemblance ne serait que purement fortuite.

Les organismes et les lieux ont également été utilisés de manière fictive sans aucune intention de décrire ou de dépeindre la réalité.

À mon père, décédé le 23 janvier 2002

Pour engourdir mon chagrin engendré
par ton départ précipité, j'ai travaillé
sans relâche afin de pouvoir te dédicacer,
cher papa, mon premier roman.

Chapitre 1

Face au miroir de sa chambre, Simone, aussi surprise que satisfaite, se prélasse devant la glace en chantonnant. Celle-ci lui renvoie une vision tout à fait différente de ce qu'elle était, il y a à peine une heure. Ses cheveux blonds, légèrement remontés en chignon, sa robe de dentelle rose confectionnée par sa mère spécialement pour cette soirée et son maquillage discret lui procurent l'effet tant attendu. Sourire aux lèvres, elle projette de faire de cette soirée la plus belle de sa vie. Âgée d'à peine quinze ans, l'adolescente espère conquérir ce soir le cœur d'un garçon. Aussi gracieuse qu'une déesse, elle s'empare du flacon de parfum abandonné sur sa table de nuit quelques minutes plus tôt et, d'un geste élégant, s'asperge de cette fragrance à l'arôme de fleurs de printemps. Comblée par cette métamorphose, la jeune étudiante se mire à nouveau avant de descendre à la cuisine retrouver sa mère, sans doute impatiente de constater cette transformation.

« J'espère que le beau Vincent me remarquera. Je l'aime tellement! » implore-t-elle à son image souriante.

Pour tranquilliser sa fièvre d'amour, elle ferme les yeux et prend le temps de se recueillir un moment.

« Seigneur, fais de cette soirée la plus belle de ma vie. Ainsi soit-il. »

* * *

Vincent rencontre quelques difficultés à enfiler sa cravate pour la danse de ce soir. Voulant à tout prix plaire aux jeunes filles, et particulièrement à Simone, il demande l'aide de son père après plusieurs essais sans résultat.

Celui-ci, médecin depuis une vingtaine d'années, exerce sa profession dans un hôpital à vingt kilomètres du village. Le docteur Simard aspire à un poste plus valorisant dans un centre hospitalier situé dans l'Ouest canadien. Il attend patiemment des nouvelles de sa candidature dans les jours à venir. Sa femme est la seule personne au courant de cette démarche. Fier de son fils de dix-sept ans, il l'aide à nouer sa cravate vert pomme en souriant. Une jeune fille doit certainement être là-dessous pour qu'il se décide à enfiler une cravate. Vincent a toujours crié au monde entier que ce truc-là l'étouffait et qu'il n'en porterait jamais. Ce soir, pourtant, il fait exception à sa propre règle. Son père le devine facilement, car le jeune homme manifeste beaucoup trop d'excitation pour une simple soirée dansante de fin d'année. Sans le montrer, le docteur Simard discute avec son fils afin de le mettre plus à l'aise.

– Alors, fiston, une autre année vient de passer. As-tu l'intention de poursuivre tes études afin de devenir médecin?

– Oui, mais mon désir est d'être chirurgien, pas médecin de famille comme toi.

– C'est bien d'avoir de l'ambition, mon garçon, et si c'est à cela que tu aspires, je ne peux qu'approuver ton choix et t'appuyer.

La conversation se poursuit. Constatant l'heure avancée, le jeune homme s'excuse et enfile son veston laissé sur le dos d'une chaise avant de prendre congé. Son père lui fait cependant quelques recommandations. Vincent le regarde d'un air agacé, mais demeure néanmoins sur le seuil de la porte à l'écouter.

– J'espère que tu feras preuve de gentillesse auprès des jeunes filles. Si tu passes la soirée avec l'une d'elles, n'oublie pas de la reconduire avant de revenir, c'est la moindre des choses pour un gentleman.

– Merci papa, je sais déjà tout ça.

Sans perdre un instant, Vincent sort de chez lui, excité et nerveux. Ce soir, il s'est promis de révéler ses sentiments à Simone. « J'espère que mon amour est réciproque », songe-t-il en marchant d'un pas pressé. L'adolescent, qu'on pourrait qualifier de corbeau tellement sa chevelure est noire comme l'ébène, sourit en s'imaginant danser avec sa princesse aux cheveux d'or.

* * *

Aussi légère qu'une plume, Simone descend doucement l'escalier en forme de spirale qui la mène directement dans le hall d'entrée, son cœur battant la chamade. La descente lui paraît une éternité. Dès son arrivée, elle remarque la salle bondée d'étudiants. D'habitude, l'endroit s'avère plutôt terne et morose. Ce soir, pourtant, il brille de tous ses artifices. Les gens du comité attitrés à la décoration ont admirablement enjolivé cette pièce avec des ballons de toutes les couleurs, des serpentins tout aussi colorés et, de plus, un système de lumières polychromes a été installé afin de donner une ambiance de circonstance. La musique joue déjà et plusieurs étudiants s'agitent sur la piste de danse. Simone aperçoit une table dressée tout près de la porte principale. Le punch de l'amitié, gracieuseté de la direction de l'école, y est offert. Elle s'y approche lentement en cherchant discrètement du coin de l'œil le garçon qui électrise ses pensées les plus secrètes. Contournant garçons et filles, elle parvient finalement à son but. Simone se sent soudainement observée. Elle tourne la tête et sombre instantanément dans un état magnétique. Vincent la contemple de la tête aux pieds. Comme s'il avait peur de voir sa jolie Simone disparaître d'un coup de baguette, il lui présente la main et l'invite à le suivre.

– Tu viens danser, belle demoiselle?

Le cœur de Simone semble s'arrêter à ces mots. Elle lui sourit timidement et s'empresse d'accepter.

– Avec joie.

Vincent l'entraîne au milieu de tous ces gens, ignorant même jusqu'à leur présence. Enivrés par cet air de valse à peine commencé, Vincent et Simone tourbillonnent au son de ce prélude à l'amour. Simone semble flotter entre le rêve et la réalité. Tout aussi ému que sa partenaire, Vincent ne laisse pourtant rien paraître de sa nervosité. Il profite plutôt de l'instant présent où leurs corps se frôlent timidement. S'il le pouvait, il prolongerait cet apéritif musical jusqu'à demain.

La danse terminée, les deux adolescents reviennent près de la table à punch. Vincent offre un rafraîchissement à sa partenaire. Celle-ci consent à boire un premier verre, puis en avale un autre aussi facilement. Ses joues se colorent instantanément et sa timidité disparaît comme par magie. Vincent s'empresse de la complimenter afin de ne pas laisser le silence s'immiscer entre eux.

– Ta robe est magnifique.

– Je te remercie beaucoup. Tu n'es pas mal, toi non plus, avec cette jolie cravate.

Fier comme un paon, il sourit en pensant à son père. Sans son aide, il n'aurait jamais reçu un tel compliment. Ayant lui aussi consommé quelques verres, il se sent à présent un peu plus sûr de lui.

– Je te trouve particulièrement en beauté ce soir.

– C'est gentil.

– J'aimerais passer le reste de la soirée avec toi. Si tu es d'accord, bien sûr, précise-t-il.

Simone se retient de ne pas lui sauter au cou. Elle ajoute simplement :

– J'en serais très heureuse. Tu es un agréable cavalier.

Une chanson d'Elvis, ce bel homme de plus en plus populaire, oriente plusieurs couples sur la piste de danse. Vincent et Simone en font autant. Sans plus attendre, ils se prennent par la taille un peu maladroitement. Leurs corps bougent au son de cette musique très lente. Enivré par cet air mélodieux et par le charme de sa partenaire, Vincent flaire son cou discrètement.

– Comme tu sens bon!

Heureuse, Simone ferme les yeux et se laisse bercer par cette mélodie. Elle dépose doucement la tête contre l'épaule de son compagnon. Celui-ci sent monter le désir en décelant la pointe de ses seins l'effleurer. Sans même s'en rendre compte, il lui saisit le menton et dépose un baiser sur ses lèvres. La passion l'envahit et leur baiser s'enflamme.

La soirée passe malheureusement trop rapidement. Le dernier *slow* s'achève et, bientôt, les deux adolescents devront se séparer et retourner chacun de leur côté. Vincent souhaiterait prolonger la soirée. Il se rappelle soudainement les recommandations de son père.

– Puis-je te raccompagner chez toi?

Simone ne se laisse pas supplier longtemps avant d'accepter.

Marchant main dans la main, les adolescents s'arrêtent de temps à autre pour s'embrasser. La chaleur tropicale de cette fin de juin rend l'ambiance des plus romantiques.

La passion les entraîne jusqu'au ruisseau Tremblay, où un énorme peuplier domine toute la campagne environnante. Le couple s'assoit au pied de cet arbre gigantesque. Bouillant de désir, Vincent s'empresse d'enlacer Simone.

Celle-ci frissonne aux caresses et aux baisers fougueux de ce jeune homme un peu maladroit.

La lune, témoin de leur amour, filtre à travers les branches du peuplier une lueur limpide. Les soupirs et les paroles de Vincent résonnent aux oreilles de l'adolescente, comme l'écho des cloches de l'église quelques minutes avant la grand-messe du dimanche. Ivre d'amour, Simone devient pressée et affamée par cette liaison naissante. Oubliant totalement ses valeurs morales et religieuses, elle s'abandonne à celui qu'elle croit être son amour éternel.

* * *

Couchée dans son lit, l'oreiller contre sa poitrine, Simone, encore inconsciente du geste qu'elle vient de poser, rêve de Vincent. Elle l'entend lui répéter des mots d'amour, sent encore son souffle chaud au creux de son cou et ressent de légers frissons en repensant à ses caresses galvanisantes. Ce soir, Simone a rejoint le monde des adultes. Cette expérience, récente pour elle, l'a fait frémir comme les feuilles d'un arbre à la bise d'automne. Le relâchement de son corps après cette merveilleuse vitalité lui semble magique et en même temps mystérieux. Jamais elle n'avait pu imaginer que faire l'amour lui prodiguerait de telles vibrations. Elle se demande bien si sa mère goûte aux mêmes plaisirs lorsque ses parents s'enferment à double tour dans leur chambre à coucher. Épuisée, la jeune fille ferme finalement les yeux et s'endort sur cette pensée.

Vincent arrive chez lui vers trois heures du matin. Afin de ne pas réveiller ses parents, il se glisse dans sa chambre sans faire le moindre bruit et se met immédiatement au lit. Couché sur le dos, les bras derrière la tête, il contemple la lune à travers la fenêtre. Ses pensées s'envolent vers Simone. Il hume l'odeur de son parfum de fleurs encore imprégné sur tout son corps. Fatigué, mais heureux de l'avoir faite sienne, Vincent finit par s'endormir aux petites heures du matin.

* * *

Le lendemain, le téléphone retentit chez les Lavoie dès neuf heures. Simone décroche l'appareil sans attendre la deuxième sonnerie.

– Allô!

– Bonjour Simone, c'est Vincent.

– Bonjour Vincent.

– Comment vas-tu ce matin?

– Très bien. Et toi?

– Moi aussi. J'ai rêvé de toi toute la nuit.

– C'est vrai?

– Oh oui! J'aimerais te revoir, Simone. Peux-tu me rejoindre près de notre arbre vers dix heures?

– J'y serai. Sois-en sûr.

– Alors à bientôt.

Le cœur léger, Simone s'active afin de ne pas être en retard à son premier rendez-vous officiel.

Vêtue d'une jolie robe de dentelle bleue, elle arrive au pied du peuplier à l'heure dite. Vincent est déjà sur place. Celui-ci se sent à nouveau très nerveux.

– Me voilà! s'annonce Simone en souriant.

– Enfin! J'avais peur que tu changes d'idée.

– Impossible! J'avais bien trop hâte de te revoir. Mais pourquoi cette crainte?

– À cause de ce qui s'est passé entre nous hier soir, hésite-t-il un peu gêné.

– Nous sommes peut-être allés trop vite, mais je ne regrette absolument rien.

– Alors tu m'aimes vraiment?

– Je t'aime depuis bien longtemps, Vincent. Seulement, tu ne me prêtais pas attention avant la soirée d'hier. C'était plutôt difficile pour moi de te l'avouer.

– Tout ça va changer à présent. À partir d'aujourd'hui, je ne te lâche plus, ricane-t-il.

– N'exagère pas, quand même.

– Je vais essayer de ne pas abuser.

Vincent sent la gêne reprendre le dessus et Simone s'en aperçoit.

– Qu'est-ce qu'il y a, Vincent?

Le jeune homme lève les yeux vers elle.

– J'ai une envie folle de t'embrasser, mais je me sens un peu mal à l'aise à la lumière du jour.

– J'en ai envie, moi aussi.

– C'est vrai?

Sans perdre un instant, Vincent s'approche d'elle et pose ses lèvres sur sa bouche. Pendant de longues minutes, les amoureux cherchent à nouveau à s'assouvir l'un de l'autre.

Après un baiser effréné, Vincent l'invite à venir se promener sur le bord du ruisseau. Simone accepte avec grand plaisir. Main dans la main, les deux tourtereaux cheminent tranquillement sur le rivage en bavardant de tout et de rien, juste pour le plaisir d'être ensemble et de communiquer.

– T'arrive-t-il de penser à l'avenir, Simone?

– Ça m'arrive parfois. Et toi?

– Oui aussi. Comment te vois-tu plus tard?

– J'ai toujours voulu devenir maîtresse d'école, mais j'aimerais davantage me marier et me consacrer à ma grande famille.

– Grande famille!

– Disons une famille de quatre ou cinq enfants autour de moi. Et toi, comment imagines-tu ton avenir?

– Je veux suivre les traces de mon père.

– Devenir médecin?

– Oui, mais j'aimerais me spécialiser et devenir chirurgien.

– Tout un défi!

– Oui, mais j'en ai vraiment envie.

– Je ne suis pas trop inquiète pour toi, Vincent. Tu as l'intelligence et la volonté pour y parvenir.

– Quant à ça, il n'y a aucun doute. Je le souhaite vraiment.

– Alors tu réussiras, mon amour, j'en suis certaine.

Sous un soleil torride en cette matinée d'été, Simone a soudainement une envie folle de se mettre les pieds à l'eau. Sous le regard amusé de son compagnon, elle piétine jusqu'au ruisseau avant de s'asseoir sur un petit rocher et d'y enlever ses sandales en cuir blanc. Elle sauce ensuite le bout de ses orteils.

– Enlève tes chaussures et viens me rejoindre, s'écrie-t-elle. Ça va te rafraîchir.

Vincent s'empresse de retirer ses gros souliers bruns et accourt près d'elle.

– À présent, dit-elle, suis-moi. Nous allons marcher sur les pierres.

Sans tarder, elle s'élance, et lui s'inquiète :

– Fais attention, Simone! Les pierres au fond du ruisseau sont très gluantes.

– Je connais ce ruisseau par cœur. N'aie pas peur et place tes pieds au même endroit que moi.

– D'accord, mais fais quand même attention. Promis?

– Ne t'en fais pas pour moi. Allez! Viens!

Simone semble danser au milieu du cours d'eau. Soudain elle s'arrête :

– Regarde au fond de l'eau, Vincent! clame-t-elle en montrant du doigt un tout petit poisson.

Elle perd subitement l'équilibre et se retrouve le derrière à l'eau. Vincent, qui n'a rien perdu de la scène, éclate d'un fou rire en la voyant trempée des pieds à la tête, sa robe faisant comme une bulle à la surface de l'eau.

– Ah! Tu trouves ça drôle! Eh bien tant pis pour toi!

Simone s'élance vers lui et se blottit dans ses bras. Celui-ci perd rapidement pied et aboutit lui aussi au fond du ruisseau. Trempés jusqu'aux os, les deux amoureux s'amusent follement.

Après s'être amusés, Simone et son compagnon s'étendent sur le rivage. L'un contre l'autre, ils fixent le ciel en silence. Au bout d'un long moment, la jeune fille s'assied et contemple sa robe.

– Reviens près de moi, l'implore-t-il en la retenant.

– Mais…

– Nous étions si bien, couchés côte à côte, à contempler le bleu du ciel!

– Tu as raison. C'est agréable, approuve-t-elle en se blottissant à nouveau contre lui.

– J'aimerais arrêter le temps, murmure-t-il avant de l'embrasser tendrement.

Une bourrasque interrompt leur baiser. Simone ouvre rapidement les yeux et repère un gros nuage noir à l'horizon. Un coup de tonnerre s'ensuit.

– Il ne tardera pas à pleuvoir.

– Ce sera un orage électrique. Il faudrait déguerpir d'ici au plus vite.

En disant ces mots, Vincent se lève et aide Simone.

Sur le chemin du retour, Vincent lui demande :

– Va-t-on se revoir aujourd'hui?

– Je vais d'abord aller me changer. Tu devrais d'ailleurs faire la même chose. Que dirais-tu de nous retrouver chez Charlot après le dîner?

– C'est une excellente idée. On en profitera pour jouer une partie de billard. À quelle heure?

– Celle qui te convient. Vers deux heures, peut-être?

– Si tard que ça!

– Je dois aider maman, tu comprends?

– Alors deux heures… mais pas une minute de plus.

– C'est parfait.

Avant de la quitter, Vincent l'embrasse à nouveau en la serrant très fort contre lui.

– Je t'aime, Simone. Je t'aime tant…

* * *

De retour chez elle, Simone monte directement dans sa chambre et enlève sa robe encore humide. Revêtue à présent d'une jupe circulaire bleu marine et d'un chandail bleu pâle, elle redescend à la cuisine donner un coup de main à sa mère pour préparer le repas.

Marcelle sursaute en l'apercevant.

– Je ne savais pas que tu étais arrivée.

– Depuis peu, maman.

– Avec qui étais-tu ce matin?

Voilà, la question était posée. Il fallait maintenant y répondre. Simone aurait préféré garder sa nouvelle relation secrète mais...

– J'étais avec Vincent.

– Le fils du docteur?

– Oui, et hier soir, j'ai passé la soirée avec lui.

– Ah! Corrige-moi si je me trompe, mais ce Vincent est plus vieux que toi, n'est-ce pas?

– Qu'est-ce que ça peut faire, maman? Il peut être mon ami quand même!

– Je n'ai pas dit le contraire, seulement Vincent est presque un homme alors que toi, tu n'es encore qu'une adolescente.

– Maman! Tout le monde sait qu'un garçon est beaucoup plus jeune de caractère qu'une fille!

– Sur ce point, tu as peut-être raison.

– Évidemment. J'ai raison maman. Vincent et moi avons à peine deux ans de différence, or du point de vue psychologique, nous avons le même âge.

– Promets-moi quand même de faire attention.

– Ne t'en fais pas. Vincent est très gentil Je crois que je l'aime. Non, corrige-t-elle aussitôt, j'en suis certaine, je l'aime.

– Allons donc, tu commences à peine à le fréquenter.

– Peut-être, mais je l'aime. Je l'aime vraiment, maman.

Marcelle sourit. La frénésie de sa fille la rattrape :

– Si tu le dis.

– Il est si beau, maman, si beau! As-tu déjà remarqué ses yeux?

– C'est un jeune homme agréable à regarder, je dois l'admettre, seulement...

– Seulement quoi, maman?

– Sa fameuse couette de cheveux qui ondule jusqu'à ses yeux me semble de trop.

– Tu n'aimes pas ça?

– Je n'ai pas dit cela. Enfin, soupire-t-elle, j'espère seulement que cette mèche n'endommagera pas sa vue. Assez parlé du fils du docteur maintenant, viens m'aider à peler les patates.

* * *

Chez Charlot, Vincent s'impatiente devant la fenêtre depuis quelques minutes. Lorsqu'il distingue enfin la silhouette de Simone s'amenant à pas de course sous un parapluie, Vincent sent battre son cœur plus rapidement.

– Enfin, te voilà! J'avais peur que tu ne viennes pas.

– Je ne te ferais jamais faux bond! Seulement, avant de venir, maman m'a demandé d'aller acheter de la mélasse à l'épicerie du coin. Elle en avait besoin tout de suite pour sa recette de galettes au sirop.

– L'important, c'est que tu sois là maintenant. Donne-moi ton parapluie et ton coupe-vent.

Après avoir rangé les effets de Simone sur la patère de bois près de la porte d'entrée, il l'invite à s'asseoir à une table au fond de la pièce tout près du *juke-box*. La serveuse se dirige vers eux.

– Je vais prendre un gros Pepsi. Et toi?

– La même chose.

– Ce sera deux Pepsi, demande-t-il gentiment.

Enfin seuls, Vincent sourit à Simone et lui prend la main.

– Je me sens si bien avec toi! Je t'aime, Simone.

– Moi aussi je t'aime, lui avoue-t-elle en lui serrant la main de plus en plus fort.

– Ta mère a-t-elle rouspété en te voyant surgir à la maison toute mouillée?

– J'ai eu de la chance. À mon arrivée, elle se trouvait à la salle de bain. Je suis montée directement à ma chambre. Et toi? Ta mère s'en est-elle rendu compte?

– Oh si! Sa réaction t'aurait sûrement fait mourir de rire.

– Pourquoi? Raconte.

– Elle avait tellement peur de mouiller son plancher qu'elle m'a fait enlever mon pantalon sur le tapis d'entrée.

– Ce n'est pas vrai, réplique-t-elle en riant.

– Si. Heureusement, personne ne se trouvait dans la maison.

– T'a-t-elle posé des questions?

– Une dizaine au moins. Elle voulait d'abord savoir ce qui m'était arrivé et avec qui j'étais ce matin.

– Que lui as-tu répondu?

– La vérité, juste la vérité. Que j'étais tombé deux fois.

– Deux fois?

– Oui. D'abord que j'étais tombé amoureux d'une jeune fille extraordinaire et qu'ensuite, j'étais tombé avec elle dans le ruisseau en marchant sur des pierres.

Cette rhétorique fit sourire Simone.

– Alors elle sait pour nous deux.

– Oui, et je suis fier de le lui avoir dit. Et ta mère, elle? J'imagine qu'elle voulait savoir avec qui se trouvait sa grande fille, renchérit-il d'un air moqueur.

– Bien sûr. Seulement, je n'ai pas eu à lui raconter l'anecdote du ruisseau. J'avais déjà enfilé des vêtements secs lorsqu'elle m'a vue.

– Et quelle a été sa réaction?

– Elle m'a juste demandé de faire attention.

– Attention! Attention! Je n'ai pas l'intention de te faire du mal. Pourquoi diable te demande-t-elle de faire attention? Je ne suis pas un monstre, je suis juste un gars fou amoureux.

– Ne parle pas si fort. Tout le monde nous regarde.

– Je ne voudrais pas que ta mère pense que je suis un vampire prêt à te mordre ou alors un méchant loup déterminé à te manger.

– Arrête de me faire rire.

– Pourquoi? Au contraire, j'adore. Tu es tellement belle quand tu ris.

– Arrête! Tu vas me faire rougir.

– Puisque c'est ainsi, nous allons nous adonner à un jeu afin de te mettre plus à l'aise.

– Quel jeu?

– Chaque fois que je te ferai un compliment, tu devras m'en faire un également. Ainsi nous serons quittes.

– Tu es sérieux? Tu veux vraiment jouer à ça?

– Oui. Je crois même qu'on va rigoler.

– Je veux bien.

– Je commence, d'accord? Simone, tu as des yeux à faire rêver. Ils sont merveilleux. Maintenant c'est à toi.

Simone fixe à son tour les yeux de Vincent et s'y perd dans son regard amoureux. Elle revient vite sur terre lorsqu'elle entend :

– Qui y a-t-il? Tu ne veux pas jouer?

– Non, loin de là, seulement tes yeux verts me font penser à des émeraudes.

– Tu vois! Ce n'est pas si difficile après tout. Je poursuis. Lorsque j'observe tes lèvres sensuelles, j'ai envie de venir y déposer les miennes, émet-il dans un soupir.

– J'ai le goût de t'embrasser moi aussi.

Après un baiser discret, Simone continue.

– Je trouve ta chevelure d'ébène splendide. Seulement pourquoi conserves-tu cette couette de cheveux jusqu'à tes yeux?

– Voyons, Simone! Cette petite couette, comme tu dis, me donne un air irrésistible. Tu ne trouves pas?

– C'est vrai. Tu es mignon comme ça, mais tu n'as pas peur qu'elle nuise à ta vue?

– Pas de danger! Lorsque je lis, je la remonte un peu, tout simplement.

En entendant le *juke-box* résonner, Vincent se lève et va vérifier le répertoire. Il place une pièce de monnaie dans la fente et compose un numéro. Il revient ensuite se rasseoir.

– Quelle chanson as-tu choisie?

– Tu verras.

Lorsqu'il entend « My Way » d'Elvis Presley, il prend la main de Simone et lui murmure :

– C'est notre chanson. Tu te souviens?

– Tu te rappelles notre premier *slow*?

– Jamais je ne pourrai oublier.

– Vincent, ça me touche vraiment. Je croyais être la seule à me rappeler ce si beau moment.

Vincent s'approche d'elle et effleure ses lèvres.

– Je t'aime, lui chuchote-t-il.

De retour à la maison, Vincent s'aperçoit qu'ils n'ont même pas songé à jouer une partie de billard! « Tant pis, ce sera pour une prochaine fois! »

Les semaines qui passent solidifient leur amour. Vincent commence même à faire des projets d'avenir pour eux. Un après-midi, alors que les amants ont pris possession d'une vieille grange abandonnée depuis des années, Vincent ose lui en parler

– Te souviens-tu du jour où tu m'as demandé si je pensais à mon avenir?

– Bien sûr. Ça ne fait pas si longtemps.

– J'ai un peu modifié mes projets depuis.

– Tu ne veux plus devenir chirurgien?

– Oui, cela n'a pas changé. Seulement, je rêve également d'avoir une femme à mes côtés et une ribambelle d'enfants autour de moi.

– C'est vrai?

– Oui, Simone, et c'est toi la femme de ma vie.

– Oh Vincent! s'exclame-t-elle en se serrant plus près de lui.

– Tu n'aurais pas besoin de devenir maîtresse d'école, car je serais amplement capable de te faire vivre. Tu n'aurais qu'à t'occuper de la maison, des gamins et de moi, évidemment.

– Quel beau rêve!

– Ce n'est pas juste un rêve, Simone. Dans quelques années, je vais devenir médecin et nous pourrons nous marier.

– Et nous aurons une vie merveilleuse, renchérit-elle.

– Je te le promets, mon amour. Je t'aime et je ferai tout pour te rendre heureuse.

* * *

Le début de l'été s'annonce magnifique. Aucun nuage n'est venu assombrir le bleu du ciel depuis une quinzaine de jours, et Nicole Simard, la femme du docteur, s'en réjouit. D'aussi longtemps qu'elle se souvienne, elle n'a jamais aimé la pluie. Étant jeune, de gros nuages gris accompagnés d'averses signifiaient l'interdiction pour elle et ses sœurs de s'amuser dehors avec les copains du village. Or, la mère de Vincent s'est mise à détester ces précipitations soudaines. Aujourd'hui, non seulement il fait encore un temps superbe, mais la missive qu'elle tient entre ses mains pourrait bien ensoleiller le reste de ses jours. Allongée sur une chaise, elle regarde l'enveloppe apportée par le facteur un peu plus tôt et pressent de grands changements pour elle et sa famille. Le cœur léger, elle fredonne un air joyeux en attendant le retour de son mari. Une seule ombre au tableau. Son copain Albert avait l'air malheureux en lui remettant cette lettre. Nicole revoit encore sa mine basse et se demande bien pourquoi.

Albert Tremblay, ami d'enfance et célibataire de trente-cinq ans, ne passe jamais devant sa maison sans s'arrêter pour lui parler quand il l'aperçoit dehors en train de jardiner. Sans l'avouer à personne, cet homme a toujours aimé cette femme. Plus jeune, il désirait lui avouer son amour, mais sa timidité de jeune adolescent l'avait fait hésiter. Finalement, sa belle Nicole était tombée amoureuse d'un autre, un jeune étudiant en médecine, qui, aux yeux d'Albert Tremblay, n'avait rien de plus que lui, sauf peut-être l'audace. Après seulement quelques mois de fréquentation, le couple se retrouvait au pied de l'autel. Ce jour-là, Albert s'est juré de ne jamais partager sa vie avec aucune autre et il a tenu parole. Vingt ans plus tard, il ressent encore cette épine au cœur.

Nicole repense à leur conversation. Comme toujours, son ami Albert avait été poli, mais aujourd'hui, celui-ci ne manifestait aucune joie pour son travail. Nicole s'en était rendu compte. Puis, posant ses yeux sur l'adresse du destinataire de l'enveloppe qu'il lui remettait, son cœur s'était mis à battre si vite qu'elle en avait oublié la tristesse de son ami.

– Bonjour Nicole, comment ça va?

– Bien, très bien même. Il ne pourrait en être autrement avec un si beau soleil. Et toi? Tu dois certainement apprécier ce début de juillet si chaud puisque ton travail t'amène à marcher dans les rues du village tous les jours.

– Oui Nicole, seulement parfois, les nuages gris arrivent sans qu'on s'y attende, précise-t-il mélancoliquement.

– D'où vient cet air pessimiste ce matin? Regarde, affirme-t-elle en pointant le ciel, il n'y a aucun nuage à l'horizon. Je ne vois vraiment pas pourquoi tu sembles si taciturne par une si belle journée.

Albert n'avait pas répondu, préférant se taire une fois de plus. À contrecœur, il lui avait remis une lettre provenant de l'hôpital Saint-Boniface, adressée au docteur Germain Simard. Il savait que ce message serait sans aucun doute une excellente raison de fêter pour Nicole et son mari. Cependant, pour lui, cette correspondance représentait le chagrin, la tristesse et le deuil, car il se doutait bien du contenu de cette enveloppe. Le lundi précédent, n'apercevant pas Nicole dans le jardin, il avait déposé le courrier des Simard dans leur boîte aux lettres. Bien involontairement, il avait entendu Germain discuter avec sa femme d'un emploi plus avantageux dans une autre province. Et voilà que ce message arrivait sans qu'il puisse intervenir. Cette lettre maudite lui arracherait le seul plaisir qu'il lui restait, celui d'admirer sa belle Nicole, tout en bavardant quelques minutes avec elle quotidiennement. Il aurait souhaité mettre cette enveloppe à la poubelle, mais sa loyauté envers l'État et son travail le lui interdisait. À présent, le sentiment de perdre son amour s'installait au creux de son âme. Oui, il avait peur, peur de ne plus jamais la revoir.

Vers cinq heures, Germain apparaît enfin dans l'entrée au volant de sa grosse Plymouth 1958. En dépit de toutes ces années de mariage, Nicole admire toujours autant son mari. Elle l'aime, son médecin, et peu importe où il travaillera, elle le suivra jusqu'au bout du monde. « Qui prend mari… prend pays », lui avait-on dit quelques jours avant son mariage. Et c'est bien ce qu'elle compte faire. Aujourd'hui, Nicole a revêtu sa robe blanche à pois rouges. Bien que celle-ci soit démodée depuis longtemps, Nicole est convaincue que cette antiquité lui porte chance, car elle était habillée de cette manière le jour où elle a connu Germain. À l'époque, un bon samaritain l'avait amenée d'urgence à l'hôpital, car elle s'était blessée en tombant de son vélo. N'ayant qu'une blessure mineure, on lui avait fait rencontrer le docteur Germain Simard, étudiant en médecine et stagiaire au centre hospitalier pour la saison estivale. Nicole en était tombée amoureuse au premier regard. Germain et Nicole s'étaient revus à plusieurs reprises. À la fin de l'été, le futur médecin lui demandait sa main.

Nicole n'a jamais voulu se défaire de cette robe porte-bonheur, mais elle ne la porte qu'en de rares occasions. Bien qu'il comprenne l'attachement sentimental de sa femme pour cette guenille, Germain souhaite néanmoins la voir changer de fétiche.

Une journée spéciale, pense-t-il en l'apercevant vêtue de la sorte. Son regard se pose presque aussitôt sur l'enveloppe qu'elle tient fermement dans ses mains.

– Enfin une réponse!

Après avoir lu attentivement les instructions concernant ce nouveau poste, il sourit à l'idée de sortir de cette région si éloignée et enfin de connaître autre chose.

– Te rends-tu compte? Je dois être à Winnipeg dans trois semaines, c'est assez rapide. Nous devons plier bagage au plus tard dans quinze jours. Nous prendrons au moins une semaine en voiture pour s'y rendre. Heureusement, ils ont pensé à tout concernant le déménagement.

Germain entoure les épaules de sa femme et plonge dans son regard.

– Écoute-moi bien, Nicole, c'est important pour moi. Je veux être certain que tu ne regretteras pas notre grand départ. Alors si tu doutes de t'y plaire un jour, il faut me le dire maintenant.

– Mon cher Germain, lorsque nous nous sommes mariés, c'était pour le meilleur et pour le pire, et ce qui nous arrive aujourd'hui fait partie du meilleur, j'en suis certaine. J'adore l'aventure et avec toi, je le répète, j'irai au bout du monde. Je t'aime et c'est ce qui compte. Peu importe où nous habiterons, l'important c'est d'être ensemble.

– Tu me rassures, mon amour. Je ne voudrais surtout pas te voir malheureuse.

Germain enlace sa femme et l'embrasse tendrement. Quelques minutes plus tard, Nicole se dégage des bras de son médecin favori. L'image de leur fils lui traverse l'esprit.

– Et Vincent, quand et comment allons-nous lui annoncer?

– Prenons d'abord le temps de nous réjouir tous les deux en allant souper dans un bon restaurant, ce soir, et nous lui en parlerons demain.

* * *

Depuis la fin de l'année scolaire, Vincent et Simone ne se quittent presque plus. Ils s'aiment et rien ne pourra les séparer. Tout est clair dans l'esprit du jeune homme maintenant. Il épousera Simone à la fin de ses études, et, comme dans un conte de fées, ils auront beaucoup d'enfants. Vincent a déjà tout prévu concernant leur nid d'amour, il rêve même d'avoir cinq ou six rejetons. Étant enfant unique, il s'est souvent ennuyé, or il veut une maison pleine de gamins où les rires et les chamailleries font partie de la vraie vie. Tous ces beaux projets, il y tient et il est certain d'y parvenir. L'avenir s'annonce resplendissant pour ce couple d'amoureux. Demain leur sourit et personne ne pourra rien y changer. Ils s'aiment pour la vie.

* * *

– Nonnnnn! s'écrit Simone après avoir écouté partiellement la mauvaise nouvelle de Vincent. Dis-moi que je rêve. Comment vais-je vivre sans toi, sans te voir tous les jours? Je suis en plein cauchemar.

Aussi triste qu'elle, le jeune amoureux n'ose en rajouter. Il a mal, et rien de ce qu'il dira n'allégera sa peine et celle de son amie de cœur. Pleurant à chaudes larmes, celle-ci refuse d'y croire. Les parents de Vincent déménagent à des milliers de kilomètres et il doit les suivre. Que peut-elle y faire?

– Je reviendrai tous les étés jusqu'à l'obtention de mon diplôme en médecine. Mes parents me l'ont promis, Simone. Et après, nous nous marierons.

* * *

Le cœur gros et les yeux gonflés d'avoir pleuré tout l'après-midi dans les bras de Vincent, Simone entre finalement chez elle. Occupée à laver les légumes pour le souper, Marcelle dévisage sa fille en l'entendant renifler. Elle ferme aussitôt le robinet.

– Qui y a-t-il Simone?

La jeune fille se jette aussitôt dans les bras de sa mère en pleurant.

– Oh! Maman, si tu savais!

Simone s'exprime avec difficulté.

– C'est Vincent. Il part. Que vais-je faire, maman? Je l'aime tellement!

Soulagée de ne pas apprendre de mortalité, Marcelle prend délicatement le visage de sa fille.

– Si tu me disais exactement ce qui se passe.

– Le docteur Simard a trouvé un emploi au Manitoba. Vincent déménage dans deux semaines, sanglote-t-elle de nouveau.

La jeune fille reprend son souffle et dévisage sa mère dans l'espoir qu'elle saura trouver les mots pour la soulager.

– Pauvre petite!

– Sais-tu ce que ça signifie pour moi?

Marcelle lui caresse les cheveux et l'adolescente s'apaise un peu. Elle se remet à parler quelques minutes plus tard.

– Vincent m'a dit qu'il reviendrait tous les étés. Mais un an, c'est tellement long, maman! Comment vais-je faire sans lui si longtemps?

– Ma pauvre petite! Je sais qu'une année peut te sembler une éternité à ton âge, mais...

– Je ne pourrai jamais vivre aussi longtemps sans sa présence.

– Vous pourrez toujours vous écrire et vous téléphoner de temps à autre.

Ces dernières paroles lui arrachent un demi-sourire.

– Je vais lui téléphoner très souvent et je lui écrirai tous les jours, jusqu'à ce qu'il revienne. Et dans quelques années, ajoute-t-elle, nous nous marierons.

– Ai-je bien entendu, Simone?

– Oui, maman. Vincent et moi en avons parlé. Nous voulons faire notre vie ensemble. Vincent m'épousera à la fin de ses études en médecine.

– Eh bien! Si je m'attendais à ça, s'exclame-t-elle. N'êtes-vous pas trop jeunes pour faire de tels projets d'avenir? Tu n'as que quinze ans et Vincent est à peine plus vieux. Vous avez bien des années devant vous avant de vous engager de la sorte.

Marcelle imagine parfaitement le scénario. Simone doit certainement lui avoir promis de l'attendre toute la vie. Elle la connaît si bien!

Sans en ajouter à ce projet de mariage, elle essuie les yeux de sa fille.

« Pauvre petite, je comprends son chagrin, mais je sais aussi par expérience qu'un amour d'adolescente s'oublie aussi facilement qu'il arrive. Je fais confiance à la vie, elle oubliera ce garçon lorsqu'elle en connaîtra un autre. »

* * *

Chez Vincent, le brouhaha du déménagement se fait sentir dès le lendemain. Après avoir mis Vincent au courant de leur exode, Nicole s'est mise à virevolter dans la maison. Que doit-elle jeter? Que doit-elle apporter? Chaque pièce y passe. Bien que les meubles et les accessoires partent par camion, elle doit néanmoins penser à apporter des vêtements pour chacun d'eux pour au moins une semaine. Énervée d'avoir tant à faire en si peu de temps, elle demande l'aide de Germain. Son mari, à présent disponible et sans obligation médicale, la regarde d'un air amusé. « Comme elle est belle lorsqu'elle est animée. » Il s'approche d'elle par derrière, l'enlace de ses deux bras et l'embrasse délicatement au creux de son cou. Il cherche hâtivement ses lèvres tout en lui caressant les seins. Il l'aime et la désire, là, tout de suite. Surprise de l'envie soudaine de son mari, surtout en plein jour, Nicole se laisse malgré tout enflammer par ces mains baladeuses qui la font frissonner de la tête aux pieds. Pressé de la faire sienne, celui-ci soulève sa femme sur la table et fait glisser sa main droite sous sa jupe, parcourant avec délicatesse ses cuisses entrouvertes jusqu'au mont de Vénus. Germain se charge rapidement de lui enlever sa petite culotte tout en admirant le trésor caché au creux de ses jambes. Femme de sensualité, Nicole se laisse porter par ce plaisir sous les rayons du soleil qui réchauffent la pièce à travers la fenêtre de la cuisine. Son corps se contracte subitement en apercevant les rideaux ouverts. N'importe qui pourrait les voir et Vincent peut arriver d'une minute à l'autre.

– T'en fais pas, mon amour. Les voisins, on s'en fout. Nous sommes mariés, or nous avons parfaitement le droit de faire l'amour où bon nous semble et en ce moment, ajoute-t-il d'un air vorace, j'ai le goût de te posséder sur ce meuble.

De sa mimique enjouée, Germain ajoute aussitôt :

– Et puis, je n'ai jamais goûté un aussi délicieux repas à notre table.

– Mais Vincent!

– Relaxe, Nicole. Il est sûrement chez Simone.

Ne cherchant pas plus loin, Nicole rechute rapidement dans l'extase. Les mains expertes de son mari lui redonnent le goût de lui. À présent, Germain ne supporte plus ce bouillonnement qu'il retient depuis quelques minutes. Secoué par le va-et-vient, il explose enfin, délirant de satisfaction. Nicole sent le bas de son corps vibrer au contact de ce membre viril. Remuant le bassin, elle cherche à s'agripper aux épaules de son mari tellement le plaisir est grand. Sa passion aboutit par un cri de jouissance. Quelques minutes plus tard, les deux amants épuisés récupèrent dans les bras l'un de l'autre. Encore sous l'effet de leur tonique amoureux, Nicole et Germain éclatent de rire.

– Que penserait Vincent s'il nous surprenait ainsi?

– Je n'en ai aucune idée, répond Nicole un peu gênée par la situation.

– Il trouverait probablement l'évènement assez coloré.

– Pour être coloré, il l'est. Que dirais-tu maintenant de m'aider à démêler le linge à apporter pour notre semaine de voyage?

Germain caresse la main de sa femme avant de lui répondre d'un air amusé.

– Ça va me faire le plus grand des plaisirs, maintenant que je me suis régalé de toi, mon amour!

Écoutant son mari ricaner avec gentillesse, Nicole se penche et l'embrasse à nouveau. Germain veut la retenir et recommencer leurs ébats amoureux, mais Nicole se désiste.

– Allez, rhabille-toi et viens m'aider!

Germain prend à nouveau la main de sa femme et la retient.

– Attends une minute. J'ai quelque chose à te demander, dit-il, l'air sérieux.

– Je t'écoute, Germain.

– Je veux te parler de ta robe à pois. Que dirais-tu de la mettre à la poubelle? Ne refuse pas tout de suite, Nicole. Écoute plutôt la suite. Notre quotidien sera modifié dans quelques jours, or j'aimerais t'offrir un nouveau fétiche pour ce nouveau départ. Même si cette robe te va toujours à ravir puisque tu n'as pas pris une once de graisse depuis notre union, elle ne se marie malheureusement plus très bien à notre époque. Il y a de très bons joailliers à Winnipeg, alors…

– Tu n'es pas sérieux? Tu me demandes de jeter ma robe? J'avoue qu'elle est désuète et que je ne devrais peut-être plus la porter en public, mais j'y tiens, Germain, j'y tiens même beaucoup.

– Une nouvelle vie s'offre à nous. Le moment me semble idéal pour changer de porte-bonheur.

– Je comprends, mais…

– Oublie ce que je viens de te demander, renchérit-il avec un brin de remords. Je n'avais aucun droit de…

– Laisse-moi y réfléchir, décrète-t-elle aussitôt pour ne pas le décevoir.

– De toute manière, conclut-il, tu seras toujours l'amour de ma vie, avec ces pois rouges sur le dos, un collier de perles au cou et tout simplement nue comme un ver.

– Germain!

* * *

Ce matin, le temps est maussade. Le ciel grogne de plus en plus fort et la pluie s'installe à des kilomètres à la ronde. Par la fenêtre du salon, Nicole observe avec mélancolie le temps gris et boudeur. Germain est parti faire ses adieux à ses collègues de travail. Il avait l'air triste en quittant la maison, mais essayait néanmoins de ne rien laisser paraître. Quant à Vincent, il enfile son pantalon dès la levée du jour et disparaît pour la journée. Nicole n'est pas sans savoir que son fils trouve la situation très pénible. Non seulement le déracine-t-on de son environnement, mais ne l'oblige-t-on pas également à quitter celle qu'il aime? Simone va lui manquer terriblement et Nicole le sait. Le cœur lourd, elle retourne à la cuisine où une cafetière à demi-remplie l'attend sur le comptoir. Elle a grand besoin d'un café, ce matin. Son emballement des derniers jours a totalement disparu. Pourquoi? Elle n'en sait trop rien. Ce dont elle est certaine toutefois, c'est qu'elle aime son Germain et ne veut en aucun cas le décevoir, alors elle gardera ses craintes pour elle. Depuis quelques jours, elle ne dort plus la nuit, comme si elle entrevoyait une ombre à leur déménagement. Ce pressentiment perdure, malgré tous les efforts pour le dissiper. Nicole s'explique mal ce sentiment d'angoisse, mais elle se souvient l'avoir déjà ressenti par le passé, quoique jamais aussi fortement qu'en ce moment. C'était à l'automne 1952. Vincent n'avait que dix ans. L'année scolaire était commencée depuis quelques semaines lorsqu'une inquiétude inexplicable s'était emparée d'elle comme un mauvais présage. Le malaise ressenti à l'époque s'était rapidement transformé en phobie. Il était arrivé quelque chose à son fils, elle en était quasi certaine. Une heure plus tard, la directrice de l'école lui téléphonait. Son fils s'était cassé une jambe en tombant à la récréation. Nicole le savait. Comment? Impossible à expliquer, mais elle le savait. Aujourd'hui encore, cette anxiété remonte à la surface sous forme de peur et d'alarme. Buvant nerveusement son café noir, elle essaie de se persuader que sa robe porte-bonheur jetée à la poubelle en est la cause. Nicole n'en a pas soufflé mot à son mari. Elle compte lui faire la surprise lorsqu'ils auront aménagé au Manitoba. Pour son homme, elle ferait n'importe quoi, même se départir de ce vêtement auquel elle tenait tant. « Germain a raison, cette guenille est totalement terne et fanée! » en avait-elle conclu la veille, et c'est le cœur gros qu'elle l'a jetée en cachette.

« À moins que mes appréhensions soient attribuables à cette giboulée et à ce vent qui souffle sans répit, spécule-t-elle sombrement. Dire que la météo annonce de la pluie dans tout le pays pour encore une semaine! »

* * *

C'est le jour du départ. Optimiste de nature, Germain s'emballe à l'idée de commencer sa nouvelle vie. Sa femme et son fils sont derrière lui, il ne peut qu'y avoir du bonheur en perspective. Nicole ne partage pourtant pas l'assurance et la confiance de son mari. Le couple a fait ses adieux aux gens du village, hier, à la messe du dimanche. Le curé Tremblay les a bénis en leur souhaitant une vie remplie de joie et surtout, a-t-il précisé : « Je prie pour vous afin que vous puissiez vous rendre à bon port sans incident. » Par des applaudissements prolongés, les villageois leur ont démontré leur appui et leur soutien dans leur démarche et leur décision de partir.

Quitter Simone est pour Vincent un grand bouleversement. Tous deux ont pleuré pendant des heures hier soir, enlacés l'un contre l'autre, comme si c'était la dernière fois qu'ils se voyaient. Pourtant, il n'en est rien, car Vincent a promis de revenir l'été prochain. Les deux amants se sont donnés l'un à l'autre, espérant par cet acte se nourrir d'amour et de confiance jusqu'à la saison estivale prochaine.

Ce matin, il pleut encore abondamment. Debout près de l'automobile qui ronronne déjà, Vincent enlace à nouveau Simone. Les yeux rougis par le chagrin, celle-ci se cramponne à lui comme un bébé au sein de sa mère. Pour la millième fois, Vincent la rassure. « Je reviendrai dans quelques mois et dans cinq ans, nous serons mari et femme », lui certifie-t-il. Souriant à ces mots, Simone le laisse finalement monter dans la voiture verte. Collé à la vitre du véhicule, Vincent lui sourit et, de sa main droite, lui envoie un dernier baiser soufflé. Les yeux embrouillés, Simone répond à ce baiser en reniflant son chagrin. La grosse Plymouth 1958 recule finalement et disparaît au coin de la rue. Seule au monde, Simone retourne chez elle d'un pas las.

* * *

Deux jours se sont écoulés depuis le départ de Vincent, et depuis, Simone a l'impression que sa vie s'est arrêtée. Voyant sa fille errer comme une âme en peine, Marcelle essaie de lui changer les idées en sollicitant son aide pour la récolte des framboises, mais le cœur de son adolescente n'y est pas. Simone a mal, et rien d'autre que le temps ne pourra atténuer son chagrin. Jadis complaisante envers ses deux petites sœurs, aujourd'hui elle recherche la solitude. Même Carl, son frère aîné, se sent abandonné. Fini le temps où il lui confiait ses angoisses amoureuses. Sa sœur ne lui serait pas de très bon conseil pour l'instant.

Simone n'a qu'un seul but, celui de trouver l'argent nécessaire pour prendre le train et rejoindre son amoureux. Mais à qui en emprunter? Il est impensable d'en quémander à ses parents puisque, cette année, le pain sur la table est une bénédiction de tous les jours. Son père n'a qu'un infime salaire de bûcheron, et comme le décrète souvent sa mère : « les temps sont durs, nous devons nous serrer la ceinture ».

« De toute façon, pense-t-elle en éclatant en sanglots, ils ne me laisseraient jamais partir. »

* * *

Après avoir dégusté un bon repas dans un restaurant de l'Ontario, Germain et sa famille reprennent la route. Depuis leur départ, ils roulent du matin au soir sous une ciel orageux, ne s'arrêtant que pour manger et pour dormir une dizaine d'heures dans des motels qu'ils rencontrent en chemin. De temps à autre, une éclaircie transperce les altostratus, mais celle-ci ne reste jamais bien longtemps. Aujourd'hui, une pluie diluvienne s'abat sur leur chemin.

Assis à l'arrière de la voiture, Vincent regarde défiler les villages et constate que plusieurs maisons sont éclairées, même en plein jour. Le cœur du garçon ressemble drôlement au ciel sombre et morose, seul le ton de gris est différent, sans doute un peu plus foncé. Vincent n'arrête pas de penser à Simone. Il la revoie sous son parapluie, pleurant son départ à chaudes larmes, et cette image lui est insupportable.

Germain, lui, donne l'impression de vivre en plein soleil. Toujours de bonne humeur, il blague sans arrêt sur cette température qu'il qualifie de morbide. Il sait parfaitement qu'au bout de leur grand voyage le soleil reviendra. « Après la pluie, le beau temps », ne cesse-t-il de répéter. Nicole l'écoute blaguer et lui sourit malgré la tempête d'angoisse logée à l'intérieur de son corps.

L'anxiété amplifie de minute en minute. Elle songe à sa robe à pois et regrette de l'avoir mise à la poubelle. « Que m'est-il passé par la tête? Germain n'a pourtant pas insisté! » Tout comme son fils, Nicole étudie le temps, mais celle-ci ne regarde pas dans la même direction. Ses yeux ne lâchent pas la route. Elle est inquiète, car il pleut abondamment et la chaussée est très glissante. Nous devrions nous arrêter en attendant l'accalmie, juge-t-elle. Germain partage la même idée.

– Et si nous faisions halte! Qu'en pensez-vous?

Nicole n'a pas le temps d'approuver. Subitement, comme dans un cauchemar, sortie de nul part, une grosse camionnette blanche ayant visiblement perdu le contrôle dérape de leur côté et fonce directement sur eux.

« Mon Dieu! Mon porte-bonheur! », pense aussitôt Nicole avant l'impact.

* * *

Jeudi matin. Simone sort de la salle de bain, préoccupée par le retard de ses règles. Remuant ses doigts un à un, elle compte les jours depuis ses dernières menstruations.

« Trente-sept jours. C'est la première fois que cela m'arrive. » Elle regarde le bas de son corps et saisit son ventre à deux mains.

« Non, c'est impossible, ça ne se peut pas! »

Simone reprend sa routine en essayant d'oublier ses appréhensions.

« Le sang coulera probablement demain. Et puis, raisonne-t-elle, une journée de plus ou de moins, qu'est-ce que ça peut bien faire? »

Elle retourne dans sa chambre. Ce matin encore elle doit écrire à Vincent, ainsi, lorsqu'il arrivera chez lui, il recevra de ses nouvelles. « Il saura que je m'ennuie de lui et que je l'aime » , dit-elle à haute voix avant d'entamer sa lettre. Elle descend ensuite à la cuisine, déjeune avec sa famille et comme elle s'y attendait, ses sœurs et sa mère lui demandent comment elle va. Simone s'exaspère de se faire prendre en pitié. Elle a de la peine, mais son chagrin, elle veut le vivre à sa façon et seule. Son père et son frère sont heureusement repartis en forêt pour un temps. Cela fait deux personnes de moins à la harceler sur ses états d'âme.

Deux jours plus tard, Simone se réveille avec l'impression de faire une indigestion. Elle a mal au cœur malgré le peu de nourriture ingurgitée la veille. À la salle de bain, elle remonte le siège de la toilette et se penche pour vomir. Rien ne sort de sa gorge, mais les nausées persistent. Hier, c'était pareil, voilà pourquoi elle n'a pas trop mangé. Sueur au front, elle s'assoie sur le banc et supplie son ventre de se manifester par des gouttes de sang. Si ses menstruations ne décollent pas, elle comptera quarante jours demain, ce qui confirmera ses inquiétudes.

« Si au moins Vincent était là, songe-t-elle, il saurait quoi faire. Il ne veut pas devenir médecin pour rien. Il est si proche de son père, il pourrait lui demander conseil. Oh Vincent! Vincent! Je t'aime tant et j'ai si hâte de recevoir de tes nouvelles! »

La journée du Seigneur s'annonce pluvieuse comme le reste de la semaine. Ce matin, le corps de Simone n'a toujours pas répondu à ses attentes. Sans vouloir se l'avouer, elle réalise qu'elle a toujours cette envie de vomir en se levant et qu'inévitablement quelque chose de très grave se passe. La peur d'être enceinte se confirme petit à petit. L'angoisse l'accapare, mais elle ne sait plus à qui s'adresser. Pleurant comme une Madeleine sur le bord de son lit, elle pense à tout ce que cela implique. Une grossesse à son âge, pas de mari, son amoureux en route pour le Manitoba et seule, toute seule pour affronter cette maternité.

« Vincent doit savoir, le plus vite sera le mieux », juge-t-elle avant de lui griffonner un court message. Après s'être soulagée sur papier, elle replie la feuille et l'insère dans une enveloppe blanche. Elle y écrit la nouvelle adresse de son promis et y colle un timbre. Elle reprend ensuite ses esprits avant de rejoindre sa mère et ses sœurs qui l'attendent pour se rendre à la cérémonie religieuse. Simone expédiera sa missive au bureau de poste à côté de la chapelle après la célébration.

En arrivant à l'église, la jeune fille remarque que les membres de la chorale ne vocalisent pas le chant joyeux qu'ils ont coutume d'exécuter et elle considère cette mélodie comme assez triste. Elle ne s'attarde cependant pas à ce changement et s'assoit avec les membres de sa famille sur le banc habituel. La musique s'arrête et le curé Tremblay apparaît, avançant d'un pas lourd et d'un air visiblement soucieux. Il place le micro à sa portée et tousse un peu avant d'entamer son discours. L'évènement à communiquer lui serre la poitrine, mais c'est lui le représentant de Dieu, il a la responsabilité d'informer ses fidèles des bonnes comme des mauvaises nouvelles. Mais aujourd'hui, comme la tâche lui semble lourde!

N'osant s'essuyer les yeux tout de suite, le prêtre refoule sa peine afin de trouver la force de débuter.

– Mes biens chers paroissiens et amis de toujours…

L'homme en soutane fait une pause et ravale la douleur qui le gagne davantage.

– J'ai une bien triste nouvelle à vous annoncer. Si j'ai l'air si fatigué ce matin, c'est que pendant toute la nuit, j'ai cherché, en priant le Seigneur, la façon la moins pénible de vous informer d'une terrible tragédie. Malheureusement, rien ne saura alléger la peine que je vais faire à plusieurs d'entre vous, et j'en suis conscient.

Encore une pause, le temps que le curé Tremblay reprenne courage.

– Très tard hier soir, on m'a avisé que le docteur Germain Simard ainsi que sa femme et son fils Vincent ont eu un très grave accident de voiture dans la province de l'Ontario, tout près de la frontière du Manitoba.

Simone se raidit instantanément. Elle sent que son cœur va éclater si le curé annonce quelque chose de plus grave. Elle prie de tout son être pour qu'il s'interrompe. Il ne doit pas poursuivre. Non! Que quelqu'un l'arrête! Simone se sent mal, très mal, mais trouve la force de fixer le prêtre en souhaitant de tout son cœur, s'il bat encore, qu'il passe à autre chose. Elle ne veut pas entendre la suite de cette histoire. Elle a déjà trop mal. Vincent... Vincent... Tout son corps lui crie de se taire. Silence! Silence! Silence!

– J'ai le regret de vous informer que toute cette famille a péri dans cet accident survenu vendredi après-midi vers deux heures.

– Nooooonnnnnnnnnnnnnn!

Le cri strident de Simone résonne plus fort que la musique atroce retentissant à son arrivée. Déchirée, elle se lève et court vers la sortie en sanglotant, ignorant toute l'assemblée qui la dévisage jusqu'aux portes principales.

– C'est impossible... Vincent... Vincent... reviens! Ne me laisse pas seule! Vincent... Vincent...

Désespérée, Simone s'effondre sur le terrain de l'église.

– C'est impossible. Le curé s'est sûrement trompé. Vincent va revenir. Il n'est pas mort. Vincent, mon amour, ne me fais pas ça. Reviens, je t'en prie, je t'en supplie!

D'un délire démentiel, l'adolescente meurtrie nie la réalité. C'est impossible. Il reviendra. D'ailleurs, cette lettre qu'elle tient entre ses mains lui arrivera sous peu et son amoureux accourra aussitôt vers elle. Elle le sait, elle veut y croire. Oui, croire en cet avenir à deux, ou plutôt à trois, puisqu'il y a ce ventre qui semble donner signe de vie. Oui, il reviendra.

Atterrée, Simone se laisse prendre par deux grosses mains. Depuis combien de temps est-elle là, assommée par cette annonce?

Les yeux pleins d'eau, elle lève la tête et regarde l'homme tout près d'elle. Elle ne le reconnaît pas et pourtant il semble pleurer lui aussi. Ce n'est pourtant pas son père ni son frère puisqu'ils ne sont pas au village, alors qui?

L'adolescente l'observe de nouveau. Abattue, elle se laisse caresser les cheveux. Simone se frotte encore une fois les paupières. Elle identifie alors le facteur du coin, M. Tremblay. Hystérique, elle s'agrippe à lui en sanglotant de plus belle.

– Monsieur Tremblay, j'ai une lettre à envoyer. C'est bien la raison pour laquelle vous êtes ici. Vous avez remarqué mon enveloppe à poster, n'est-ce pas? Tenez, prenez-la! C'est une lettre pour Vincent. Je l'aime et il m'aime aussi. On doit se marier sous peu. Allez, prenez cette lettre…, insiste-t-elle.

Simone lui saisit la main et y dépose l'enveloppe blanche.

– N'oubliez pas de l'expédier aujourd'hui même. Vincent doit l'avoir le plus tôt possible.

Larmoyant lui aussi sans retenue, il contemple Simone d'un air désespéré.

« Mon Dieu, j'ai mal. Je ne reverrai jamais plus le sourire de ma Nicole, mais cette petite est au bord de la folie. Aidez-la, je vous en prie, aidez-la. Elle en a grand besoin. »

Albert Tremblay distingue alors la mère de Simone qui s'amène vers eux à pas de course. Un homme la suit de très près. Le facteur l'identifie tout de suite. Il s'agit du nouveau médecin du village. Sans bousculer l'adolescente, celui-ci la prend dans ses bras et l'amène à son cabinet situé près du bureau de poste. Meurtrie, Simone ne résiste pas.

À la réaction de Simone, Marcelle a vite compris qu'elle avait grand besoin d'un calmant pour atténuer sa crise de tristesse ou d'hystérie, cela importait peu. Elle s'est rapidement mise à la recherche du docteur Ferland, assis quelque part dans l'église. Sa fille avait besoin d'être soulagée sur-le-champ, alors au diable l'office. Il fallait faire vite. Celui-ci n'avait évidemment aucun médicament en sa possession puisqu'il assistait à la messe. S'il voulait venir en aide à cette jeune fille en crise, il n'avait d'autre choix que d'ouvrir son cabinet. Dimanche ou pas, un médecin demeure un médecin.

* * *

Deux semaines après l'annonce du curé, les habitants du village sont encore sous le choc.

– Une histoire pareille, ça ne se voit que dans les films, énonce Mme Audet, la propriétaire de l'épicerie de cette petite localité.

– Tu parles d'une histoire triste! Le docteur Simard avait l'air si heureux d'aller pratiquer dans une autre province, ose émettre Charline Côté, une de ses anciennes patientes.

– Mais que dire de la réaction de la fille d'Édouard et de Marcelle Lavoie? Du jamais vu, profère Anna Larouche, la commère du village.

– Elle paraissait si bouleversée! Pauvre petite!

– Saviez-vous qu'elle sortait avec le fils du docteur? Je les ai aperçus à quelques reprises. Ils marchaient main dans la main sur la rue Principale, intervient Mme Larouche.

– Tout le monde a bien deviné qu'ils sortaient ensemble. Je trouve ça tellement injuste pour ces tourtereaux. La vie est parfois bien cruelle, exprime tristement Mme Côté, réticente à l'idée de consulter un autre médecin. Le docteur Simard était si gentil!

– Ça fait 6,32 $, réclame Mme Audet.

Après avoir payé ses emplettes, Mme Côté se dirige vers la sortie. Elle spécifie néanmoins avant de prendre congé qu'elle aura bien du mal à s'habituer à un autre docteur.

La commère reprend son bavardage quelques minutes plus tard. La langue lui démange.

– Il faudra bien qu'elle s'y fasse un jour! Le docteur Ferland a tellement l'air gentil, un peu jeune par exemple, ne trouvez-vous pas, madame Audet?

– Vous savez, le docteur Ferland est sûrement très compétent malgré son jeune âge.

– Je n'en suis pas aussi certaine. Mais enfin, revenons à Simone. N'avez-vous pas trouvé sa réaction un peu trop exagérée à l'église?

– Vous semblez oublier qu'elle était amoureuse de Vincent.

– Et même si elle le fréquentait depuis quelque temps, ce n'est pas normal de faire autant d'exubérances dans un lieu saint. C'était presque indécent, ajoute-t-elle avec mépris.

– Ne parlez pas ainsi, madame Larouche. Les sentiments des adolescents sont parfois plus intenses que ceux des adultes.

– Ouais!

Mme Larouche réfléchit un bref moment avant de poursuivre.

– C'est probable, mais sa réaction était presque démentielle. Ce n'était qu'un amoureux de quelques semaines après tout. Il y a anguille sous roche. J'en suis persuadée.

– Ne partez pas de rumeurs inutiles, madame Larouche.

– Bon, bon, mais qui aurait pu s'imaginer que la petite Lavoie serait suivie? J'étais tout simplement renversée de voir le facteur se précipiter derrière elle en coup de vent. Je vous jure, madame Audet, j'en étais estomaquée. Par contre, souligne-t-elle afin d'aiguiser la curiosité de la commerçante, je n'ai rien loupé. Albert Tremblay n'en menait pas large, lui non plus. Avez-vous vu son expression avant sa sortie?

Celle-ci développe son rapport sans attendre de réponse.

– Il n'a pas crié sa douleur comme la fille des Lavoie, mais son visage en disait long, croyez-moi. Il avait l'air aussi mortifié qu'elle. Son bouleversement m'a semblé très insolite, car après tout, il n'est que le facteur!

– Voyons, madame Larouche! M. Tremblay est un homme très sensible. De plus, je vous rappelle qu'il était un ami d'enfance de la femme du docteur.

– Nicole était également notre amie à l'école primaire et aucune de nous deux n'a réagi comme lui, chère madame Audet. Vous ne semblez pas tellement perspicace en ce qui a trait aux histoires de cœur.

– Que voulez-vous insinuer? Nicole et Germain Simard me semblaient très amoureux! Vous vous trompez certainement.

– Pas si sûre que ça, moi. Ne me dites pas que vous n'avez rien observé! Depuis son retour au travail, Albert Tremblay ne parle presque plus à personne. L'ayant épié secrètement à plusieurs reprises par la fenêtre de mon salon, je suis en mesure d'affirmer qu'il s'essuie encore très souvent les yeux lors de la distribution du courrier à la hauteur de l'ancienne maison de Nicole. Vous comprendrez qu'après quinze jours, c'est assez étrange.

– Madame Larouche! Le deuil ne se fait pas nécessairement en deux semaines! Le souvenir d'un être cher ne s'efface pas si facilement, spécifie-t-elle. Ça prend du temps avant de pouvoir à nouveau sourire.

– Vous avez raison sur un point. Pour des parents, ça peut prendre des semaines, des mois et parfois même des années. Seulement voilà, Albert Tremblay n'était pas un membre de la famille, il n'était qu'un ami d'enfance, alors vous qui vous faites l'avocate du diable, expliquez-moi pourquoi sa peine se prolonge si longtemps. Ceci porte à réfléchir, n'est-ce pas? Était-il plus proche de Nicole qu'il voulait le faire croire?

Agacée par toutes ces allégations gratuites, Mme Audet hausse les épaules et retourne derrière son comptoir.

* * *

Chez les Lavoie, le silence de Simone se fait de plus en plus pesant. Celle-ci s'est refermée comme une huître. Trop souvent seule à jongler, l'adolescente affligée ignore comment réagir face aux évènements. Des millions de questions sans réponse surgissent dans sa tête.

« La vie vaut-elle la peine d'être vécue sans Vincent? Que diront mes parents lorsqu'ils apprendront que je suis enceinte? Que penseront les habitants du village? Seigneur! Que dois-je faire? À qui me confier? Maman! Oui, maman saura quoi faire. J'en suis certaine. »

La jeune fille désenchante presque aussitôt.

« Maman ne comprendra pas », sanglote-t-elle à nouveau.

De toute évidence, Simone n'est pas encore prête à révéler son secret.

La semaine suivante, l'adolescente décide d'ouvrir son cœur, car le poids sur sa conscience devient trop lourd à porter. Sans trop savoir par où commencer, elle demande d'abord à sa mère de ne pas se fâcher, car elle appréhende sa réaction.

– Voyons, Simone, tu ne dois pas avoir peur de me parler. Je suis ta mère et, quoi que tu me dises, mes sentiments à ton égard ne changeront jamais. Je t'aime et je t'aimerai toujours.

– Avant, décrète-t-elle, jure-moi de ne rien dire à personne, pas même à papa. Promets-le moi, maman.

Marcelle n'est pas le genre de femme à se faire manipuler de la sorte, mais devant l'insistance de sa fille, celle-ci acquiesce d'un signe de la tête. Elle lui rappelle cependant qu'une fois n'est pas coutume.

– Merci maman.

Assise sur le bord de son lit, Simone soupire fortement avant de lui confesser sa tourmente.

– Alors, de quoi s'agit-il Simone?

– J'aimais Vincent du plus profond de mon âme, débute-t-elle en reniflant.

– Je sais, Simone. Cette épreuve est très difficile à traverser. Je voudrais pouvoir t'arracher cette douleur, mais il n'y a que le temps qui saura apaiser ton chagrin. Cependant, il faut te secouer un peu, ma grande. Je sais! Je sais! Tu vas me dire que tu en es incapable et que tu ne pourras jamais. Mais je t'assure que le temps arrange bien des choses et que, dans un avenir proche, tu reprendras goût à la vie.

– Maman! Tu ne comprends pas. C'est autre chose.

Déconcertée et intriguée par ces dernières paroles, Marcelle la regarde d'un air alarmé.

– Es-tu malade?

– C'est beaucoup plus grave! Tu ne peux même pas te l'imaginer.

– Cesse de virer autour du pot et accouche pour l'amour de Dieu! Je suis en train de me faire un sang d'encre.

À ces mots, Simone ouvre grand les yeux.

– Tu es déjà au courant?

– Mais de quoi parles-tu? Je ne sais encore rien, mais j'ai bien hâte de l'apprendre. Alors, parle s'il te plaît.

– Ce que j'ai à t'avouer ne se règle pas en criant ciseaux et le temps n'arrangera rien à mon problème, bien au contraire.

– Simone! Parle pour que je te comprenne.

Celle-ci baisse la tête et s'essuie de nouveau les yeux. Marcelle vient s'asseoir près d'elle.

– Écoute, ma grande, je l'ai toujours dit et je le répète encore, il n'y a pas de problème sans solution alors, dis-moi ce qui ne va pas, je t'en prie.

– Si tu pouvais deviner maman, implore-t-elle d'une voix enrouée, ce serait tellement plus facile!

Marcelle commence à comprendre le mystère de sa fille, mais ose croire qu'elle se trompe. La panique s'empare d'elle.

– Vas-tu enfin te décider à parler, s'impatiente-t-elle.

L'adolescente se remet à pleurer avant d'avouer son geste. Sous le choc de ses aveux, sa mère se transforme en furie.

– Mais à quoi avez-vous pensé tous les deux? hurle-t-elle.

Faisant à présent les cent pas dans la chambre, celle-ci a l'impression de vivre un mauvais rêve.

« Je vais sûrement me réveiller. C'est impossible! Pas Simone, pas ma petite Simone enceinte! »

– Et depuis quand as-tu des soupçons? demande-t-elle en s'arrêtant brusquement de marcher.

– Depuis déjà quelque temps maman. Je n'ai pas eu mes règles après la soirée dansante. Ce soir-là, Vincent est venu me reconduire, mais nous nous sommes arrêtés près du gros peuplier et c'est là que...

– Épargne-moi les détails, je t'en prie. Quand je pense que je viens de te promettre de ne rien dire à personne, pas même à ton père.

– Oh maman! Que vais-je faire à présent?

– Je n'en sais rien. Je suis totalement secouée par cette nouvelle. Je n'aurais jamais pensé que ma propre fille... Je dois d'abord digérer tout ça. Ensuite je trouverai bien une solution. C'est le temps ou jamais de démontrer que ce maudit proverbe est applicable, vocifère-t-elle.

– Maman, je m'excuse. Je...

– N'en rajoute pas, veux-tu? La situation est déjà assez pénible.

Marcelle prend une bonne bouffée d'air.

– Bon, alors écoute-moi bien. Pour le moment, il n'y a pas grand chose à faire. Demain, nous irons consulter le docteur Ferland dès l'ouverture de son cabinet. Je veux être certaine de ce que tu avances avant d'en reparler.

La mère de Simone reprend le contrôle d'elle-même avant de poursuivre.

– À présent, ne pleure plus. Je te jure de trouver une solution à ce problème. Compte sur moi.

* * *

Le lendemain matin, à neuf heures précises, Simone et sa mère se retrouvent dans la salle d'attente du docteur Ferland. Quelques minutes après leur arrivée, le médecin les invite à entrer dans son bureau et leur désigne un siège.

Il pénètre le dernier et referme la porte aussitôt.

– Bonjour, madame Lavoie! Bonjour, Simone! Je suis bien content de vous revoir.

Celui-ci s'installe confortablement dans son fauteuil.

– Comment vas-tu, Simone? Les calmants ont-ils été efficaces?

– Oui, docteur.

– C'est un moment très difficile à passer, alors si tu te sens déprimée, je peux te prescrire autre chose.

– Merci, mais ça ira. Je ne suis pas venue pour ça.

Intrigué, l'homme derrière ses lunettes se tourne vers Marcelle. Celle-ci prend la main de sa fille.

– Nous sommes ici pour un autre motif, docteur, et vous êtes le seul à pouvoir nous aider dans les circonstances.

Celle-ci regarde de nouveau sa fille.

– Préfères-tu lui en parler toi-même?

– Je n'en ai pas le courage.

– Alors je parlerai. Avant tout, je veux m'assurer que notre conversation restera confidentielle, précise-t-elle.

– Vous avez ma parole, madame Lavoie. Secret professionnel oblige.

– Alors voilà. Simone a un grave problème. Elle n'a pas eu ses menstruations depuis près d'un mois et demi. Vous comprenez maintenant la raison pour laquelle j'insiste pour que cet entretien demeure entre nous. Ma fille n'a que quinze ans et elle n'est pas mariée. De plus, pour aggraver davantage la situation, son amoureux n'est plus de ce monde.

Marcelle s'adresse à présent à sa fille.

– Excuse-moi d'invoquer la mort de Vincent, mais je n'ai pas le choix. Le docteur doit bien comprendre la condition dans laquelle tu te trouves.

Celle-ci ne dit rien et baisse la tête.

– Je vois. Il faut d'abord que je t'examine, Simone. Va de l'autre côté et attends-moi. Je te rejoins dans quelques minutes. Je dois d'abord parler à ta mère.

– Oui, docteur.

En tête-à-tête avec Marcelle, celui-ci peut parler franchement sans blesser la principale concernée.

– Ma question va sans doute vous paraître brutale, mais elle s'avère pertinente. Dites-moi, si Simone se trouve réellement enceinte, que fera-t-elle de l'enfant?

– Pardon?

– Je n'habite pas dans cette région depuis fort longtemps et pourtant, je sais qu'une histoire de ce genre alimenterait les commérages très longtemps. C'est la raison pour laquelle je vous pose cette question avant même d'examiner votre fille. Si le test sanguin s'avère positif, Simone et vous devrez prendre une décision. Vous savez, madame Lavoie, votre fille n'est pas la seule à se retrouver dans cette situation. Plusieurs adolescentes de la province subissent le même sort chaque année. Après réflexion, la plupart d'entre elles choisissent de partir quelques mois dans l'anonymat d'une grande ville. Elles y trouvent refuge dans un établissement approprié jusqu'à l'accouchement. Ensuite, ajoute-t-il, ces filles-mères confient leur bébé à l'adoption. Cependant, si Simone décide de garder son enfant, c'est avec plaisir que je l'accompagnerai jusqu'à sa délivrance.

– J'imagine que tout cela n'est pas gratuit.

– Effectivement. Cependant, aucune jeune fille dans le besoin n'est refusée. Afin d'acquitter le coût de leur pension, la plupart de ces futures mères travaillent à la cuisine ou au ménage. Sur ce, je vais rejoindre votre fille et nous en reparlerons dans quelques minutes.

* * *

Depuis deux jours, Simone médite les propos du docteur Ferland concernant le refuge des jeunes filles enceintes et l'adoption des enfants conçus hors mariage. Celui-ci lui a bien fait comprendre qu'elle était la seule à prendre la décision, mais que l'avis de sa mère pesait néanmoins dans la balance. « Il est bien évident que ce bébé n'aura jamais de père s'il n'est pas adopté », a-t-il souligné. Comment avait-il osé lui rappeler cette triste réalité alors qu'elle s'ennuyait tellement de Vincent?

Couchée sur son lit, Simone évoque leur première soirée.

Toc... Toc... Toc...

Le bruit derrière la porte la fait sursauter.

– Entrez!

Marcelle se glisse dans la chambre et vient s'asseoir près d'elle.

– Alors Simone, as-tu réfléchi?

– Je ne fais que ça, maman, et pourtant je suis incapable de prendre de décision. J'aimais tant Vincent! Nous serions en pleins préparatifs de mariage s'il n'était pas mort.

– Malheureusement, Vincent n'est plus de ce monde et il est urgent de trancher, Simone.

– Je sais. Que dois-je faire?

– D'abord, comme promis, je n'ai rien dit de toute cette histoire à ton père lorsqu'il a téléphoné hier soir du haut du Lac-Saint-Jean. Lui cacher une chose pareille m'est très pénible, mais je ne trahirai pas mon serment.

Celle-ci prend une pause de quelques secondes avant de poursuivre.

– Cependant, je te trouve bien jeune pour élever un bébé. Tu es assez intelligente pour te rendre compte qu'en le gardant, tu t'exposes à te faire pointer du doigt jusqu'à la fin de ta vie. Un tel écart de conduite n'est pas accepté dans notre société, et je ne parle pas ici de la réaction de ton père s'il venait à l'apprendre. De plus, un enfant, ça coûte cher. Tu devras alors te trouver un emploi et mettre une croix sur ton beau projet d'avenir. Par conséquent, renchérit-elle aussitôt, si tu confies ton bébé à l'adoption, non seulement tu pourras poursuivre tes études et devenir maîtresse d'école, mais dans un même temps, tu lui assureras une vie beaucoup plus facile, car il faut bien se l'avouer, ses parents adoptifs l'aimeront et auront les moyens financiers de l'éduquer.

– Maman! Que ferais-tu à ma place?

– Je sais juste une chose, ma fille. J'aurais préféré que cette bêtise ne soit jamais arrivée. À présent, je te laisse jongler avec tout ça. Nous en reparlerons demain.

– Maman!

– Oui, Simone.

– Si je choisis de faire adopter mon bébé, comment vais-je partir d'ici sans éveiller de soupçons.

– Ne crains rien. Je trouverai bien une histoire à raconter pour que personne ne se doute de rien, pas même ton père. En attendant, réfléchis et décide-toi au plus vite, car Édouard et ton frère reviennent dans trois jours.

Demeurée seule, Simone angoisse juste à l'idée d'imaginer la réaction de son père en apprenant son état.

« Mon Dieu! Que dois-je faire? J'aimerais tant l'élever, ce bébé! Il est une partie de Vincent. Seulement si je le garde, il n'aura jamais de père. Seigneur! Fais-moi un signe, juste un afin de m'aider à prendre la bonne décision. Ne me laisse pas tomber. Montre-moi le chemin à suivre. Ainsi soit-il. »

* * *

Chapitre 2

Dans l'autobus qui les conduit vers la grande ville, mère et fille observent le paysage en silence. Marcelle repense à la conversation qu'elle a eue avec son mari et s'en veut de l'avoir trompé. Mais que pouvait-elle faire, sinon lui mentir pour ne pas rompre sa promesse? Ne rien dire à personne, pas même à l'homme partageant sa vie.

– Édouard, j'ai à te parler.

– Je t'écoute, Marcelle.

– Depuis la mort de Vincent, Simone n'est plus la petite fille enjouée d'autrefois. En apprenant son décès, notre fille est devenue presque hystérique. Afin de la calmer, le docteur Ferland lui a vite procuré un sédatif, mais…

– Je sais. Tu m'en as parlé à mon retour du lac.

– Malheureusement, le tranquillisant n'a fait qu'endormir sa douleur. Il ne l'a pas éliminée.

– À quoi veux-tu en venir?

– Je suis inquiète pour notre fille, Édouard. Simone demeure trop souvent dans sa chambre à pleurer. La mort de ce garçon remonte à plus d'un mois et demi et pourtant j'ai l'impression qu'elle ne s'en remettra jamais. J'ai vraiment peur pour elle. Tu sais, une dépression à son âge…

– Il faudrait consulter le médecin du village alors.

– Nous y sommes allées. Le docteur Ferland semble de mon avis. Simone doit changer d'air afin de reprendre goût à la vie. Sa peine est trop grande! L'école débute dans quelques semaines, et le fait de passer devant la maison des Simard tous les jours pour s'y rendre ne l'aidera certes pas à guérir.

– Notre fille est aussi vulnérable que ça?

– Oh oui! Tu as passé une bonne partie de l'été au Lac-Saint-Jean; tu ne peux pas évaluer la situation au même titre que moi. Lorsque tu reviens, ajoute-t-elle, ce n'est jamais pour bien longtemps.

– Ai-je le choix?

– Mon objectif n'est pas de te faire des reproches, Édouard, mais de te faire comprendre que Simone a besoin d'éloignement pour se remettre de cette tragédie, sinon, affirme-t-elle sans ménagement, elle prendra des années à se rétablir.

Marcelle prend une bonne inspiration avant de poursuivre.

– Je crois sincèrement que c'est la seule solution. En partant un an, Simone nous reviendra pleine de vie. Qu'en penses-tu, Édouard?

Celui-ci l'avait écoutée jusqu'à la fin. Sa femme n'avait pas exagéré en affirmant qu'il n'était pas très souvent à la maison. Il ne pouvait évidemment pas considérer le problème sous le même angle. Marcelle avait toujours eu un bon jugement, et cette fois-ci encore, il lui faisait confiance.

– Si tu crois réellement qu'elle a besoin de quitter le noyau familial pour faire son deuil, alors je suis d'accord. D'autant plus que le docteur est du même avis.

– Je ne vois aucune autre issue, malheureusement.

– C'est bien beau, mais où pourrait-elle aller?

– Le docteur Ferland m'a parlé d'un collège à Québec, un endroit très recommandé pour jeunes filles, paraît-il. Elle pourrait même y être pensionnaire.

– Et combien cela nous coûterait-t-il?

– Rien, car pour payer son séjour, Simone travaillerait à la cuisine ou ailleurs dans l'établissement. Notre fille est une première de classe; un petit travail ne nuira certes pas à ses études.

– En as-tu parlé avec Simone?

– Oui. Cependant, avant d'aller plus loin dans mes démarches, il me fallait d'abord ton accord.

– Tu l'as.

Et voilà, le tour était joué. Édouard n'avait rien soupçonné. Marcelle n'avait pas totalement berné son mari, disons plutôt qu'elle avait simplement omis de lui mentionner la raison principale.

* * *

Simone demeure silencieuse depuis leur départ. Si la décision de donner son enfant lui est apparue en rêve comme l'unique solution à son problème, son cœur de mère n'en demeure pas moins déchiré.

Aussi triste que sa fille, Marcelle l'observe discrètement s'essuyer les yeux avant de lui prendre la main en signe de soutien. Ce petit geste anodin procure à Simone un peu de courage. Elle sourit à sa mère malgré la douleur croissante à l'approche de la grande ville.

– Nous sommes presque arrivées à Québec.

L'adolescente regarde au loin et soupire.

– Ai-je pris la bonne décision, maman?

– J'en suis certaine, Simone. Ne t'inquiète pas… Tout ira bien.

* * *

L'établissement ne ressemble en rien à ce que Simone s'était imaginé. Entièrement briqueté, ce bâtiment solennel prend soudainement l'apparence d'une prison où elle devra faire pénitence jusqu'au printemps. Avançant à pas lents, mère et fille déambulent sur le trottoir, jusqu'à l'entrée principale. Le cœur de Simone accélère à un rythme fou. Sa main cherche celle de sa mère. Marcelle lui souffle quelques mots d'encouragement, mais l'adolescente ne porte attention qu'à la voix de son cœur, et celui-ci lui dicte de ne pas entrer. Ses jambes semblent paralysées. Il lui paraît impossible de faire un pas de plus. Jamais elle ne donnera son enfant. Ça ne se fait pas.

Son regard se tourne de nouveau vers cet édifice répugnant.

– Allez, Simone, un peu de courage!

– Je ne peux pas, maman. Je ne peux pas. Je veux retourner chez nous.

– Il n'en est pas question. La décision prise demeure la meilleure pour toi et pour l'enfant.

– Je n'en suis pas certaine, maman.

– Ne reviens pas là-dessus. Cette solution est de loin la plus sage dans les circonstances. Il est temps d'entrer à présent.

Tout son être lui crie de rebrousser chemin, et pourtant Simone abdique et avance vers ces grosses portes qui se referment aussitôt derrière elle.

Par un accueil glacial, une religieuse au bec pincé et aux traits sévères, répondant au nom de mère Cécile, les entraîne dans une petite pièce assez sombre. Elle leur désigne une chaise, leur ordonne de patienter quelques instants et repart.

Une autre femme voilée se pointe le bout du nez après plusieurs minutes d'attente.

– Bonjour. Je me présente, amorce-t-elle durement. Mère La Chapelle, directrice de l'établissement.

Ce personnage, dont l'intonation de la voix dénote un caractère austère, dévisage prestement l'adolescente.

– Vous devez être Simone Lavoie, la jeune fille corrompue que le docteur Ferland nous envoie, profère-t-elle d'un ton aride.

– Oui.

– Oui, mère, corrige-t-elle aussitôt.

Aussi odieuse que la précédente, cette religieuse examine à présent Marcelle.

– Vous êtes sa mère?

– Oui, mère. Nous sommes ici pour…

– Je sais. On m'a déjà tout expliqué.

Ses yeux fixent à nouveau Simone.

– Vous n'êtes pas sans savoir, jeune fille, que cette institution n'a rien de rose et qu'en dépit de votre visage angélique, votre comportement immoral a un prix, lance-t-elle méchamment.

Simone sent soudainement son cœur se gonfler. Elle baisse honteusement la tête et se voit comme la dernière des dernières.

Consciente que cette femme dissimulée derrière sa tenue de bonne sœur ne cherche qu'à dégrader sa fille, Marcelle arque les sourcils et ouvre la bouche afin de riposter à ses sarcasmes, mais la religieuse a déjà repris la parole et s'adresse maintenant à elle.

– Malgré sa descente aux enfers, votre fille sera bien traitée. Je peux même vous assurer que son rejeton sera adopté par un couple marié, renchérit-elle en haussant le ton.

Marcelle lutte de toutes ses forces pour ne pas lui faire avaler son ironie. Ce n'est vraiment pas le temps de perdre patience. Simone a besoin d'un toit jusqu'à sa délivrance.

– Cependant, avant de passer aux choses officielles, je vais vous présenter mère Miriame, qui vous servira de guide, Simone. Elle vous attribuera les tâches à accomplir jusqu'à votre accouchement. Vous comprendrez que même si vous êtes enceinte, nous ne pouvons vous garder gratuitement.

Sans plus attendre, sœur La Chapelle tape de ses doigts la petite clochette déposée sur le coin de son bureau. Une religieuse, vêtue exactement comme ses consœurs, apparaît presque aussitôt sur le seuil de la porte.

– Entrez, sœur Miriame. Je veux vous présenter une jeune fille. Elle est originaire du Saguenay et elle demeurera avec nous jusqu'au printemps.

La religieuse approche tout doucement. Aux yeux de Simone, elle lui paraît très différente des autres sœurs. Elle semble plus douce, plus compréhensible, moins sévère.

En désignant Simone, la directrice de l'établissement fait les présentations.

– Voici Simone. Cette adolescente sera sous votre tutelle jusqu'à la fin de sa grossesse. Votre devoir sera de lui attribuer les tâches à accomplir. Et voici Mme Lavoie, sa mère. Je vous présente mère Miriame.

– Bonjour, Simone. Bonjour, madame Lavoie, prononce-t-elle d'une voix douce et sereine. Compte tenu de la situation, je ferai l'impossible pour que votre fille se sente bien dans notre établissement.

– Merci, sœur Miriame, l'interrompt aussitôt la directrice. Vous pouvez retourner à votre besogne.

Celle-ci ne réplique pas et disparaît aussi calmement qu'à son arrivée.

– Maintenant, je veux m'assurer que vous ne changerez pas d'avis concernant cette grossesse. C'est la raison pour laquelle j'ai un formulaire à vous faire approuver à toutes les deux, puisque la principale concernée n'est pas majeure.

Elle s'adresse d'abord à Simone.

– Même s'il m'apparaît évident qu'aucune autre solution n'est envisageable si tu veux ravoir un jour une certaine dignité, enfin l'espérer, souligne-t-elle avec mépris, j'ai le devoir de m'en assurer. Alors, es-tu certaine de vouloir remettre ton bébé entre les mains d'une bonne famille immédiatement après ton accouchement?

Simone remarque un revirement dans la façon de parler de la sœur, qui ne la vouvoie plus.

La supérieure s'impatiente.

– Alors? Je n'ai pas toute la journée à te consacrer, Simone. Il me faut une réponse. Veux-tu toujours signer le papier qui officialisera ta décision?

– Oui, mère. J'y renonce pour son bien.

– Et vous, madame Lavoie?

– Je suis du même avis.

– Bien! Puisque tout le monde s'entend pour dire qu'une mère honorable est préférable pour élever cet enfant, il ne reste qu'à signer le registre de renonciation à cette progéniture.

D'un pas décidé, sœur La Chapelle se dirige vers une commode tout près de la porte. Elle y ouvre un tiroir et s'empare du document en question. Revenue à son bureau, elle s'assoit confortablement avant de lire à haute voix en quoi consiste l'engagement pris par les deux parties. Elle tend ensuite la feuille à Simone.

– Maintenant, signe en bas de la page et ta mère parafera à côté.

Avant d'apposer sa signature, Simone étudie le visage de la religieuse dans l'espoir d'y déceler un peu de considération à son égard. Il n'en est rien. La directrice reste de glace. La jeune fille prend alors le crayon et, dans un soupir retenu, griffonne ce formulaire certifiant l'abandon de son bébé. Elle passe ensuite le stylo à sa mère. Marcelle en fait autant. Enfin, sœur La Chapelle témoigne à son tour.

– À présent, je vais vous faire reconduire jusqu'à la sortie, madame Lavoie.

– Puis-je rester seule avec ma fille un instant avant de partir?

– Je vous laisse quelques minutes, pas plus, décrète la directrice avant de sortir de son bureau.

Serrant sa grande fille dans ses bras, Marcelle lui affirme que tout ira bien.

– Tu verras, ma grande, ces quelques mois passeront très vite.

– Maman, je me sens tellement triste!

– Je sais… je sais… ce n'est pas facile.

D'un geste maternel, Marcelle essuie les larmes sur les joues de sa fille.

– Je dois partir, maintenant. Mère Miriame a l'air gentille, alors n'hésite pas à lui parler si tu en éprouves le besoin.

– Oui, maman.
– Je t’aime, Simone.
– Moi aussi je t’aime, maman.

* * *

Seule dans sa chambre depuis quelques minutes, Simone découvre avec désolation cette petite pièce devenue son refuge pour plusieurs mois. Partagée entre le sentiment d’indignation et celui de soumission, elle dépose sa valise sur le petit lit accoté au mur du fond avant d’aller s’asseoir sur une chaise de bois située tout près de la fenêtre. Pendant un long moment, elle reste ainsi, sanglotant sur son passé, son présent si triste et son avenir si peu reluisant.

* * *

L’automne retardataire colore finalement les quelques arbres visibles de la minuscule chambre de Simone. Les feuilles jaunies et rougies frissonnent à la moindre brise, se détachent et voltigent jusqu’au sol refroidi. Assise à son pupitre près du châssis, l’adolescente contemple le paysage de l’arrière-saison, mais son regard revient vite à cette chambrette qu’elle occupe depuis un certain temps. Ce lieu lui paraît si terne en comparaison de sa chambre à la maison paternelle! Pressentant la déprime refaire surface, elle incline de nouveau la tête et retrouve les personnages de son livre, délaissés un bref moment. Depuis son admission, la lecture demeure sa principale relaxation. Chaque soir après sa journée de travail, Simone retrouve l’intimité de cette pièce et s’abandonne à cette détente. Cela lui permet de s’évader de ce lieu si ascétique. Toutes les religieuses, à l’exception de mère Miriame, la défigurent avec dédain chaque fois qu’elles la croisent dans les longs couloirs de l’institution. Heureusement, mère Miriame ne fait pas partie de ce clan malfaisant. Cette religieuse semble descendre directement du ciel tellement elle est gentille avec elle et les autres filles enceintes. Même si elle a le devoir de veiller à ce que tout le travail soit fait, celle-ci n'élève jamais la voix. Ses ordres ressemblent plutôt à du velours tellement ils sont donnés avec douceur. Simone s'attache de plus en plus à cette femme.

Le bruit derrière la porte l'arrache de ses pensées.

– Entrez!

Sourire aux lèvres, sœur Miriame entre et referme derrière elle.

– Bonsoir, Simone. Puis-je venir bavarder un moment?

– Bien sûr, mère. J'apprécie toujours votre présence.

– J'en suis ravie. Moi aussi j'aime bien ces moments privilégiés. Et ce soir, précise-t-elle, j'ai quelque chose à t'annoncer.

– Ah oui! Et quoi donc?

– Voilà, dans quelques jours, si tu veux, tu pourras retourner sur les bancs d'école. Il faudra évidemment que tu continues à aider mère Berthe à la cuisine pour payer ton séjour ici, mais je pourrai m'arranger pour alléger ton travail. Je crois savoir que tu espères devenir maîtresse d'école, or si c'est toujours ton objectif, il ne faudrait pas arrêter tes études trop longtemps.

– Enfin une bonne nouvelle! soupire-t-elle avec enthousiasme.

– Alors, cette idée de retourner en classe te plaît?

– Oh oui, mère! Énormément.

– Laisse-moi quelques jours pour tout arranger avec la directrice et je t'en reparlerai. Je dois t'aviser d'une autre chose. Demain, au lieu d'aller directement à la cuisine, passe par l'infirmerie. Le docteur Martin t'y attend vers huit heures pour t'examiner.

Percevant l'angoisse de Simone, la religieuse s'approche de la jeune fille et lui prend affectueusement les deux mains.

– Ne t'en fais pas, tout se passera bien. Le médecin veut tout simplement s'assurer que la future maman se porte bien.

À nouveau seule dans sa chambre, Simone se jette sur son lit et se met à pleurer. Comment peut-on parler de future maman, alors qu'après son accouchement une inconnue prendra sa place auprès de son bébé?

* * *

Très tôt le lendemain matin, Simone se prépare et rend visite au docteur Martin. La nuit blanche qu'elle vient de passer à pleurer et à réunir les précieux souvenirs de Vincent ne l'a pas empêcher de vouloir connaître l'état de son bébé. À huit heures précises, elle se présente à l'infirmerie.

– Venez, mademoiselle Lavoie, le médecin vous attend, annonce l'infirmière derrière son bureau.

Simone emboîte le pas dans la direction désignée et entre dans le cabinet. Voyant cette jeune fille pour la première fois, le docteur Martin lui sourit et l'invite à s'asseoir.

– Bonjour, Simone. Comment allez-vous?

– Bien, docteur.

– D'après le rapport du docteur Ferland, vous devriez accoucher à la fin du mois de mars. Mais avant de vous faire un premier examen, j'ai quelques petites questions à vous poser.

– Oui, docteur.

– D'abord j'aimerais savoir si vous dormez bien. Dans votre état, le sommeil a une grande importance.

– Assez bien, docteur, sauf cette nuit.

– Une exception?

– Oui.

– Maintenant, dites-moi si vous mangez bien. Avez-vous de l'appétit?

– Oui, mais il m'arrive très souvent d'avoir mal au cœur.

– C'est tout à fait normal dans votre état. Je vais vous donner une médication afin d'enrayer ces nausées du matin, car ce haut-le-cœur vous arrive le matin, n'est-ce pas?

– Oui, comment le savez-vous?

– Vous n'êtes pas, mademoiselle, la première jeune fille que je vais suivre jusqu'à la fin de sa grossesse.

– Bien sûr, dit-elle embarrassée. Excusez-moi.

Le médecin se lève et se dirige vers sa pharmacie. Il l'ouvre. Pendant un bref moment celui-ci s'interroge. Doit-il lui donner de la thalidomide, cet échantillon qui occupe sa tablette depuis déjà quelques mois ou plutôt cette bonne vieille «gravol*» ayant fait ses preuves? Il revient finalement à son bureau et lui remet la médication appropriée en lui spécifiant la posologie.

– À présent, mon assistante va vous peser. Venez ensuite me rejoindre dans l'autre pièce. Je vous examinerai.

La visite chez le médecin s'était passée assez rapidement. Le docteur Martin n'avait pas tellement parlé. Par contre, tout se déroulait normalement et elle devait retourner le voir dans quelques semaines.

* * *

Au village, Marcelle sent bien la curiosité que suscite l'absence prolongée de sa fille chez certaines gens. Cependant, lors de ses emplettes, elle s'arrange toujours pour éviter la commère du village, Mme Larouche. Malgré toutes ses précautions, elle se trouve nez à nez avec elle en sortant de chez le marchand de tissus.

– Bonjour, madame Lavoie! Comment allez-vous?

– Très bien, madame Larouche.

– Comment se porte Simone? On ne la voit plus au village. Vous savez, depuis sa crise d'hystérie à l'église, beaucoup d'habitants se questionnent.

Comment se permettait-elle de lui dire en pleine face que sa fille avait fait une crise de folie, alors que cette bavarde affiche un comportement malveillant tous les jours?

Hors d'elle, Marcelle lui répond assez promptement.

---

* Medicament contre les maux de cœur.

– Écoutez bien, madame Larouche! Il est vrai que ma fille a fait une crise en apprenant la mort de Vincent. Ceci dit, c'était un comportement tout à fait légitime puisqu'il s'agissait de son amoureux.

– Alors si son attitude vous semble normale, pourquoi se cache-t-elle?

– Simone ne se cache pas. Elle n'est pas au village, tout simplement. Elle va passer l'année scolaire à la grande ville chez une de mes cousines. Simone avait besoin de changer d'environnement après le décès de Vincent. C'est la raison pour laquelle nous avons pensé l'éloigner pour quelque temps. Ai-je satisfait votre curiosité, madame Larouche? Maintenant, vous avez de quoi alimenter votre semaine et peut-être davantage.

– Pourquoi vous fâcher ainsi, madame Lavoie? Je ne fais qu'énoncer la question que tant de gens se posent. Pour ma part, je comprends très bien son exil.

– Alors si vous comprenez, c'est parfait. J'espère ne plus avoir à revenir sur le sujet.

– Je vous trouve bien pointue, madame Lavoie. Vous ne semblez pas dans votre assiette. Y a-t-il quelque chose qui vous tracasse?

– Non, à part vos sous-entendus, tout va bien dans le meilleur des mondes.

Anna Larouche pose volontairement son regard sur le coton dans les mains de Marcelle. Elle s'exclame aussitôt :

– Que vous avez acheté du beau tissu! Quel beau vêtement cela fera! Qu'avez-vous l'intention de coudre dans cette étoffe, madame Lavoie?

Là, c'était trop. S'il fallait en plus qu'elle apprenne que ce morceau de tissu servirait à coudre une robe de maternité pour Simone, Mme Larouche tomberait bien dans les pommes.

– Écoutez, madame Larouche, je n'en ai aucune idée pour l'instant et sans vouloir vous blesser, cela ne vous regarde pas.

– Seigneur! Que vous êtes soupe au lait aujourd'hui! Ce n'était qu'une simple question, madame Lavoie.

– Alors, elle était de trop. Au revoir, madame Larouche.

« Que Dieu me protège de ne jamais avoir une langue de vipère comme celle d'Anna Larouche », implore Marcelle en revenant chez elle.

Le soir venu, lorsque les enfants sont couchés, Marcelle s'installe à la machine à coudre et s'empresse de confectionner une robe de maternité pour sa fille avant le retour de son mari la semaine suivante. Se déplaçant régulièrement vers Québec, le docteur Ferland lui a offert d'aller porter quelques vêtements à Simone.

* * *

Novembre approche. La neige blanche assiège désormais la ville de Québec. Par la fenêtre givrée de sa chambre, Simone regarde les gens frissonner au contact du vent nordique sifflant un hiver invétéré. Caressant son ventre dodu, celle-ci sursaute d'émotion en réalisant ce qui lui arrive. Excitée, elle sort de son unique coin d'intimité et se dirige rapidement vers le bureau de sœur Miriame. Oppressée, Simone s'arrête un moment, le temps de reprendre son souffle, et repart à nouveau à la recherche de cette femme devenue sa confidente et son amie. Son intuition ne l'avait pas trompée. Mère Miriame est une femme remarquable. D'une bonté et d'une gentillesse inouïe, cette sœur sait se faire aimer par toutes les pensionnaires, francophones et anglophones. Simone l'apprécie également pour sa grandeur d'âme. Elle ne porte aucun jugement sur sa grossesse et se contente de l'écouter au besoin.

« Enfin arrivée… »

Après avoir frappé à la porte de l'appartement à deux reprises, Simone entre sans attendre.

– Mère Miriame! J'ai quelque chose à vous…

– Allons, mon enfant! Prends le temps d'arriver et viens t'asseoir. Tu es tout essoufflée.

La religieuse lui approche une chaise et s'installe tout près d'elle. Simone respire à fond et regarde la sœur en souriant.

– Seigneur! Que t'arrive-t-il pour accourir chez moi à cette heure-ci?

– Je sais qu'il est tard, mère, mais je ne pouvais pas attendre à demain pour vous l'annoncer.

– Que se passe-t-il, Simone? Tu m'inquiètes. Tu as l'air si heureuse et en même temps si bouleversée.

– Mère, il y a à peine dix minutes, il s'est passé quelque chose de nouveau pour moi et je voulais que vous soyez la première à l'apprendre.

– Parle, Simone. Je t'en prie.

– J'ai senti mon bébé bouger, s'exclame-t-elle.

Dans un élan de tendresse, sœur Miriame enlace sa petite protégée comme si elle était sa propre fille. Cette jeune adolescente désemparée a conquis son cœur, dès l'instant où elle l'a aperçue dans le bureau de sœur La Chapelle.

– Chère petite… Quelle belle sensation, n'est-ce pas?

– C'est très bizarre comme impression. C'est comme si j'avais senti une vague à l'intérieur de moi.

Le visage éclairé de Simone devient tout à coup très sombre.

– Croyez-vous que mon bébé m'en voudra un jour de l'avoir abandonné? Croyez-vous que ce que j'ai ressenti ce soir, c'était sa façon à lui de me dire de ne pas le laisser en adoption, mère Miriame? Je voudrais tellement le garder, mais…. J'ai signé le formulaire d'abandon à mon arrivée. Croyez-vous qu'on puisse annuler un contrat de ce genre? S'il vous plaît, mère Miriame…

– Pauvre petite…

Consciente de l'importance de sa réponse aux yeux de Simone, la religieuse prend le temps de réfléchir.

– Allons mon enfant, ce que tu as ressenti ce soir… toutes les futures mamans le constatent vers le cinquième mois de grossesse.

– Je commence à peine mon cinquième mois. C'est beaucoup trop tôt.

– Ça ne veut pas dire pour autant que ce soit là un signe que ton bébé ne veut pas être adopté. Ce que tu as fait en signant ce contrat, c'est un geste d'amour, ne l'oublie pas. Je sais que tu espères le meilleur pour ce bébé, or en le plaçant en adoption, tu lui donnes la chance d'avoir une vraie famille. Si tu gardais cet enfant, crois-tu qu'il ne souffrirait pas un jour de la situation? N'oublie pas qu'une femme seule, sans être mariée, donne de quoi ravitailler les mauvaises langues. En grandissant, cet enfant ne pourrait être épargné de ces sarcasmes. Comprends-tu, Simone?

L'adolescente s'essuie les yeux avec le mouchoir de sœur Miriame. D'un geste de tête, elle lui fait signe qu'elle a compris. Réconfortée, Simone retourne à sa chambre et s'installe sur son lit. Encore sous l'effet de l'émotion, elle caresse son gros ventre et entreprend de parler à son bébé.

« Aujourd'hui j'ai ressenti ta présence. Je ne sais pas si tu m'entends, mais je suis certaine que tu peux percevoir mon amour. Je ne peux pas te garder, mais je t'aime et je t'aimerai toujours. Tu es mon enfant et celui de Vincent. Vincent, c'était ton père. Je l'aimais profondément. Tu as peut-être été conçu illégitimement, mais malgré tout, tu as été engendré dans l'amour. Tu comprends, mon petit? Tu es le fruit d'un grand amour. Ton père et moi, on s'aimait, on s'aimait vraiment. »

* * *

Ce matin, de gros flocons tombent doucement du ciel, ce qui fait évidemment le bonheur de plusieurs petits enfants. Comme chaque jour de la semaine, le facteur Tremblay fait sa tournée et distribue le courrier au village. Il observe les bambins faire de gros bonshommes de neige, et les souvenirs de son enfance lui reviennent en mémoire comme des bulles dans une crème soda. Il se revoit, une trentaine d'années plus tôt, courir dans la neige avec son amie Nicole. Combien de fois ont-ils ri en faisant des bonshommes de neige au début de l'hiver? Nicole insistait toujours pour placer la carotte en guise de nez.

« C'est ma spécialité, disait-elle. J'adore les légumes, et un jour, j'aurai mon propre jardin. »

La douleur de l'avoir perdue ne semble pas s'atténuer avec le temps. Trop de choses lui rappellent celle qu'il a toujours aimée en secret. Il la voit partout et rêve d'elle encore très souvent. Lorsqu'il passe devant sa maison, avec son sac de courrier sur l'épaule, il s'essuie encore les yeux en imaginant sa belle en train d'enlever les mauvaises herbes de son potager. Jamais il ne pourra oublier son sourire et l'attention qu'elle lui prêtait lorsqu'il arrivait tout près de chez elle, lui le simple facteur.

Soupirant sa douleur, il reprend sa marche quotidienne. Le cœur lourd et la tête pleine de souvenirs, Albert Tremblay rentre chez lui après sa journée de travail. Comme d'habitude, il secoue ses grosses bottes avant de les enlever, ôte sa casquette bleue et se débarrasse de son pardessus. Il se dirige au salon, ouvre la radio pour s'inventer une présence et retourne dans la cuisine y préparer son repas. Ce soir, le facteur n'a pas tellement faim. Peut-être traîne-t-il une grippe, il n'en sait trop rien. Malgré le manque d'appétit, il décide finalement de se cuisiner un petit goûter bien simple. Le reste du pâté de la veille et une petite salade feront l'affaire. Assis au coin de la table, Albert avale son souper sans vraiment le déguster. Après avoir mangé rapidement, il retourne au salon pour y écouter un peu de musique. En passant près du petit bureau situé à l'entrée de la cuisine, il ramasse son courrier qu'il a déposé un peu plus tôt. À présent, bien installé dans son fauteuil, il ouvre la première enveloppe puis la deuxième et enfin la troisième. Rien de bien nouveau, toujours des factures à payer. Une enveloppe blanche reste pourtant dans ses mains. Le facteur la contemple sans l'ouvrir. Celle-ci est adressée à Vincent Simard.

« Que dois-je faire de cette lettre? Dois-je la redonner à Simone? Sûrement, mais pour l'instant elle n'habite plus au village. Dois-je la remettre à ses parents? Non, je vais attendre son retour. Cette lettre lui appartient, à elle seule. En tant que facteur, j'ai le devoir de la garder. C'est en main propre que je la lui remettrai. Pour l'instant, je vais la placer soigneusement dans un de mes tiroirs. Pauvre petite Simone, j'espère de tout cœur qu'elle se remettra de cet amour plus rapidement que moi! »

Albert se lève aussitôt et se dirige vers sa chambre. Après mûre réflexion, il ouvre un tiroir et range l'enveloppe sous une pile de chandails.

* * *

Janvier, mois de froid intense où les gens ne sortent que parce qu'ils y sont obligés. Dehors, la poudrerie fait des ravages dans les rues de Québec. La neige accumulée ici et là mécontente les automobilistes qui circulent péniblement. Par ce temps glacial, Simone préfère incontestablement se retrouver à l'intérieur et étudier. Les examens sont pour bientôt, et elle se prépare aussi bien qu'elle le peut. Avec son gros ventre qui remue sans cesse, il lui paraît presque impossible de se concentrer. Heureusement, sœur Miriame, toujours là quand elle en a besoin, s'est arrangée pour lui procurer quelques jours de congé. Elle n'aura donc plus à aider sœur Berthe à la cuisine du reste de la semaine. Simone apprécie grandement tout ce que cette religieuse fait pour elle. Au départ, sœur La Chapelle s'objectait à ce répit de quelques jours, mais sœur Miriame n'a pas lâché prise jusqu'à ce que cette relâche soit finalement accordée à Simone.

– Une semaine, dans le fond, qu'est-ce que ça peut bien faire? Simone travaille si bien en classe et à la cuisine, sœur Berthe n'a pas à s'en plaindre. Elle en est même très satisfaite. Alors pourquoi ne pas lui accorder cette petite faveur? Je prendrai sa place à la cuisine si vous voulez. Ça ne me dérange pas. Allons, mère, je ne vous demande qu'un peu de compassion pour cette jeune fille qui veut s'en sortir. Malgré le fait que vous ayez l'obligation de voir à la bonne marche de l'établissement, je sais par-dessus tout que vous avez grand cœur. Ne soyez pas si sévère envers Simone. Elle n'a pas voulu ce qui lui arrive. Donnez-lui seulement une petite chance, une toute petite chance. Je sais! Je sais! Vous allez me dire que je ne devrais pas m'attacher à ces jeunes filles qui ont fait l'erreur de s'abandonner à un homme sans être mariées, mais que voulez-vous, je suis faite ainsi. Allez, mère, s'il vous plaît!

– Et si je vous alloue ce que vous quémandez si adroitement, je suppose que vous allez recommencer votre petit manège aux prochains examens!

– Oh non, mère! C'est juste pour ce contrôle-ci. Les autres examens ne nécessitent pas autant d'efforts.

La directrice avait fini par céder, au grand bonheur de sœur Miriame.

Encore un mois de passé. Simone a l'impression qu'elle va exploser tellement elle grossit. Il ne lui reste qu'un mois et demi, et ce sera le grand jour de la délivrance. Les sentiments qu'éprouve Simone oscillent entre l'envie de revenir à son poids normal et celle de toujours garder en elle le fruit de son amour immortel. Vincent est parti depuis plus de six mois, et pourtant pas un seul jour ne passe sans qu'elle y pense. La douleur de Simone est encore bien présente.

Entre le travail, les études et les examens, un rendez-vous chez le médecin s'impose. L'adolescente délaisse ses livres le temps de rendre visite au docteur Martin. Celui-ci ne dialogue pas beaucoup, malheureusement. Simone aimerait tant se faire dire que son bébé va bien, qu'il a une grosseur normale, enfin n'importe quoi, pourvu qu'il lui parle de ce petit être. Peut-être est-ce voulu? Peut-être est-ce un règlement de la maison puisque toutes ses patientes ont signé le formulaire d'abandon? Simone n'en sait rien, mais elle espère en savoir un peu plus, ce matin.

– Bonjour, Simone! Viens t'asseoir, lui dit-il de façon plus familière.

– Bonjour, docteur.

– Comment te sens-tu ces temps-ci, Simone?

– Les maux de cœur ont disparu, mais je me sens toujours fatiguée et je me trouve très grosse.

– Je constate effectivement que tu as pris pas mal de poids depuis notre dernière rencontre.

– J'ai souvent mal aux jambes aussi. Est-ce normal, docteur?

– Normal ou anormal, je n'aime pas tellement ces mots pour expliquer une situation. Disons plutôt que chaque patiente est différente. Il est vrai que tes jambes sont très enflées. Tu ne devrais pas trop marcher.

– Mais je dois aider à la cuisine! Vous savez…

– Je suis au courant de l'arrangement. Enfin, je vais voir s'il est possible de te décharger un peu, mais je ne te garantis rien. Pour l'instant, je vais te faire un autre examen et ensuite tu retourneras voir l'infirmière. Elle te pèsera et elle te fera quelques prises de sang. J'ai également besoin d'un échantillon d'urine.

Simone revient s'asseoir dans le bureau du médecin après l'examen.

– Que se passe-t-il, Simone?

– Vous ne me parlez jamais de mon bébé. Pourquoi?

– Parce qu'il n'y a rien à dire. Par contre, je veux m'assurer de ta santé et de celle du bébé.

– En me faisant passer tous ces examens?

– Simone! Ce ne sont que quelques prises de sang et un échantillon d'urine.

– Oui, mais…

– Je veux juste m'assurer que tout est sous contrôle, répète-t-il. Ne te tourmente plus.

Mais Simone n'est pas rassurée pour autant.

De retour dans sa chambre, celle-ci angoisse davantage et se met à pleurer.

« Qu'est-ce qui se passe? Le docteur Martin ne me dit pas la vérité. Je le sens. Mon Dieu, et si mon bébé n'était pas normal! »

Ses mains protectrices viennent border ce gros ventre.

« Mon petit, si jamais il t'arrive quelque chose, je ne m'en remettrai jamais. Je t'aime tellement! »

* * *

Animée par une soudaine bouffée de colère, la directrice de l'établissement s'abstient de contester la requête du médecin.

– Bien, docteur. Je verrai ce que je peux faire. Merci de m'avoir avertie.

Sœur La Chapelle n'en revient pas. La petite protégée de sœur Miriame doit de nouveau jouir d'un congé.

« Non, pas question! Elle doit travailler afin de payer sa pension. Sur cela, je suis formelle. Peut-être alléger sa corvée, mais elle manœuvrera, ça je le garantis! Cependant, personne ne doit découvrir ce que je viens d'apprendre, surtout pas Simone. Celle-là, elle nous en fait voir de toutes les couleurs. Je me serais bien passée de cette petite impertinente. Je me demande bien ce que sœur Miriame lui trouve. »

Il lui vient subitement à l'esprit d'avertir sa consœur.

« Sœur Miriame devine tout. Si je ne l'avise pas, elle fera part de ses soupçons à cette Saguenéenne et tout sera fichu. Je dois l'en informer au plus tôt. »

Plus déterminée que jamais, sœur La Chapelle quitte expressément son bureau et presse le pas à la recherche de sœur Miriame.

« Je dois l'informer avant qu'il soit trop tard. »

Au bout d'un quart d'heure de recherche, la directrice retrouve enfin mère Miriame.

– Enfin, vous voilà! Je vous cherche partout. Où étiez-vous pour l'amour de Dieu?

– Bonjour, mère. Vous aimeriez me parler?

– J'ai à m'entretenir avec vous immédiatement. Ça ne peut pas attendre, alors suivez-moi.

Sœur Miriame se demande bien quelle mouche l'a piquée pour avoir si mauvais caractère aujourd'hui. Néanmoins, elle ne s'objecte pas et la suit en silence.

– Entrez et fermez la porte.

Toujours aussi docile, la religieuse exécute l'ordre qu'elle reçoit et vient s'asseoir en face de sa supérieure. Celle-ci est de plus en plus nerveuse.

– Je vous écoute. De quoi vouliez-vous discuter?

– Ne prenez pas cet air avec moi, sœur Miriame! Ce que j'ai à vous dire a une grande importance et doit demeurer strictement confidentiel.

– Bien sûr, mère. Vous pouvez compter sur ma discrétion.

– Ce n'est pas de votre discrétion dont j'ai besoin, je veux plus. Je vous ordonne de ne rien divulguer à qui que ce soit de notre entretien.

– Très bien, mère. Je ne dirai rien à personne.

– Parfait, je n'en attends pas moins de vous. Le docteur Martin est venu me rencontrer un peu plus tôt et il m'a parlé de votre petite protégée.

– Mon Dieu! J'espère qu'il ne vous a pas annoncé quelque chose de grave à son sujet! Je la trouve de plus en plus grosse et de plus en plus fatiguée ces temps-ci.

– Rassurez-vous tout de suite. Simone n'est pas à l'article de la mort. Par contre, il est vrai qu'elle a beaucoup engraissé dernièrement. Le médecin m'en a glissé un mot, et c'est une des raisons pour lesquelles je veux vous parler.

– Ne me faites pas languir ainsi. Dites-moi ce qui se passe.

– J'y arrive, n'ayez crainte. Je vous rappelle que vous devez garder cette conversation pour vous. Voilà, le docteur Martin vient de m'annoncer que la petite habitante va accoucher de jumeaux. Lorsqu'il a écouté le cœur du bébé, il en a entendu deux.

– Mon Dieu, s'exclame-t-elle aussitôt, mais c'est merveilleux! Quand Simone va apprendre...

– Non, justement, elle n'en saura rien. Pas si vous tenez votre langue. Elle ne doit pas le savoir.

– Pourquoi? Je ne comprends pas.

– L'autre jour, vous m'avez presque accusée de ne pas avoir de sentiments. Et bien, ce que je vous impose aujourd'hui va vous prouver le contraire et vous démontrer que j'ai le cœur à la bonne place. Si je tiens à ce que Simone ignore ce détail, ce n'est pas pour rien. N'oubliez pas qu'elle a signé le dit formulaire d'adoption à son arrivée.

– C'est pourtant vrai!

– Si votre protégée apprend cette grossesse multiple, elle redoublera de chagrin puisqu'elle devra en quitter deux au lieu d'un seul. Vous comprenez mon attitude, maintenant?

Vu sous cet angle, sœur La Chapelle n'avait pas tout à fait tort. D'un autre côté, la religieuse estimait que Simone avait le droit de savoir.

– Écoutez, mère, comment voulez-vous lui cacher une chose pareille? Ça n'a pas de sens! Elle finira bien par s'en rendre compte!

– Je ne suis pas aussi certaine que vous. D'abord, c'est sa première grossesse et ensuite elle a énormément pris de poids, de partout je vous le rappelle, son ventre la domine pratiquement.

– Je veux bien vous croire, mais avez-vous pensé à l'accouchement? Elle voudra le voir, ce bébé, et c'est tout à fait normal.

– Bien sûr que nous y avons pensé.

– Je vous écoute, car tout cela me semble incompréhensible.

– Voilà. Puisque Simone engraisse à vue d'œil, le médecin a peur qu'elle finisse par faire des crises d'éclampsie.

– Mon Dieu!

– Ce n'est pas normal d'enfler autant depuis les dernières semaines. Le docteur l'obligera évidemment à suivre un régime alimentaire sévère et il continuera à la suivre régulièrement jusqu'à la fin de mars. Dans un autre temps, il est possible que Simone doive subir une césarienne si son état ne s'améliore pas. De plus, ses rejetons ne sont pas en bonne position, Simone n'aura pas le choix d'après le docteur Martin, ajoute-t-elle, il y a de fortes chances que les loupiots ne se retournent plus, car ceux-ci sont très gros pour sept mois et demi de grossesse. En d'autres termes, Simone ne découvrira pas la vérité car à son réveil, nous ne lui en montrerons qu'un seul.

– Pauvre petite!

– Ne soyez pas désolée pour elle. Ce qui lui arrive aujourd'hui est entièrement de sa faute. Si elle s'était retenue au lieu de…

– Ne parlez pas ainsi, mère. Simone…

La directrice rugit comme un lion avant d'entendre sa consœur lui radoter à nouveau des excuses pour cette paysanne.

– Ne me dites pas que vous approuvez son comportement! C'est un péché, un très gros sacrilège d'engendrer en dehors du mariage.

– Je sais bien, mais…

– Je ne veux rien entendre de plus. Cette petite dévergondée obtient ce qu'elle mérite, un point c'est tout. Pour l'instant, je n'ai plus rien à ajouter, alors je vous prie de me laisser. Et n'oubliez pas de tenir votre langue, me suis-je bien fait comprendre?

– Oui, mère. Puis-je vous poser une dernière question? hésite-t-elle.

– De quoi s'agit-il encore?

– Le docteur Martin a-t-il prescrit une dispense de travail pour Simone avant son accouchement?

– Il a effectivement suggéré un repos, mais c'est moi qui gouverne ici, pas lui, et je n'ai nullement l'intention d'allouer à Simone un autre congé. Elle doit travailler. C'est l'entente prise à son arrivée et rien ne changera sur ce point. Cependant, pour vous démontrer ma bonne foi, je veux bien diminuer ses jours de travail. Simone ira à la cuisine trois jours par semaine au lieu de six. Maintenant, ne m'en demandez pas plus et laissez-moi seule.

Sœur Miriame n'en revenait pas. Sa petite Simone allait accoucher de jumeaux et elle ne devait pas savoir. De plus, le médecin avait peur pour sa santé. Des crises d'éclampsie. Seigneur! Il fallait absolument y voir. Sœur Miriame n'avait évidemment pas le choix de l'envoyer aux fourneaux trois jours par semaine, mais elle n'était pas obligée de rendre des comptes à sœur La Chapelle sur l'horaire qu'elle allait lui attribuer. Or, bien résolue à l'aider coûte que coûte, la religieuse décide de diminuer son temps de travail à seulement deux heures par jour. De cette manière, sa petite protégée allait pouvoir se détendre le reste de la journée.

Demeurée seule, sœur La Chapelle n'a pas la concentration nécessaire pour amorcer l'ouvrage qui l'attend sur son bureau. Tapotant son crayon, la religieuse ferme les yeux et repense à ses dix-huit ans. Le visage d'un homme apparaît instantanément sous ses paupières. Paul… l'amour de sa vie. Après seulement trois mois de fréquentation, son amoureux de l'époque envisageait le mariage. Sœur La Chapelle, qui portait alors le prénom de Viviane, semblait voler sur un nuage tellement la vie lui paraissait belle. Elle allait se marier, alors plus rien ne comptait, sauf Paul. Elle l'avait tant aimé! Peut-être un peu trop. Et puis, sans savoir pourquoi, son bel avenir avec Paul avait sombré aussi vite que le Titanic dans l'océan. Son fiancé était arrivé un matin chez elle pour lui annoncer qu'il la quittait afin d'épouser Monique, sa propre cousine. Comment pouvait-il lui faire une chose pareille? Comment pouvait-il unir sa vie avec sa presque sœur alors qu'hier encore, c'était à elle qu'il proposait cette alliance. À l'époque, Viviane en avait presque fait une dépression. Sept mois plus tard, sa cousine Monique accouchait d'un gros garçon. Viviane avait alors compris la raison de leur séparation. Il avait mis cette fille enceinte et devait se marier le plus tôt possible pour éviter le commérage. Mais comment avait-il pu coucher avec une autre alors qu'il disait l'aimer, elle? Quelle honte! Le choc passé, elle avait décidé de prendre le voile. « Plus jamais un autre homme ne me fera un affront pareil », avait-elle tranché. Plus jamais!

Simone ressemblait tellement à sa cousine. Lorsqu'elle l'avait aperçue toute fragile, avec une chevelure blonde semblable à celle de Monique, la rancœur qui dormait au fond de son cœur s'était réveillée. Cette fille devait payer pour toutes les autres, pour toutes les Monique du monde entier qui n'ont aucune estime d'elles-mêmes. La rancune de sœur La Chapelle était sans limites. Quelqu'un devait souffrir pour cette vie de misère, cette vie qu'elle n'aurait jamais choisie si on ne lui avait pas fait tant de mal. Oui, quelqu'un devait porter sa croix, et ce serait Simone Lavoie.

* * *

Perdue dans ses pensées moroses, Simone attend impatiemment sœur Miriame, car celle-ci a l'habitude de venir lui rendre une petite visite le soir lorsque tout est calme.

« S'il y a du danger pour mon bébé, je l'apprendrai, pense-t-elle. Mère Miriame me dira la vérité. Seigneur! Faites qu'elle arrive! »

Simone est à bout de nerfs. Il est déjà sept heures du soir et la religieuse ne s'est toujours pas pointée. D'ordinaire, celle-ci ne dépasse jamais six heures et demie. L'anxiété de Simone grandit de minute en minute.

« Pourquoi n'arrive-t-elle pas? Veut-elle me cacher quelque chose? Je ne peux pas croire que mon bébé ne sera pas normal. Seigneur! Je veux savoir... »

Pour passer le temps, l'adolescente essaie d'étudier mais n'y arrive pas. Ses yeux sont embués et le cœur n'y est pas. L'inquiétude la gagne de plus en plus. Ses jambes la font souffrir et elle respire difficilement, mais sa souffrance physique n'est rien en comparaison de la panique qui l'habite.

* * *

À la chapelle de l'établissement, sœur Miriame en oublie l'heure, occupée à prier et à implorer le Seigneur afin qu'il protège Simone déjà atteinte d'une prééclampsie. Ayant déjà été témoin d'une crise semblable, la religieuse souhaite ne plus jamais en voir de sa vie.

« Seigneur, toi qui ne m'as jamais abandonnée dans les moments les plus pénibles de ma vie, je te demande aujourd'hui de veiller sur Simone. Elle n'a pas besoin d'une telle épreuve. Ne trouves-tu pas que d'avoir un enfant et d'être obligée de le donner demeure en soit une grosse affliction? Protège-la, Seigneur. Je t'en conjure. »

Après avoir fait son signe de croix, sœur Miriame se relève et regarde sa montre. En constatant l'heure tardive, elle ramasse son missel et se dirige rapidement vers la sortie. Si elle presse le pas, elle aura le temps de passer voir Simone.

* * *

Malgré sa fatigue, Simone se lève en entendant un bruit derrière la porte. Elle jette un coup d'œil sur le réveil situé sur la table de nuit. Déjà huit heures passées.

« C'est sûrement mère Miriame » , songe-t-elle en allant ouvrir.

– Bonsoir, Simone.

– Mère Miriame. Enfin!

– Je m'excuse d'arriver si tard.

– Ça ne fait rien. Vous êtes là à présent, soupire-t-elle. J'ai à vous parler.

– Tu n'as pas l'air dans ton assiette. Ne reste pas debout. Viens t'asseoir et nous bavarderons.

Les deux femmes s'installent sur les chaises tout près de la fenêtre.

– À présent, Simone, dis-moi ce qui ne va pas.

– Mère, j'ai de plus en plus de difficulté à marcher. J'engraisse sans arrêt et je me fatigue au moindre effort. Il m'arrive encore d'avoir des nausées, mais c'est beaucoup moins fréquent qu'au début de ma grossesse. Je m'encourage en me disant que le temps achève. Vous savez, mère, même si je voulais garder le bébé dans mon ventre plus longtemps, je crois que mon corps ne résisterait pas. Je me sens tellement fatiguée!

– Oui, je sais, ma grande.

Ces mots arrivent comme un velours dans le cœur de Simone. Elle songe à sa mère qui la surnomme parfois ainsi et ne peut s'empêcher de verser une larme.

– Écoute, j'ai du nouveau pour toi. J'ai parlé à mère La Chapelle et elle me permet de diminuer ton horaire de travail à trois jours par semaine. Tes heures seront réduites également. Dorénavant, tu iras à la cuisine deux heures par jour. Le reste du temps, je veux que tu te reposes et que tu suives à la lettre les ordres du médecin en restant le plus souvent possible assise ou couchée. Tu entends, c'est important et…

– Mère Miriame, dites-moi la vérité. Le médecin m'a fait passer une multitude de tests. Je veux savoir pourquoi. Il ne m'explique jamais rien. Allez, mère Miriame. Dites-moi tout. Y a-t-il du danger pour mon bébé? Le docteur Martin me certifie que ce ne sont que des examens de contrôle, mais je n'y crois pas. Je veux savoir, mère Miriame.

Voilà, Simone voulait à tout prix connaître la vérité. La religieuse se devait de lui répondre loyalement tout en respectant ses vœux d'obéissance.

– Que t'a dit le médecin au juste?

– Il ne parle pas beaucoup, vous savez, mais il me trouve grosse et j'ai eu l'impression que ça l'inquiétait.

– Il est temps de faire une mise au point, déclare-t-elle en lui prenant la main. Si le médecin prend souvent ta pression artérielle, s'il a demandé une analyse d'urine et des prises de sang, c'est pour une seule et unique raison, celle de prendre toutes les précautions pour que ton accouchement se passe sans difficulté.

– Alors, mon bébé n'a rien. Vous en êtes certaine?

– Écoute, Simone, le docteur Martin n'en est pas à son premier accouchement, alors fais-lui confiance. S'il y a le moindre danger, il procédera à une césarienne. En attendant, tu dois tenir compte de toutes ses recommandations. Il faut te reposer le plus souvent possible. Si ton travail te fatigue trop, même si ce n'est que six heures par semaine, il ne faut pas hésiter à m'en parler. M'entends-tu?

– Oui, mère.

– En suivant les conseils du médecin, je suis certaine que tu auras le plus beau bébé du monde. Ne t'inquiète plus. Promis?

– Je vous le promets.

– Maintenant je me sauve. Il est déjà très tard et tu dois te reposer. Bonne nuit, mon enfant.

– Bonne nuit, mère Miriame, et merci.

* * *

Malgré ses heures de travail réduites, Simone se fatigue autant sinon davantage depuis quelques jours. Trop souvent debout, ses jambes enflent et la font énormément souffrir. Sa respiration devient difficile, et il lui arrive parfois d'avoir mal à la tête.

« C'est probablement dû à mon trouble de vue, se dit-elle. J'en parlerai au médecin demain. »

Lorsque sœur Miriame lui rend visite, Simone ne mentionne cependant jamais son épuisement de peur de mettre la religieuse dans l'embarras, car en apprenant sa langueur, elle pourrait l'obliger à garder le lit, et sœur La Chapelle la réprimanderait. Elle l'aime beaucoup trop pour lui attirer les blâmes de la directrice.

* * *

Simone rend désormais visite au médecin tous les trois jours. Celui-ci s'inquiète, car la jeune fille donne des signes alarmants d'éclampsie. En dépit d'un régime alimentaire équilibré, elle présente toujours un embonpoint substantiel. De plus, les tests prouvent qu'il y a bel et bien de l'albumine dans son urine. Sa pression artérielle est supérieure à la normale, et l'adolescente souffre également de troubles visuels. Ceci n'est pas bon signe. Pour aggraver davantage son état, les jumeaux ne se sont pas retournés. Le docteur Martin envisage de procéder à une césarienne dans quelques jours. Il doit maintenant en faire part à sa patiente.

– Ton bébé ne s'est pas positionné et après huit mois de grossesse, il ne se retournera plus. Je dois donc intervenir en pratiquant une césarienne. Cependant, j'aurais préféré que tu sois un peu plus dispose pour cette opération. Dis-moi, Simone, suis-tu tous mes conseils? Te reposes-tu toute la journée?

– Je respecte la diète que vous m'avez imposée et je me repose chaque fois qu'il est possible, docteur.

– Tu dois te reposer toute la journée, dit-il en haussant le ton. C'est pourtant simple!

– Je dois quand même aider mère Berthe à la cuisine pour payer mon séjour. Cependant, je ne travaille plus que trois fois par semaine.

– Pardon? Il me semble avoir été clair là-dessus en précisant à sœur La Chapelle que je ne voulais plus te voir remettre les pieds à cet endroit jusqu'à la fin de ta grossesse. Ainsi, elle n'aurait pas donné suite à ma requête, marmonne-t-il. Toujours est-il qu'à partir d'aujourd'hui, je te défends formellement de te lever de ton lit.

Fou de rage, le médecin se rend directement chez la directrice après sa consultation. Sans attendre d'être invité à entrer, il fait irruption sans courtoisie dans son bureau.

– Sœur La Chapelle, j'ai à vous parler, et c'est urgent.

– Votre entrée n'est pas très civilisée, cher docteur Martin. Vous n'avez jamais appris à frapper avant d'entrer chez quelqu'un?

– J'en ai assez de votre ironie mal placée!

Surprise d'une telle impolitesse à son égard, la religieuse fige sur place, trop ébahie pour prononcer un mot.

– Écoutez, sœur la directrice, la supérieure ou La Chapelle, comme il vous plaira, ce que j'ai à vous dire aujourd'hui, j'espère ne plus jamais avoir à vous le répéter, alors écoutez avec vos deux oreilles. Je suis révolté de constater que vous avez transgressé mes ordres. Simone Lavoie ne devrait plus travailler. Savez-vous qu'à cause de vous cette adolescente est complètement épuisée?

– Allons donc, cher docteur! D'abord les ordres, c'est moi qui les donne, pas vous, et deuxièmement, la fatigue n'a jamais tué personne. Regardez, moi par exemple, je ne compte jamais les heures passées à mon bureau et je suis encore debout. Alors s'il vous plait, n'exagérez rien. Et, pour votre satisfaction, j'ai demandé à sœur Miriame de diminuer les heures de travail de Simone. Elle ne travaille plus que trois jours par semaine au lieu de six. Ça ne lui fait que trente heures. Ce n'est pas la mer à boire!

– Vous êtes impossible, sœur La Chapelle. Vous ne voyez donc pas que cette petite est sur le point d'accoucher et que son état est alarmant.

– Écoutez bien, docteur, vocifère-t-elle, vous faites votre devoir et moi le mien. Je ne vais pas vous dire quoi faire à votre cabinet, alors faites de même. J'ai amoindri la besogne de Simone, mais je ne pouvais faire plus étant donné la situation. Et de toute façon, renchérit-elle, même si cette fille souffrait un peu, ce n'est rien en comparaison de l'offense, que dis-je, du péché qu'elle a commis envers Dieu.

– Comme je vous plains, sœur La Chapelle. Vous devez être bien malheureuse pour être aussi méchante.

Sans ajouter un mot, le médecin tourne les talons, sort au plus vite de ce bureau malsain et se met à la recherche de sœur Miriame. Il la trouve à la chapelle en train de prier.

– Excusez-moi, sœur Miriame, j'ai besoin de vous parler un instant.

La religieuse se lève et invite le médecin à la suivre en dehors de ce lieu sacré.

– Que se passe-t-il, docteur? J'espère qu'il n'est rien arrivé à Simone.

– Je veux justement vous parler d'elle.

– Parlez, docteur. Je suis si inquiète.

– Je reviens du bureau de sœur La Chapelle. Cette femme-là n'a aucune pitié, tempête-t-il. Enfin, malgré mes recommandations au sujet d'un congé total pour Simone, celle-ci ne m'a pas écouté. Cependant, elle m'a affirmé qu'elle avait diminué ses heures de travail à trente heures en trois jours. Ça n'a aucun sens, étant donné l'état de cette jeune fille.

– Je sais, docteur Martin, mais vous savez, je ne fais qu'exécuter ses commandements.

– J'en suis conscient, mais…

– J'ai transgressé ses ordres, avoue-t-elle finalement. Il m'était impossible d'obéir à ses instructions étant donné l'état de Simone. J'ai donc pris la décision de couper davantage. Simone ne travaille que six heures par semaine.

– Je vous félicite de votre initiative, sœur Miriame. Encore heureux que la petite vous ait pour veiller sur elle. Je ne vous cacherai pas que sa situation m'inquiète énormément. C'est la raison pour laquelle j'exige que Simone garde le lit jusqu'à sa césarienne. Si tout va bien, je l'opérerai dans quatre jours. Vous n'avez pas à vous préoccuper de sœur La Chapelle. Je l'ai mise au courant et je ne pense plus qu'elle s'oppose à ma prescription. Puis-je compter sur vous?

– C'est bien évident.

– Préparez-la psychologiquement pour jeudi matin.

– Bien docteur. Pensez-vous qu'elle s'en sortira?

– Je l'espère, ma sœur, je l'espère.

* * *

Au village, les choses se tassent d'elles-mêmes. Mme Côté s'est finalement décidée à consulter le docteur Ferland et à présent elle ne jure que par lui. Mme Larouche, la commère du village, a trouvé d'autres sujets pour alimenter son placotage. L'histoire de la petite Lavoie n'intéressant plus personne, celle-ci a déniché autre chose pour se rendre intéressante.

Une personne ne cesse de penser à Simone, et c'est sa mère. Marcelle se fait du souci pour sa fille. Elle n'a pas reçu de ses nouvelles depuis les Fêtes. Elle n'ose plus téléphoner à la Maison Miséricorde, car sœur La Chapelle lui a fortement conseillé de ne plus importuner Simone inutilement, et que, dorénavant, elle ne devait plus déranger les pensionnaires pour rien. La sœur l'a néanmoins informée que Simone avait recommencé la classe, qu'elle travaillait toujours à la cuisine pour acquitter sa pension et que le soir elle étudiait. « Je lui ferai part de votre appel, lui avait-elle certifié, elle communiquera avec vous dès que possible. » Le message ne s'était évidemment pas rendu à destination puisque la directrice considérait ces conversations comme superflues.

Le facteur Tremblay retrouve tranquillement la joie de vivre. Même s'il n'oubliera jamais Nicole, il fréquente depuis peu une bénévole de l'hôpital Huberte Gravel. Il a fait sa connaissance à une partie de cartes organisée par la paroisse. Il n'y a encore rien de bien sérieux entre eux, et d'ailleurs Albert n'y tient pas. Tomber amoureux signifierait pour lui envisager une cohabitation et mettre une croix sur ses habitudes de vieux garçon.

* * *

Plus que deux jours avant l'opération. Sœur Miriame passe la plupart de son temps avec sa petite protégée. En dépit de l'assurance positive qu'adopte le docteur vis-à-vis de sa patiente, celui-ci s'inquiète toujours de voir la maladie progresser, car la pression artérielle de l'adolescente est alarmante. De plus, Simone montre des signes de convulsions. Lorsqu'il lui parle, il est en mesure de constater que ses yeux se mettent à rouler, son regard devient fixe et les muscles de son visage se crispent.

– Sœur Miriame, pourriez-vous venir hors de la chambre un moment? J'aimerais vous parler.

– Oui, docteur, tout de suite.

La religieuse s'approche du lit, prend la main et Simone et lui affirme qu'elle sera de retour sous peu. Elle retrouve ensuite le docteur Martin dans le couloir.

– Je vous écoute, docteur.

– Je ne passerai pas par quatre chemins. Simone commence à montrer des signes de convulsions, alors je n'ai plus le choix. Je dois avancer l'opération à demain matin. Je ne peux plus attendre.

– Oh!

– Restez près d'elle et si vous constatez qu'elle s'agite, prévenez-moi immédiatement. Je vais revenir la voir cet après-midi.

– N'ayez crainte, je ne bougerai pas d'ici.

– Merci. Je vais faire préparer sa chambre.

Sœur Miriame revient rapidement près de Simone.

– Mère Miriame?

– Oui mon enfant, je suis là.

– Je veux savoir si mon état est grave. Le médecin ne vous a pas fait venir hors de la chambre pour rien, alors ne me cachez rien, mère.

– En effet, le médecin m'a parlé et…

– Allez, mère Miriame! Que vous a-t-il dit?

– Il va procéder à la césarienne demain matin.

Simone s'accroche au bras de la religieuse et insiste pour tout savoir.

– Que vous a-t-il dit d'autre?

– Écoute, Simone, tout ce que je peux te dire c'est qu'étant donné ton état, il préfère te délivrer un jour plus tôt. Ensuite, renchérit-elle, tout redeviendra normal.

– J'ai si peur!

– Ne t'en fais pas. Je serai à tes côtés.

– Y a-t-il un danger pour le bébé? Il faut que je sache.

– Je ne crois pas. Aie confiance en le docteur Martin, il sait ce qu'il fait.

– Je n'en doute pas, mais…

– Allez, mon enfant, repose-toi maintenant.

Épuisée, Simone ferme les yeux quelques minutes et les ouvre à nouveau.

– Mère Miriame?

– Oui mon enfant, qu'est-ce qu'il y a?

– J'ai trouvé quelques noms pour mon bébé.

Sœur Miriame lui lance un regard intrigué.

– Ah oui? Et quels sont-ils?

Une ombre de tristesse traverse le regard de Simone tandis que l'image de Vincent apparaît dans son esprit.

– Si c'est un garçon, j'aimerais qu'il porte le prénom de Vincent, comme son père. Vous savez, mère Miriame, je l'ai tellement aimé!

– Oui je sais, ma petite, je sais.

La religieuse cligne des yeux pour essuyer des larmes naissantes. Comment lui avouer que sœur La Chapelle est la seule personne dans cet établissement à décider des noms fictifs pour tous les nouveau-nés?

– Si c'est une fille, j'hésite entre deux. J'affectionne particulièrement le prénom de Viviane. Celui-ci me rappelle ma maîtresse d'école lorsque j'étais en première année. J'ai totalement oublié son visage, mais je me rappelle que je l'aimais bien et que c'était réciproque.

– C'est un très joli nom en effet.

– J'adore votre prénom également. Miriame. Ça sonne tellement doux à mes oreilles. Qu'aurais-je fait sans vous pendant tous ces mois de solitude, loin de ma famille?

Émue, la religieuse prend son mouchoir niché au creux de sa manche et s'essuie les yeux.

– Tu me fais pleurer, dit-elle en reniflant.

Simone ferme les yeux et se retrouve dans les bras de Morphée. Quant à sœur Miriame, celle-ci joint les mains et implore à nouveau le ciel de la protéger.

* * *

Dans la chambre, sœur Miriame dépose son chapelet sur ses genoux et s'essuie les yeux pour la centième fois. Elle entend un bruit de pas derrière elle, mais n'y porte pas attention. Son cœur est déchiré à la vue de cette jeune femme couchée dans ce lit, branchée de partout.

Une grosse main d'homme se pose sur son épaule.

– Sœur Miriame?

Celle-ci ne répond pas.

– Sœur Miriame, allez faire un somme. Ça n'a plus de sens. Vous êtes constamment près de Simone depuis qu'elle a accouché de ses jumelles.

– Mais docteur…

– Je sais… je sais… Vous l'aimez bien, cette petite, mais pour l'instant, il n'y a que le temps qui puisse arranger les choses.

Sœur Miriame relève la tête et fixe le médecin. Celui-ci semble aussi inquiet qu'elle.

– Va-t-elle s'en sortir, docteur?

– Elle devrait sortir du coma d'ici quarante-huit heures. En attendant, allez dormir. Ça ne sert à rien de vous fatiguer ainsi. Vous avez besoin de vous détendre. Allez! Ordre du médecin.

– Je veux être près d'elle à son réveil.

– Je vous ferai prévenir, n'ayez crainte. Allez, maintenant, ne vous faites plus prier. Quittez cette pièce et allez vous reposer un peu. Vous reviendrez plus tard. Je vais prendre la relève un moment.

La religieuse consent finalement à céder sa place. Avant de sortir de la chambre, elle s'approche de Simone et l'embrasse sur le front.

– Sœur Miriame?

– Oui, docteur.

– La directrice veut vous voir lorsque vous aurez une minute.

– Bien. Merci, docteur Martin.

* * *

La convocation de la directrice l'intrigue beaucoup.

« Veut-elle me réprimander d'avoir passé trop de temps auprès de Simone? Il me semble pourtant avoir eu son autorisation », raisonne-t-elle.

Moins d'un quart d'heure plus tard, sœur Miriame cogne à la porte de sa supérieure.

– Entrez!

– Bonjour, mère. Vous avez demandé à me voir.

– En effet. Fermez la porte et asseyez-vous.

Celle-ci prend place sur la chaise droite face au bureau de sœur La Chapelle.

– D'abord, dites-moi comment se porte Simone.

Sœur Miriame prend une bonne inspiration afin de ravaler sa peine.

– Elle n'est pas encore réveillée.

– Je vois. Qu'en pense le docteur Martin?

– D'après lui, la petite devrait reprendre vie d'ici deux jours.

– Tant mieux. Nous allons pouvoir passer à autre chose.

– Pardon?

– J'ai une autre tâche à vous confier.

– De quoi s'agit-il?

– Avant de vous en parler, je veux m'assurer de votre discrétion.

– Vous m'avez déjà demandé de ne rien dire à personne, mère.

– En effet, mais je préfère vous le rappeler avant le réveil de Simone.

– Vous pouvez compter sur moi.

– Très bien. J'ai entre les mains le formulaire d'adoption pour l'une des jumelles. Les parents adoptifs viennent chercher leur fille cet après-midi, et c'est vous qui allez préparer le bébé.

– Déjà!

– Écoutez, sœur Miriame, mon devoir n'est pas d'élever ces bâtardes, mais de les faire adopter au plus vite, et le vôtre, je vous le répète, est d'exécuter mes directives. À présent vous pouvez disposer.

– Mère?

– Qu'est-ce qu'il y a, sœur Miriame? demande-t-elle d'un air désintéressé.

– Avez-vous déjà choisi des prénoms pour les jumelles?

– Je n'y ai pas encore songé. Pourquoi?

– Puis-je me permettre de vous en suggérer?

– Dites toujours, lui coupe-t-elle sèchement.

– Vous n'êtes pas sans savoir que je suis très attachée à Simone Lavoie.

– Écoutez, sœur Miriame, à quoi jouez-vous? Je sais que vous l'aimez bien et je me demande encore pourquoi, mais enfin, passons. Ceci dit, vous vouliez me proposer des prénoms? Je vous écoute. Je vais même les prendre en considération, mais dépêchez-vous. Je n'ai pas que ça à faire!

– Oui, oui, mère. Viviane.

– Pardon?

– Viviane, mère. C'est un prénom que Simone aime beaucoup.

– En êtes-vous certaine?

Sœur La Chapelle n'en revient pas. Comment cette petite intrigante peut-elle aimer son propre prénom alors qu'elle n'a aucune affection pour elle? Pourtant, personne dans l'établissement ne connaît son véritable nom. Simone ne peut donc pas savoir!

– Tout à fait, mère.

– Et l'autre, quel est-il? réclame-t-elle sans rien laisser paraître de son embarras.

– Miriame. Ceci dit, sans prétention, ajoute-t-elle. Je crois que Simone a fait allusion à mon prénom parce qu'elle voulait me faire plaisir.

– Je vois, dit-elle d'un air indifférent.

– Alors, mère ? En tiendrez-vous compte?

– Oui, bafouille-t-elle encore troublée. De toute manière, je n'ai pas le temps d'en chercher d'autres et je veux en finir au plus vite avec ces bébés-là. Celle qui partira cet après midi, portera mon… portera le prénom de Viviane et l'autre portera le vôtre. Pour l'instant, allez vous reposer et, vers une heure, rendez-vous à la pouponnière et préparez la petite Viviane.

– Qui seront les parents adoptifs?

– Je n'ai pas à vous dévoiler leurs noms, mais je peux néanmoins vous dire qu'ils habitent en Beauce et qu'ils n'ont pas d'enfant. Et puisqu'on en parle, je vous interdis de leur demander leurs noms lorsque vous les verrez. Ceci ne vous regarde pas. Me suis-je bien fait comprendre?

– Oui, mère, je m'en souviendrai.

– Je l'espère.

Sœur Miriame était si bouleversée d'apprendre le départ précipité d'une des jumelles qu'elle n'a pas perçu l'embarras de la directrice lorsqu'elle a prononcé le prénom de Viviane. Épuisée, la religieuse retrouve sa chambre avec soulagement. Âgée de trente-huit ans, sœur Miriame n'a plus la forme de jadis, et après plus de deux jours sans dormir, elle a grandement besoin de quelques heures de sommeil pour récupérer. Après avoir revêtu sa robe de nuit, la religieuse ajuste son réveil pour onze heures trente. Ainsi elle aura le temps d'aller manger un morceau à la cuisine avant de préparer la petite Viviane. Puis, elle se met au lit et ferme les yeux aussitôt.

Encore endormie et fatiguée, sœur Miriame se lève sagement à l'heure prévue. Après s'être étirée, elle s'habille rapidement et descend à la cuisine prendre une bouchée. Elle file ensuite à la pouponnière. Son cœur se serre à la pensée que ces deux petites sœurs seront séparées sous peu.

« Elles ne se connaîtront jamais, songe-t-elle. Que la vie est cruelle! Seigneur, pourquoi? »

Visiblement épuisée, la religieuse ne peut retenir ses larmes. L'état critique de Simone lui est insupportable et la séparation des jumelles ajoute davantage à sa peine. Respirant à fond, elle reprend son courage à deux mains et prend délicatement Viviane dans ses bras.

« À qui ressemblera-t-elle? À Simone ou à son père? »

Ses yeux se posent sur l'autre fillette. Celle-ci dort paisiblement dans son berceau.

« Comme elles se ressemblent! Cependant, Viviane a les cheveux un peu moins blonds et le teint un peu plus foncé. »

La religieuse dépose l'enfant dans sa couchette, fouille dans sa poche et s'accapare de deux médailles miraculeuses. Elle en épingle une à la camisole que porte Viviane avant de l'habiller.

« Cette médaille saura te protéger tout au long de ta vie, mon enfant. Seigneur, je te la confie au nom de sa mère, toujours dans le coma. Accorde-lui une belle vie. Et si ce n'est pas trop te demander, arrange-toi pour qu'un jour Viviane puisse retrouver sa jumelle et sa mère. Ainsi soit-il. »

Elle s'empresse d'enfouir l'autre médaille dans le fond de sa poche tout en se promettant de l'épingler sur les vêtements de Miriame le jour de son départ. Le temps fuit. Il est grandement temps d'amener l'enfant chez la directrice. Sœur La Chapelle et les nouveaux parents doivent sûrement s'impatienter. Seule adulte à la pouponnière puisque l'infirmière s'est absentée pour se rendre aux toilettes, sœur Miriame en profite pour saisir l'appareil photo dissimulé sous sa cape. Ce cadeau reçu à Noël n'a pas encore servi, or l'heure est arrivée de prendre les premiers clichés. Et quoi de plus beau que les deux petites filles de Simone à immortaliser sur pellicule? La religieuse sait parfaitement que ce geste lui est interdit puisqu'il ne doit rester aucune trace du séjour de toutes ces jeunes filles. Néanmoins, elle défie l'autorité en appuyant sur le bouton. Elle prend une deuxième photo au cas où la première ne serait pas bonne avant de camoufler de nouveau l'appareil photographique. L'infirmière revient quelques minutes plus tard. Sans perdre de temps, sœur Miriame reprend Viviane dans ses bras et se dirige vers le bureau de la directrice. Arrivée tout près, elle entend involontairement la conversation.

– Nous sommes pressés de la tenir dans nos bras.

– Je comprends votre impatience. Sœur Miriame ne devrait plus tarder maintenant. Avez-vous choisi un prénom pour votre fille ou allez-vous lui laisser le nom fictif de Viviane?

– Nous avons pensé à Rita. C'est le prénom de la grand-mère de Lucien. Rita Dumas, je trouve que ça sonne tellement bien.

– En effet, ça sonne bien, comme vous dites.

Le bruit derrière la porte les force à suspendre leur entretien. Lucien et Thérèse Dumas se regardent et se tiennent très fort par la main. Enfin la voilà, songe Thérèse. Leur vie de couple de dix ans va finalement aboutir à une vie familiale. Le cœur de Thérèse bat très vite.

– Entrez!

La religieuse s'introduit dans la pièce avec l'enfant dans ses bras. L'émotion est à couper le souffle. La future maman est la première à se lever. Elle attend ce moment depuis si longtemps! Des larmes jaillissent en voyant cette petite fille aux cheveux de blé dormir à poings fermés dans les bras de cette religieuse aux yeux rougis. Sans attendre plus longtemps, elle demande à la prendre. Sœur Miriame observe à nouveau ce petit trésor avant de lui remettre l'enfant de Simone. La nouvelle maman resplendit de bonheur. Lucien se tient près de sa femme et sourit à cette vie de famille qui commence.

Sœur Cécile arrive à cet instant.

– Excusez-moi, mère, on vous demande à la porte d'entrée.

– J'arrive tout de suite.

La directrice s'excuse auprès de M. et de Mme Dumas. Sœur Miriame profite alors de son absence pour causer avec les nouveaux parents de Viviane.

– Ce petit ange fera votre bonheur.

– Je suis si heureuse, s'exclame Thérèse, visiblement émue.

Sœur Miriame jette un coup d'œil rapide à la porte.

– Écoutez, cette fillette m'est particulièrement chère, or j'ai épinglé une petite médaille miraculeuse sur sa camisole afin de la protéger.

– C'est très gentil, sœur?

– Sœur Miriame.

– Eh bien, sœur Miriame, nous apprécions beaucoup cette délicatesse.

Sœur La Chapelle revient.

– À présent, vous pouvez disposer, sœur Miriame. Je n'ai plus besoin de vous.

Celle-ci s'approche une dernière fois de l'enfant et l'embrasse. Elle retourne ensuite auprès de Simone.

* * *

À son arrivée, elle découvre le médecin en train de discuter à voix basse avec l'infirmière de service. L'ayant aperçue, celui-ci lui fait signe d'attendre un instant. Il termine de donner ses instructions et la rejoint aussitôt à l'extérieur de la pièce.

– Vous voilà enfin, sœur Miriame.

– Y a-t-il du nouveau, docteur?

– Notre patiente semble vouloir revenir à la vie. Elle a eu quelques convulsions ce matin, mais à présent tout porte à croire que c'est terminé.

– Merci mon Dieu! clame-t-elle en levant les yeux. A-t-elle repris conscience pour de bon?

– Pas encore. Elle sort du coma de temps en temps, mais y retourne aussitôt

– Mais docteur…

– Soyez sans crainte, Simone est jeune et elle tient le coup. J'ai bon espoir qu'elle s'en sorte sans séquelles. Maintenant, je vous laisse. Je dois rencontrer sœur La Chapelle.

– Docteur! Savez-vous si la directrice a communiqué avec la mère de Simone?

– Je n'en sais rien. Je vais de ce pas m'en informer. Je reviendrai un peu plus tard.

– Bien. Merci pour tout.

Demeurée seule, sœur Miriame s'approche de l'adolescente toujours inconsciente. Elle s'installe sur la chaise droite près du lit et entreprend de réciter un chapelet en silence.

* * *

Pendant ce temps, le docteur s'entretient rigoureusement avec sœur La Chapelle depuis un bon moment.

– Avez-vous téléphoné à la mère de Simone? Cessez de tourner autour du pot et répondez par oui ou par non.

– Écoutez, docteur, je ne l'ai pas encore fait, finit-elle par avouer. Je n'en ai pas eu le temps. Par contre, j'en prends bonne note.

– Ce n'est pas tout d'en prendre note. Ça fait déjà deux jours que Simone a subi sa césarienne. Vous devriez avoir averti Mme Lavoie depuis bien longtemps. Quelle sorte de directrice êtes-vous donc? Vous devez avoir une pierre à la place du cœur! Bon Dieu!

– Je vous interdis de profaner. Vos blasphèmes sont un manque d'amour.

– Quoi? Comment appelez-vous ce que vous faites à Simone si ce n'est pas un manque d'amour? Je crois même que vous ne saurez jamais ce que le mot « amour » veut dire.

– Je vous interdis de…

– Si vous ne voulez pas l'appeler, alors donnez-moi son numéro de téléphone et je le ferai moi-même, tempête-t-il.

– Cessez de vous énerver, riposte-t-elle. Je viens de vous dire que je le ferai.

– Je veux bien vous croire encore une fois, mais…

– Il n'y a pas de mais. Allez maintenant, laissez-moi travailler.

* * *

Sœur Miriame a terminé sa longue prière depuis bien longtemps. Toujours assise près de Simone, elle lui tient la main dans l'espoir de sentir remuer un doigt.

« Juste un seul, Seigneur, implore-t-elle. Fais qu'elle agite juste un doigt. »

L'adolescente ne bouge pourtant pas. En pleine nuit, la religieuse sent le sommeil la gagner, mais malgré sa fatigue, elle ne se permet pas d'abandonner sa petite protégée. Elle s'installe plutôt dans un des fauteuils de la chambre et ferme les yeux. Sœur Miriame s'endort aussitôt.

Vers huit heures le lendemain elle est réveillée par une voix familière. Même si l'intonation est encore très faible, Simone a bien articulé son nom. En un temps deux mouvements, la religieuse se retrouve debout près du lit.

– Simone! Simone! C'est moi, mère Miriame! M'entends-tu, Simone? Je suis là, tout près de toi.

Celle-ci soulève les paupières avec difficulté.

– Mère Miriame!

Les yeux embués d'allégresse, la religieuse lui sourit gentiment tout en lui caressant le front.

– Je suis là, Simone.

– Que s'est-il passé, mère Miriame?

– Je te raconterai tout ça plus tard, pour l'instant tu dois te reposer.

– Je me sens si faible.

– Je sais, mon enfant. Repose-toi.

Simone se rendort. Heureuse de savoir que l'adolescente est enfin sortie de l'enfer, elle part sur le champ en informer le médecin, laissant la rescapée aux bons soins de l'infirmière.

* * *

Ce matin, la directrice estime qu'il est temps d'informer Mme Lavoie. Hier, malgré l'insistance du médecin, celle-ci était trop bouleversée par ses paroles blessantes pour acquiescer à sa demande.

« Ça peut attendre à demain, s'était-elle dit, de toute façon, Simone est toujours dans le coma, que je sache! »

Sans s'en rendre compte, le docteur Martin avait rouvert une plaie qu'elle croyait à jamais cicatrisée. Dès cet instant, les souvenirs malheureux de jadis avaient défilé dans sa tête comme des fantômes le soir de l'Halloween. Elle finit par s'endormir très tard dans la nuit.

Son sommeil n'est toutefois pas réparateur, car sœur La Chapelle est agitée par des cauchemars. À son réveil, l'ombre de son mauvais rêve ne disparaît pas.

– Non, non, il ne peut profaner de tels propos, non… non…

Elle entend encore la voix rauque du docteur Martin.

« Vous ne savez pas ce que le mot AMOUR veut dire… le mot AMOUR veut dire… le mot AMOUR veut dire… »

Cette élocution maudite résonne encore dans sa tête au moment de composer le numéro de téléphone de Mme Lavoie.

« Comment peut-il insinuer que je ne connais pas le sens du mot amour alors que s'il y a quelqu'un sur cette terre ayant aimé à la folie, c'est bien moi » rumine-t-elle.

Le cœur gros empli de rage, la religieuse éclate soudainement en sanglots.

« Pourquoi, Paul? Pourquoi tant de mal? Je t'aimais tant! Qu'ai-je fait pour que tu t'éloignes de moi et que tu ailles voir ailleurs? ma cousine en plus. Pourquoi, Paul? J'avais même annoncé à mes élèves notre mariage prochain. Quelle humiliation! Ma vie a basculé du jour au lendemain sans savoir pourquoi. Pourquoi, Paul? Pourquoi? »

Pour la première fois depuis cette pénible histoire, sœur La Chapelle enlève le masque d'insensibilité adopté par orgueil et laisse exhaler sa peine.

Au bout d'un moment, on frappe à la porte de son bureau.

– Un instant, je viens ouvrir.

La directrice s'essuie prestement les yeux. Elle respire à fond, retrouve le contrôle de ses émotions et affiche à nouveau un visage austère. Elle se dirige ensuite vers la porte.

– Sœur Miriame?

– Oui, mère. Je ne resterai pas longtemps, mais je voulais vous annoncer une bonne nouvelle, dit-elle tout énervée.

La religieuse remarque soudainement les yeux rougis de la directrice.

– Mère, ça ne va pas?

Confuse, la directrice s'empresse de dire à sa consœur qu'elle a attrapé un mauvais rhume.

– Vous devriez consulter le docteur Martin, mère.

– Merci pour le conseil, mais n'aviez-vous pas quelque chose à m'apprendre?

Les mains croisées sur sa poitrine, sœur Miriame s'exclame :

– Oui en effet! Notre petite Simone est enfin sortie du coma. Je suis si contente!

– Vous voulez dire votre petite Simone. Je vous fais remarquer que ce n'est pas moi qui l'ai prise sous mon aile.

– Vous avez raison, mais je suis si heureuse!

– J'en suis ravie pour vous, sœur Miriame.

– Je ne vous dérange pas plus longtemps. Je vais de ce pas informer le docteur Martin de la bonne nouvelle.

– Attention, sœur Miriame! C'est une bonne nouvelle en soi, mais ce n'est pas La bonne nouvelle.

Sans rien ajouter, sœur Miriame file aussitôt vers le cabinet du médecin.

À nouveau seule, la supérieure reprend le combiné du téléphone et compose, cette fois-ci, le numéro au grand complet de Mme Lavoie.

– Allô!

– Bonjour, madame Lavoie. Ici sœur La Chapelle de…

– Je me rappelle très bien de vous. C'est à propos de Simone?

– Ne vous énervez pas ainsi, madame Lavoie. Je vous rassure tout de suite, Simone va bien.

– Je suis soulagée. Mais pourquoi cet appel? Simone ne doit pas enfanter avant quelques semaines!

– C'est la raison de mon appel. Votre fille a accouché dernièrement, enfin il y a trois jours.

– Pardon! Et ce n'est que ce matin que vous m'en informez!

– Écoutez, madame Lavoie, Simone a eu quelques complications. Le médecin de l'établissement a dû lui faire une césarienne. Le bébé se présentait par les jambes et de plus, votre fille faisait un début d'éclampsie. C'est pourquoi le docteur Martin a préféré la libérer plus tôt.

Silence…

– Madame Lavoie? Êtes-vous toujours au téléphone?

– Oui, oui, je suis toujours là. Comment se porte-t-elle à présent?

– Elle va beaucoup mieux, mais cette épreuve n'a pas été très facile. Simone est encore très faible.

– Oh… ma pauvre Simone!

– Il n'y a plus lieu de s'inquiéter. Par contre, je me faisais un devoir de vous avertir… même avec ce léger retard.

– Je fais ma valise et j'arrive dès aujourd'hui.

– N'en faites rien, madame Lavoie. Évaluez plutôt ma proposition.

– Je vous écoute.

– Puisque votre fille a grandement besoin de repos, j'ai pensé lui laisser sa chambre jusqu'à la mi-avril afin qu'elle récupère, avant de revenir à la maison. Je ne veux surtout pas prendre la décision à votre place, mais n'oubliez pas que son histoire doit demeurer secrète. En revenant chez elle plus tôt que prévu, il y a de fortes chances que les gens de votre entourage se questionnent.

– Oh mon Dieu, c'est pourtant vrai!

– Laissez le bon Dieu là où il doit être et répondez-moi franchement. Qu'en pensez-vous?

– Je dois avouer que…

– De plus, l'interrompt-elle, sœur Miriame s'occupe de Simone comme si c'était sa propre fille. Alors? Qu'en dites-vous?

– J'imagine que c'est mieux ainsi, juge-t-elle.

– Parfait. Alors vous n'avez pas besoin de venir à Québec. De plus, nous sommes encore en hiver et les routes sont très mauvaises dans le parc des Laurentides à ce temps-ci de l'année.

– C'est juste. Je n'y avais pas pensé. Écoutez, je dois admettre que votre offre est probablement la meilleure solution. Maintenant, j'aimerais parler à ma fille.

– Chère madame Lavoie, vous oubliez qu'il n'y a pas le téléphone dans l'aile des accouchées. Par contre, pour apaiser vos inquiétudes, je vais vous rappeler d'ici la fin de semaine et je vous ferai un rapport complet sur sa santé.

– Rien ne me ferait plus plaisir.

– Alors c'est réglé.

– Dites-moi, mère La Chapelle, quel est le sexe de l'enfant de Simone?

– C'est une fille.

Étouffée par l'émotion, Marcelle prend un certain temps avant de demander :

– Comment est-elle?

– Elle a les cheveux châtains… Pardon, corrige-elle aussitôt, je me trompe de poupon. Non, la fille que Simone a mise au monde est blonde, vraiment blonde.

– Dites-moi, comment a-t-elle réagi en la voyant?

– Elle ne l'a pas encore vue. Simone a besoin de repos. Elle la verra plus tard.

– Qu'en est-il de l'adoption?

– Désolée, réplique-t-elle d'un air agacé, là-dessus je ne peux vous répondre. Maintenant je dois raccrocher.

– Dites à Simone que je l'aime et que je pense à elle très fort.

– Je lui ferai le message. Bonne journée, madame Lavoie.

Sœur La Chapelle raccroche en émettant un soupir de soulagement. Elle a du faire beaucoup d'efforts pour ne pas la voir surgir à Québec. Heureusement, tout s'est déroulé comme prévu. La petite effrontée aura amplement le temps de recouvrer la santé avant de revoir sa mère. À présent, plus personne ne pourra l'accuser de ne pas avoir fait son devoir.

Pour se donner bonne conscience de ne pas l'avoir informée du coma de sa fille, sœur La Chapelle décide d'aller rendre une petite visite à Simone.

Le médecin et sœur Miriame sont auprès d'elle. Sans faire de bruit, la directrice s'approche du lit. Sœur Miriame est la première à lever les yeux vers elle.

– Approchez, mère. Venez voir par vous-même. Notre... pardon, ma petite Simone reprend du mieux.

– Oui, je vois.

Sœur La Chapelle constate qu'effectivement, l'adolescente a les yeux ouverts. Elle est encore très loin de la grande forme, mais sa santé s'améliore.

– Bonjour, Simone.

– Bonjour, mère La Chapelle.

– Tu sembles très bien récupérer. C'est bien, émet-elle d'un air indifférent.

Le médecin dévisage la supérieure depuis son entrée dans la pièce. Il attend d'être seul avec elle pour la questionner. Ayant remarqué son impatience, celle-ci s'amuse à le faire végéter. Elle bavarde de longues minutes avec Simone et sœur Miriame avant de prendre congé. Le docteur Martin la rejoint aussitôt dans le corridor.

– Attendez, sœur La Chapelle.

– Vous avez à me parler, docteur? lui demande-t-elle insolemment.

– Évidemment.

– Je suis tout ouïe.

– Vous savez parfaitement ce que je veux savoir. Ne faites pas l'autruche.

– De toute évidence, vous n'avez aucunes bonnes manières. L'éducation n'est pas donnée à tout le monde, s'avise-t-elle de lui faire remarquer.

– Je me fous complètement de ce que vous pensez. Dites-moi plutôt si vous avez pris contact avec la mère de Simone après notre entretien.

– Non, répond-elle sèchement.

– Pardon!

– Je lui ai téléphoné ce matin. Vous êtes satisfait?

– Vous auriez dû l'appeler hier, la blâme-t-il.

– C'est ainsi, ne vous en déplaise.

– Vous êtes impossible, vocifère-t-il. Vous…

– Cessez de hurler et écoutez-moi un instant. Si je n'ai pas téléphoné hier, c'est que j'avais une bonne raison.

– Ah oui! Vous aviez oublié de regarder votre carnet de notes!

– Écoutez, cher docteur, vous avez beau vous soucier de Simone, vous oubliez malgré tout un détail important. Sa grossesse doit demeurer secrète. Si j'avais appelé Mme Lavoie tout de suite après votre départ, celle-ci n'aurait pas été seule à la maison. Vous comprenez maintenant?

– Comment a-t-elle réagi en apprenant le coma de Simone?

– Pourquoi le lui dire? Ce qu'on ne sait pas ne fait pas mal, cher docteur.

– Je ne vous suis plus.

– C'est pourtant simple. En l'apprenant, Mme Lavoie se serait fait davantage de soucis pour sa fille et puisqu'elle ne peut pas venir au chevet de Simone tout de suite…

– Ah! J'aurais pourtant cru le contraire.

– Vous n'êtes certainement pas originaire du Saguenay, car si c'était le cas, vous ne seriez pas aussi surpris. Nous sommes en hiver et à ce temps-ci de l'année la route n'est pas très belle dans le parc des Laurentides. Moi, voyez-vous, je sais tout cela, alors…

– C'est bon. Qu'a-t-elle dit d'autre?

– Elle trouve mon idée excellente.

– Votre idée?

– Enfin, celle de garder sa fille ici jusqu'à la mi-avril. De cette manière, Simone aura amplement le temps de retrouver sa taille avant son retour à la maison. Ainsi, termine-t-elle, personne ne se doutera de rien.

– Vous semblez avoir pensé à tout, dit-il sur un ton sarcastique.

– Voyez-vous, cher docteur, malgré mon jeune âge, je ne suis pas devenue mère supérieure et directrice de cet établissement pour rien. Le jugement… Savez-vous ce que c'est?

Sans en ajouter, sœur La Chapelle tourne les talons et reprend son chemin. Satisfaite d'avoir enfin cloué le bec à ce sacré docteur, ce monsieur je sais tout, la religieuse estime que son prétexte de retard paraissait tout à fait plausible. C'était très ingénieux de ma part d'inventer une telle excuse, songe-t-elle en souriant.

* * *

Depuis deux jours, Simone se porte beaucoup mieux. Celle-ci a recommencé à manger, se lève maintenant pour se rendre à la salle de toilette, et au grand bonheur du docteur Martin, sa pression artérielle revient à la normale. Même si son état physique semble reprendre le dessus, la jeune fille demeure constamment taciturne. Sœur Miriame a beau essayer de discuter avec elle, rien n'y fait. Simone s'enferme dans son mutisme.

Bien décidé à sortir sa protégée de sa torpeur, sœur Miriame revient à la charge.

– Simone, j'aimerais te parler.

– Si vous voulez, mère.

– Il faudrait que tu y mettes du tien. J'ai l'impression que chaque fois que je te parle, tu ne m'écoutes pas.

– Je suis si malheureuse!

– Je sais, Simone, je sais.

– Ne dites pas ça. Vous ne vivez pas ma peine.

– Je peux néanmoins la deviner. Tu aimerais voir ta fille, n'est-ce pas?

– Oui, mais le médecin s'y oppose. Il mentionne toujours la même chose. « Je préfère que tu sois un peu plus forte avant de voir ton enfant », l'imite-t-elle en serrant les dents. J'en ai assez! Je ne veux plus attendre. Je veux voir ma fille. Vous comprenez, mère Miriame?

– Oui, et c'est la raison pour laquelle je vais te l'amener aujourd'hui.

Le visage de l'adolescente s'éclaircit aussitôt.

– C'est vrai?

– Oui. Tu as meilleure mine aujourd'hui. Je suis certaine de convaincre le docteur Martin de te laisser voir ce petit trésor.

– Allez me la chercher. Je veux la voir tout de suite.

– Je l'amènerai après la visite du médecin.

– J'ai si hâte, mère!

* * *

Entre les quatre murs du bureau de sœur La Chapelle, sœur Miriame sent ses entrailles se broyer par l'annonce de la directrice. La petite Miriame doit quitter dès aujourd'hui. Cette mauvaise nouvelle lui arrive en plein cœur tel un dard atteignant son objectif. La panique s'empare d'elle aussitôt. « Mon Dieu, et Simone qui ne l'a pas encore vue », rumine-t-elle.

– La petite ne doit pas quitter tout de suite! Sa mère ne l'a même pas tenue dans ses bras.

– Dois-je vous rappeler que Simone n'est pas sa mère? À ma connaissance, souligne-t-elle, elle a signé le formulaire d'abandon dès son arrivée.

– Mais Simone ne cesse de réclamer sa fille depuis des jours. Si elle ne la voit pas avant d'être adoptée, elle ne s'en remettra jamais, surtout qu'elle en a eu deux et que Viviane est déjà partie.

– Un instant, sœur Miriame! Voulez-vous insinuer que votre petite protégée est au courant?

– Non, non, rassurez-vous. Je ne lui ai rien dit et je tiendrai parole. Seulement je trouve injuste qu'elle ne puisse en cajoler au moins une.

– Votre plus gros défaut, sœur Miriame, est d'avoir du sentiment pour ces pécheresses.

– Acceptez que j'aille lui montrer son bébé ce matin. Je vous jure de ne pas rester longtemps.

– Je suis désolée. Vous n'en avez pas le temps. Il est déjà neuf heures et les parents adoptifs doivent arriver sous peu. Vous n'avez que le temps d'aller préparer l'enfant. Ne vous en déplaise. Maintenant laissez-moi. Je dois préparer les papiers pour cette adoption.

Sœur Miriame n'en revient pas. Comment l'apprendre à Simone? Et cette directrice qui n'a pas cédé à ses supplications. Il lui paraît insensé de préparer la petite et de la confier aux parents adoptifs sans même que Simone la chérisse au moins une fois. L'idée de défier l'autorité germe à nouveau dans son esprit.

« C'est pour une bonne cause dans le fond. Le Seigneur ne m'en voudra certainement pas. Il faut faire vite. Sœur La Chapelle a été très stricte là-dessus. L'enfant doit être à son bureau à dix heures. »

La religieuse regarde sa montre. Déjà neuf heures et quart.

« Mon Dieu! Ça ne me donne pas beaucoup de temps! »

Marchant vers la pouponnière, sœur Miriame accélère le pas et termine le trajet à la course.

« Enfin arrivée! »

Avec l'aide de l'infirmière, sœur Miriame prépare l'enfant avec soin. En l'espace d'un temps record, la petite est enfin prête et la religieuse est déjà repartie.

* * *

Dans l'aile des accouchées, le médecin vient à peine de terminer sa visite.

« Si tout va bien, je discuterai de ta sortie dans quelques jours », a-t-il affirmé à Simone après avoir constaté un changement évident du moral de sa patiente. Celle-ci resplendit effectivement de joie depuis l'annonce de sœur Miriame.

Sourire aux lèvres, la religieuse entre dans la chambre de Simone avec la petite dans les bras. Quelle n'est pas sa surprise de constater un lit vide! Confiante d'apercevoir la jeune fille dans le corridor, elle retourne sur ses pas. À son grand désappointement, l'adolescente n'y est pas. Affolée, la religieuse essaie néanmoins de retrouver son calme.

« Simone ne doit pas être bien loin, en déduit-elle. À moins que... Je ne peux pas croire que le médecin lui fasse passer des examens! Pas ce matin! »

Déconcertée, sœur Miriame revient dans la pièce, au bord des larmes.

« Seigneur, je t'en supplie! Aide-moi à retrouver Simone. Il faut qu'elle puisse voir son enfant au moins une fois! »

Au bout de quelques secondes, l'adolescente ouvre la porte des toilettes.

– Enfin, te voilà, s'écrit-elle. J'avais peur que... enfin, j'avais peur pour rien.

Simone n'entend rien. Émerveillée par l'enfant niché dans les bras de la religieuse, elle sent des larmes se pointer. Plus rien n'a d'importance que ce petit ange roupillant à poings fermés.

Sans détacher son regard du chérubin, elle s'approche tout doucement. Sœur Miriame est la première à rompre le silence.

– Viens t'asseoir, Simone. Tu ne dois pas rester debout. Installe-toi sur ton lit.

Trop émue pour dire quoi que ce soit, l'adolescente obéit et tend affectueusement les bras. Sœur Miriame confie alors la petite à sa mère.

– Comme elle est belle!

– Elle te ressemble, Simone.

– Ses cheveux…

Simone ne termine pas sa phrase.

– Regardez, mère Miriame. Elle a une tache de naissance à la main gauche, exactement comme la mienne.

– C'est toi, la mère biologique. Il est tout à fait normal qu'elle te ressemble.

– Elle est si belle, mère! Ma petite fille… Je n'y crois pas encore… Elle est si mignonne avec sa suce* blanche.

Simone lui enlève ce gros machin qu'elle tète avec vitalité depuis son arrivée. Elle examine ensuite ses petites lèvres en forme de cœur.

– Sa bouche me rappelle celle de Vincent. Elle est si petite et si délicate. Vous savez, mère Miriame, c'est le plus beau bébé au monde.

La jeune fille sent soudainement une boule lui serrer la gorge.

– J'aimerais tant que Vincent soit près de moi en ce moment.

– Il l'est Simone. Je suis certaine qu'il est présent.

– Vous croyez? demande-t-elle le regard plein d'espoir.

– N'en doute surtout pas mon enfant.

D'un geste maternel, Simone caresse le front de sa fille et lui murmure :

– Tu seras ma petite Miriame. À mes yeux, c'est le plus joli prénom de la terre. Tu vois cette femme? Elle porte le même nom que toi et c'est un ange.

---

*La tétine sans biberon, qu'on donne aux enfants pour les calmer.

Les yeux de la religieuse s'embrument aussitôt. Comment lui avouer maintenant que sa fille sera adoptée dans moins d'une heure? Quelle tâche ingrate! Elle souhaiterait tant qu'il en soit autrement.

– Allez-vous me l'amener tous les jours?

Ça y est. Sœur Miriame ne peut plus reculer. Elle doit lui annoncer, mais comment?

– Je ne pourrai malheureusement pas, Simone.

– Mais pourquoi, mère Miriame? Pourquoi?

– Je viens d'apprendre qu'on a trouvé un foyer pour ton enfant. Les parents adoptifs sont sur le point d'arriver.

– Non! s'écrit l'adolescente en serrant son bébé contre elle. Je ne veux pas. C'est ma fille et je la garde.

Sœur Miriame sent des larmes ruisseler sur ses joues.

– Simone...

– Dites-moi que ce n'est pas vrai, mère. On vient à peine de faire connaissance elle et moi. Je ne veux pas m'en séparer. Je ne veux plus la faire adopter, sanglote-t-elle.

La religieuse vient s'asseoir près d'elle.

– Je sais qu'il est extrêmement difficile d'y renoncer, mais n'oublie pas ce que je t'ai dit il y a quelques mois. Ton geste est une preuve d'amour envers ta fille.

– J'en suis incapable, mère.

Pendant de longues minutes, Simone pleure sans retenue en tenant sa fille de plus en plus fort.

– Je dois maintenant l'amener chez la directrice, annonce finalement sœur Miriame. Je devrais être partie depuis longtemps.

– Attendez encore, mère.

Devant l'insistance et la détresse de la jeune fille, sœur Miriame ne trouve pas le courage de partir tout de suite. Elle reste encore quelques minutes de plus.

Après avoir regardé sa montre, la religieuse s'éclaircit la voix.

– Il est vraiment temps que j'y aille maintenant, Simone.

– Je sais, mère. Je sais.

Après avoir versé toutes les larmes de son corps, Simone retient son souffle et lui remet son enfant. Se sachant très en retard, la religieuse disparaît aussitôt.

En route vers le bureau de la directrice, sœur Miriame se rend compte qu'elle a oublié d'agrafer la médaille miraculeuse sur la camisole de la petite. Sans hésiter, elle fait demi-tour et retourne à la pouponnière. L'infirmière de garde reste surprise. Ce bébé-là n'est pas censé revenir!

– Ne vous occupez pas de moi, émet-elle. Je viens juste lui chercher une suce.

L'autre était évidemment restée sur le lit de Simone. Après avoir déposé le bébé dans une couchette libre, sœur Miriame fouille dans sa poche, saisit la médaille et l'épingle sur la camisole de l'enfant. Elle entreprend ensuite de réciter la même prière faite lors de la sortie de Viviane. Enfin, elle ramasse rapidement une suce dans le tiroir et récupère la petite Miriame. Cette fois-ci, elle est vraiment en retard. Elle refait le même trajet à l'inverse et arrive un peu essoufflée chez la supérieure une bonne demi-heure plus tard que prévu.

– Vous voilà enfin, sœur Miriame! Mais où étiez-vous donc passée? Nous vous attendons depuis déjà fort longtemps!

– Je vous prie de m'excuser. J'étais presque arrivée lorsque je me suis aperçue que la petite Miriame n'avait pas de suce. Je suis donc retournée à la pouponnière.

– Ça va, s'exclame la directrice. N'en parlons plus. Seulement, M. et Mme Fortin étaient impatients de voir leur nouvelle petite fille.

Sœur Miriame se tourne vers le couple un peu mal à l'aise.

– Je m'excuse infiniment de ce retard.

– Ce n'est rien, affirme Henriette Fortin, la maman adoptive.

Celle-ci s'approche doucement de l'enfant.

– Puis-je la prendre?

Sœur Miriame lui tend le bébé.

– Comme elle est jolie! Regarde, Léo, regarde comme elle est belle.

– Elle est superbe, renchérit-il sans hésiter.

Sœur Miriame observe le couple et se dit que la petite a beaucoup de chance. Elle aura de bons parents.

Henriette lève les yeux vers la religieuse.

– Mère Miriame, c'est bien votre nom?

– Oui, madame.

– La petite porte le même nom que vous?

Sœur La Chapelle s'empresse de répondre assez froidement.

– La mère biologique, dont je ne peux pas révéler l'identité, s'est éprise de sœur Miriame. Voilà la raison pour laquelle nous lui avons donné ce prénom fictif. Mais rassurez-vous, ajoute-t-elle aussitôt, vous pouvez le changer tout de suite. C'est votre droit le plus strict.

– Miriame lui va si bien! Qu'en penses-tu, Léo?

– J'adore ce prénom.

– Alors c'est décidé. Le nom de Miriame Fortin sera confirmé dès la semaine prochaine.

Sœur Miriame en profite pour glisser un mot.

– Vous comptez la faire baptiser?

– Oui. Nous avons la foi et notre fille grandira au milieu d'une famille très croyante.

– Ça me fait plaisir d'entendre ces mots, car…

La directrice lui coupe la parole au plus vite.

– Qu'est-ce que ça peut vous faire, sœur Miriame?

Henriette insiste cependant pour connaître la suite de sa phrase.

– Que vouliez-vous ajouter, mère Miriame?

– Je voulais simplement vous prévenir que j'ai épinglé une petite médaille miraculeuse sur la camisole de Miriame.

– Mais c'est très touchant! Ce petit geste témoigne d'une grande croyance. Je vous remercie de cette pensée et je vous promets de conserver cette médaille précieusement. Je constate que vous, les religieuses qui avez à trouver des familles pour tous ces enfants abandonnés, les aimez vraiment.

À ces mots, sœur La Chapelle sourit en dépit du fait que ce n'était pas le cas et que cela ne l'avait jamais été.

« Sœur Miriame ne perd rien pour attendre, mijote-t-elle. De quel droit place-t-elle des médailles sur les vêtements de ces enfants sortis directement de l'enfer? Je n'en reviens pas. »

– À présent, sœur Miriame, vous pouvez nous laisser, émet la directrice d'un ton sec.

– Bien sûr, mère.

Celle-ci s'approche une dernière fois de la petite Miriame et lui embrasse les petites mains.

– Je vous la confie. Prenez en soin, signale-t-elle.

Sœur La Chapelle en a maintenant trop entendu.

– Ça suffit! Laissez-nous, sœur Miriame. Avez-vous entendu? Sortez.

* * *

Le printemps s'épanouit à nouveau. La neige qui recouvrait la vieille capitale s'évapore tout doucement sous le soleil ardent de cette fin de mars. À la Maison Miséricorde, même si la vie semble s'être arrêtée pour Simone, la routine se poursuit toujours. Chaque semaine, de nouvelles jeunes filles en détresse arrivent à l'établissement, au grand désespoir de sœur La Chapelle.

Sœur Miriame se donne toujours corps et âme pour ces adolescentes déchirées et esseulées. Ses tâches cependant ont été modifiées depuis le départ de la petite Miriame. Se sentant trahie par sa subalterne, la directrice lui a désormais interdit de s'occuper des bébés. Terminé également le privilège de prendre soin d'une seule patiente et, surtout, plus de médailles. Dorénavant, sœur La

Chapelle veille à ce que les règles de la maison soient respectées à la lettre.

Satisfait du rétablissement de sa patiente, le docteur Martin a finalement donné congé à Simone. Cependant, depuis l'adoption de son bébé, celle-ci se confine dans le silence la plupart du temps. Les restrictions établies par sa supérieure n'empêchent toutefois pas sœur Miriame de rendre visite à Simone lorsque toutes les pensionnaires dorment et qu'elle a peu de chances de se faire surprendre. Même si l'adolescente affligée l'accuse parfois d'avoir été partisane dans l'adoption de son enfant, la religieuse lui demeure fidèle. Elle comprend que sa petite protégée a besoin de chercher un coupable à son malheur. Elle sait également que le temps est son meilleur allié. Un jour, Simone finira par avoir moins mal.

* * *

Ce matin, c'est le grand départ. Simone a complètement recouvré la santé, et sa taille a retrouvé sa délicatesse d'autrefois. Il ne reste rien de cette épreuve, sauf évidemment une cicatrice indélébile au cœur. Pour la dernière fois, la jeune fille inspecte les quatre murs de sa chambre. Que de tourments et de confidences cette pièce a-t-elle entendus? Ses yeux se posent sur le pupitre où elle a tant étudié pour rentrer chez elle avec son diplôme. Elle n'y serait jamais parvenue en si peu de temps sans le dévouement de sœur Miriame. Simone fixe à présent le petit objet blanc déposé religieusement dans sa valise. Si minuscule soit-elle, cette suce a le pouvoir de lui faire revivre les quelques minutes passées avec sa fille. Jamais, non jamais elle ne s'en séparera.

On frappe à la porte. L'adolescente s'empresse de cacher le fétiche sous ses vêtements avant d'aller ouvrir.

– Bonjour, Simone.

– Bonjour, mère. Votre supérieure vous a donné la permission de m'approcher aujourd'hui? darde-t-elle sur une note sarcastique.

– Personne, tu m'entends, pas même la directrice, n'aurait pu m'empêcher de venir t'embrasser et de te faire mes adieux.

Celle-ci lui tourne le dos.

– Simone, implore-t-elle, tu ne dois pas en vouloir à sœur La Chapelle. Elle fait son travail du mieux qu'elle peut. Moi-même je ne comprends pas toujours ses décisions, mais je lui dois obéissance. Or, j'accomplis ses ordres en les offrant à Dieu.

– Je comprends plutôt que vous n'êtes pas venue me voir aussi souvent ces derniers temps, à cause d'elle, précise-t-elle en haussant le ton.

– Ne t'enlise pas dans la rancune, Simone. Ça ne sert à rien.

Dans un élan de tendresse, l'adolescente se jette dans les bras de sa confidente en pleurant. Celle-ci l'accueille avec tendresse.

– Allons mon enfant!

Simone se détache doucement de la religieuse. Sœur Miriame s'empare d'un mouchoir et lui essuie les yeux.

– Ça va mieux maintenant?

Elle acquiesce de la tête.

– Viens! Il est temps de descendre. Une personne impatiente de te revoir t'attend dans le bureau de la directrice.

Le regard de Simone s'illumine aussitôt.

– Maman est là!

– Elle est arrivée depuis un quart d'heure déjà.

L'adolescente s'empare de sa petite valise et s'apprête à sortir.

– Mère, souligne-t-elle en s'immobilisant près d'elle, je ne vous oublierai jamais.

– Ma très chère enfant, émet la religieuse en lui prenant le visage entre ses mains, pendant ton bref séjour ici, j'ai développé un sentiment qui m'était jusqu'alors inconnu. Je comprends à présent le sens des mots « amour maternel », car je me suis attachée à toi comme si tu étais ma propre fille. Tu seras à jamais dans mon cœur et dans chacune de mes prières. Je t'aime très fort, Simone.

* * *

Chapitre 3

En route vers le Saguenay, Simone et sa mère regardent défiler le paysage en silence depuis leur départ de Québec. Dehors, le spectacle est grandiose. Rois et maîtres dans cette immense forêt, les sapins affichent une allure majestueuse sous un somptueux manteau blanc, laissé par la tempête de neige de la veille.

Pour Marcelle, cette beauté hivernale en plein cœur du printemps évoque des souvenirs heureux des fêtes de Noël de son enfance. Quant à Simone, l'or blanc de ces montagnes, aussi immaculé soit-il, n'a aucune influence positive sur son moral. Rongée par le remords d'avoir abandonné sa fille, celle-ci se retient de ne pas pleurer.

Passé l'Étape, seul restaurant bordant cette longue route isolée entre Québec et le Saguenay, l'adolescente rompt finalement le silence, au grand bonheur de sa mère. Celle-ci s'empresse de lui répondre.

– Il n'y a pas vraiment de changement à la maison. Ton père est reparti bûcher en forêt pour quelque temps, et ton frère doit le rejoindre d'ici peu. Quant aux jumelles, elles ont bien hâte de te revoir.

– Je me suis beaucoup ennuyée d'elles, moi aussi.

L'adolescente se tourne vers sa mère et lui demande :

– Papa a-t-il des soupçons à mon sujet?

– Rassure-toi, ma grande, lui certifie-t-elle en lui prenant la main, je me suis toujours arrangée pour qu'il n'en sache rien. Fais-moi confiance. Personne ne se doute de quoi que ce soit. J'en suis certaine.

– Parle-moi un peu des gens du village.

– Madame Côté a vendu son épicerie l'automne dernier. Un certain Jules Boulianne en est maintenant propriétaire.

Après une brève pause, Marcelle renchérit.

– Notre ancien facteur a déménagé au village voisin. Ce vieux garçon s'est finalement amouraché d'une dame et il habite maintenant près de chez elle.

– Pourquoi définis-tu M. Tremblay comme notre ancien facteur? Il ne l'est plus?

– Il a demandé un transfert. Il distribue le courrier à deux pas de chez lui à présent.

– Évidemment, c'est plus pratique.

À la sortie du parc des Laurentides, Simone souligne à sa mère son intention de poursuivre ses études pour devenir maîtresse d'école. Si étudier est la seule porte de sortie pour ne pas sombrer dans la dépression, alors pourquoi pas?

À la maison, Carl et les jumelles l'accueillent chaleureusement. Les questions se succèdent dès son entrée. Contrairement à Carl, Solaine et Sonia monopolisent l'attention de leur sœur. Elles veulent tout connaître de son séjour à la grande ville. Marcelle doit donc intervenir.

– Laissez-lui le temps d'arriver, pour l'amour du ciel!

L'adolescente sourit à sa mère en signe de remerciement.

Heureuse d'être enfin de retour à la maison, Simone sait néanmoins que sa vie ne sera jamais plus la même. Son absence a sûrement suscité un intérêt pour certaines gens, or pour éviter toute rencontre indésirable, elle se cloître chez elle les premières semaines.

« Les questions embarrassantes viendront bien assez tôt… » se dit-elle.

L'automne renaît sous mille et une couleurs, et la routine reprend pour des centaines d'écoliers au village.

À la maison, Simone met en veilleuse ses douloureux souvenirs afin de se concentrer sur ses études. Néanmoins, à l'heure du coucher, c'est plus fort qu'elle. Elle sort la petite suce camouflée dans son sac d'école et se permet de rêver de sa fille.

* * *

Ce matin, Simone traîne dans son lit. Le froid, ayant pris d'assaut la maison, anesthésie toute son énergie. Une tempête de neige a fait rage cette nuit et les attaques du vent frappent encore vigoureusement la fenêtre de sa chambre. Emmitouflée sous sa couverture depuis son réveil, Simone contemple affectueusement le petit objet ramassé sous son oreiller. Les yeux dans l'eau, elle revit l'instant précieux où elle a tenu son bébé contre son cœur.

Voyant la mélancolie refaire surface, elle se lève hâtivement, replace la suce dans son étui et la glisse dans son sac d'école. Elle s'habille et descend à la cuisine déjeuner avec les membres de sa famille. Elle prend ensuite le chemin de l'école.

En dépit des bourrasques qui lui fouettent le visage, elle s'attarde un moment devant la maison du nouveau médecin, là où demeurait Vincent il y a un an et demi. Simone revoit immanquablement le jour de son départ et ses yeux s'embrument.

Habillé chaudement, le docteur Ferland sort de chez lui à cet instant.

– Bonjour, Simone. Puis-je faire un bout de chemin avec toi? Ma voiture est en panne et je dois me rendre à mon cabinet.

– Bien sûr, docteur.

Marchant côte à côte, celui-ci s'informe d'elle.

– Comment vas-tu depuis ton retour de Québec?

– J'essaie de ne pas trop y penser, mais c'est très difficile.

– J'imagine, et le fait de passer devant ma maison tous les jours ne doit pas t'aider à oublier.

À ces mots, Simone sent les larmes lui monter aux yeux. Le docteur Ferland s'empresse de lui donner un mouchoir et de placer son bras autour de ses épaules.

– Pauvre Simone, je voudrais tellement te voir sourire!

Derrière les rideaux entrouverts de sa cuisine, Anna Larouche observe la scène avec intérêt. Curieuse de nature, elle aimerait bien entendre leur conversation. Malheureusement, il fait trop froid pour ouvrir la fenêtre en plein cœur de l'hiver. Le mouchoir l'intrigue au plus haut point. Pourquoi Simone en a-t-elle besoin? Pleure-t-elle ou a-t-elle simplement un rhume?

« Je finirai bien par le savoir », mijote-t-elle en s'efforçant de tousser.

Celle-ci arrive au cabinet du médecin dès son ouverture. La secrétaire enregistre sa présence et lui suggère de s'asseoir dans la salle d'attente. Dix minutes plus tard, le docteur Ferland appelle sa première patiente.

– Madame Larouche, veuillez me suivre.

« Il était temps », songe-t-elle en se levant.

– Asseyez-vous et dites-moi ce qui vous amène.

– J'ai un très gros mal de gorge, docteur, un vrai gros, spécifie-t-elle.

– C'est tout?

– C'est bien assez!

– Évidemment. Je voulais simplement savoir s'il y avait un autre motif à votre visite.

– Non, non, bien sûr que non.

– Alors approchez, je vais regarder ça de plus près.

Madame Larouche s'avance de quelques pas et ouvre la bouche à sa demande.

– Je ne vois aucune infection, dit-il d'un air satisfait.

– C'est impossible. Regardez encore. La gorge me fait trop mal. Vous savez, émet-elle d'un air espiègle, il est tout à fait normal de venir vous consulter pour un rhume ou un mal de gorge avec ce mauvais temps. Ai-je besoin de vous rappeler qu'une grippe, ça commence comme ça? Ça peut même vous arriver aussi, docteur. À marcher face au vent comme ce matin, je ne serais pas du tout surprise de voir votre bureau fermé pour quelques jours, quoique, je vous l'accorde, vous étiez plus chaudement accoutré que la petite Lavoie.

Celui-ci lève subitement les yeux vers elle.

« Voilà donc la vraie raison de sa consultation, en déduit-il. Elle nous a vus ce matin et cela la tracasse. Eh bien! Si elle pense avoir de quoi alimenter son commérage, elle se trompe royalement. »

– Pour l'instant, il n'y a pas lieu de vous inquiéter. Par contre, si la douleur persiste, je vous conseille des petites pastilles. Cela vous soulagera un peu.

– Si vous le dites, répond-elle négligemment. Mais à propos, comment va-t-elle?

– De qui parlez-vous, madame Larouche?

– De Simone Lavoie évidemment! J'ai eu l'impression qu'elle pleurait, ce matin. Est-ce ma vue qui me joue des tours, ou est-ce bien ce que j'ai vu?

– Ma chère madame, si vous désirez savoir comment se porte Simone, il vous suffit de le lui demander.

– Encore faudrait-il qu'elle veuille me parler. Elle m'évite constamment.

– Ah!

– Ne faites pas semblant d'être surpris. Simone Lavoie est tout le portrait de sa mère. Elle n'a aucune éducation.

– Vous ne pensez pas ce que vous dites?

– Si, et je dirais même plus. Édouard est trop souvent parti dans le bois. Il aurait avantage à demeurer à la maison et à élever ses enfants, puisque, de toute évidence, Marcelle en est incapable.

– Assez, madame Larouche. Vos calomnies envers la famille Lavoie ne m'intéressent aucunement.

– Ça va. Seulement, sachez que je ne suis pas dupe. L'absence de Simone ne demeurera pas un mystère pour moi bien longtemps. Croyez-moi.

À ces mots, Anna Larouche, littéralement inassouvie, ouvre la porte et sort du cabinet sans émettre de salutation.

« Cette femme est impossible! » songe le docteur avant de faire entrer son prochain patient.

* * *

Chapitre 4

Octobre 1963

Dans la Beauce, l'été indien se prolonge de jour en jour depuis la fin de septembre.

Sur la pointe des pieds, s'agrippant à deux mains au cadre de la fenêtre pour ne pas tomber du haut de ses 99 centimètres, Rita regarde dehors, espérant apercevoir la voiture de son père emprunter le petit pont tout près de la maison. Occupée à peler les patates pour servir avec le rôti de ce soir, Thérèse admire ce petit bout de femme qui fait son bonheur et celui de son mari depuis déjà trois ans.

Laissant voyager ses souvenirs, elle se rappelle comment sa vie était vide de sens sans elle. Pendant combien d'années Julien et elle avaient-ils essayé d'engendrer sans résultat? Après dix ans de mariage, le couple s'était finalement rendu à l'évidence. Ils ne procréeraient jamais. L'idée d'adopter un enfant était venue à Thérèse. Un soir, alors qu'ils revenaient d'une soirée de famille, une de ces veillées où les nièces et les neveux prennent plus de place que tous les autres invités, elle s'était mise à sangloter. Déconcerté de voir sa tendre moitié dans un état si lamentable, Julien lui avait alors demandé le mobile de tant de pleurs. Après avoir versé toutes les larmes de son corps, elle avait fini par lui avouer sa peine de ne pas avoir encore de petits, et l'espoir qu'elle chérissait d'en adopter un. D'abord surpris par un tel aveu, son mari avait demandé un temps de réflexion. Tout doucement, la perspective d'accueillir et de s'occuper d'un enfant avait fait son chemin. Julien était devenu aussi enthousiaste à cette idée que sa femme. Quelque temps plus tard, leur demande d'adoption était faite à la Maison Miséricorde.

Un cri strident la ramène au temps présent.

– Maman! Maman! Papa... Papa est là! J'ai vu sa voiture sur le pont.

Rayonnante de bonheur à l'approche du véhicule, Rita saute sans retenue et cogne à poings fermés sur la vitre dans l'espoir d'être entendue par son père. Celui-ci, habitué à un tel accueil, feint la surprise en la repérant près de la fenêtre. La fillette énervée se dirige aussitôt vers la porte d'entrée. Julien entre et n'a que le temps de refermer la porte. L'enfant se retrouve déjà dans ses bras. Serrant son père très fort contre elle, la petite se laisse caresser les cheveux par ces grosses mains familières.

– Allô, mon trésor!

– Papa, Papa...

Sans lui laisser le temps de déposer sa serviette, elle l'entraîne vers la salle de jeux.

– Attends un peu, Rita. Laisse-moi arriver. Je n'ai même pas donné un baiser à maman.

– Oups! C'est vrai. Donne un gros bec à maman et viens voir ma poupée. Elle a une nouvelle robe.

– Oui...Oui... J'arrive, dans une minute.

Après avoir fait le tour de la salle de jeux, Julien revient finalement à la cuisine discuter avec sa femme avant l'heure du souper.

– Elle est incroyable. Elle parle tellement pour son âge!

– Je sais, tu n'as pas besoin de me le rappeler. Je reste avec elle toute la journée et elle parle sans arrêt. Une vraie petite radio.

– Elle a de la mémoire à revendre, ajoute-t-il avec un brin de fierté.

– À qui le dis-tu? L'autre jour, j'étais dans le jardin avec elle et Mickey quand, soudain, je l'ai entendue gronder le chien. Je lui ai demandé pourquoi elle agissait ainsi, et sais-tu ce qu'elle m'a répliqué?

– Non.

– Qu'elle avait vu Mme Lefebvre disputer son chien et qu'elle voulait agir comme elle.

– C'est presque impossible! Les Lefebvre sont déménagés depuis cinq mois.

– Exactement, ça fait déjà cinq mois et elle s'en souvient encore.

Julien regarde avec admiration la fillette assise sur le divan du salon en train de coiffer sa poupée.

– Tu sais, Thérèse, je me demande parfois comment on a pu vivre sans elle aussi longtemps.

– Moi aussi. Je l'aime tellement!

– Que dirais-tu d'aller lui chercher un petit frère ou une petite sœur? suggère-t-il sur un ton pondéré.

À ces mots, les yeux de Thérèse s'agrandissent et un large sourire se dessine sur ses lèvres.

– Tu es sérieux?

– Tout à fait. Alors, qu'en penses-tu?

– Oh Julien! J'ai tellement d'amour à partager. Bien sûr que je suis d'accord.

Julien s'approche de sa femme et lui enlève les ustensiles de cuisine des mains. Il la prend par les épaules et lui murmure quelques mots d'amour avant de l'embrasser.

Thérèse se dégage presque aussitôt des bras de son mari. Quelqu'un tire sur sa jupe.

– Maman, j'ai faim!

– Allez, mademoiselle! Va avec papa à la salle de bain te laver les mains et ensuite on mangera.

* * *

Comme tous les jours, sœur Miriame se rend à la chapelle de la Miséricorde communiquer avec le Très Haut. À genoux dans la première rangée, les yeux fermés et les mains jointes, la religieuse prie spécialement pour une jeune fille qu'elle n'a pas oubliée et qui doit avoir le cœur très lourd aujourd'hui. Il y a quatre ans, jour pour jour, sa petite protégée chérissait sa fille pour la seule et unique fois. Que de souvenirs!

Dans son oraison, elle remercie également le Bon Dieu de lui avoir donné la possibilité d'aimer comme une mère, oui comme une mère, puisque c'est de cette façon qu'elle a aimé Simone.

« Simone… comme je m'ennuie d'elle! Pourtant, je n'ai pas le droit d'intervenir dans sa vie. Son séjour à cet établissement fait partie du passé, et j'en fais également partie. Seigneur, marche près d'elle, je t'en supplie, et enveloppe-là de ton amour. Protège également Viviane et Miriame, et n'oublie pas ma demande spéciale afin que toutes les trois puissent un jour se retrouver. Je sais… Je sais… Ce n'est pas possible, mais rien n'est impossible pour toi, Seigneur. J'ai confiance en toi… Notre père qui êtes aux cieux, que votre nom soit sanctifié, que votre règne arrive, que votre volonté soit faite sur la terre comme au ciel… ainsi soit-il. »

* * *

Début juin 1965

Dimanche, jour du Seigneur. En bons catholiques, Henriette et Léo Fortin se préparent pour la messe de onze heures. Et, puisque c'est presque l'été, et qu'il fait un temps magnifique, Henriette a décidé de faire porter une robe neuve à sa grande fille. Pendant qu'elle aide Miriame à s'habiller, son mari berce Annie, leur deuxième petite fille de trois ans.

– Allez, Miriame, on se presse un peu.

– Maman! Comme je suis belle avec cette robe! s'écrit la fillette en admiration devant ce nouveau vêtement.

– Elle te va à ravir. Maintenant, mets tes souliers en cuir verni.

– Oui, maman.

Après s'être chaussée, celle-ci s'admire de nouveau dans le miroir en tournoyant sur elle-même. Henriette la regarde d'un air amusé.

– Attends, j'ai acheté un joli chapeau de paille blanc pour agrémenter le tout.

– Il est ravissant, maman. J'adore les chapeaux.

– Je sais. À présent, allons rejoindre ton père et ta sœur à la cuisine.

Lorsque Léo l'aperçoit, il s'exclame aussitôt :

– Comme elle est jolie cette jeune demoiselle!

– Merci, papa.

À l'église, même si Miriame trouve la cérémonie très longue, elle sait néanmoins qu'elle ne doit pas s'impatienter. Ses parents l'ont déjà avertie.

– Dans une église, on doit garder le silence et ne pas bouger.

Elle écoute donc l'homélie religieusement. Lorsqu'arrive le temps de la communion, Miriame envie les gens qui défilent dans l'allée centrale pour se rendre en avant, s'agenouiller, ouvrir la bouche et manger cette rondelle blanche de Dieu. Depuis quelque temps, celle-ci se demande quelle saveur peut bien avoir le Seigneur. Lorsqu'elle ose en parler à ses parents, son père sourit. « Tu as de drôles de réflexions pour une jeune fille de cinq ans », commente-t-il.

Après la célébration, toute la famille se rend chez la grand-mère maternelle rejoindre la parenté pour un dîner familial. Miriame adore ces réunions hebdomadaires. Sa cousine Agathe apporte toujours ses poupées Barbie, et ensemble elles jouent tout l'après-midi. D'un autre côté, elle supporte mal l'interrogatoire continuel de Steeve. Depuis quelques semaines, son cousin à peine plus âgé qu'elle ne cesse de la questionner au sujet de sa couleur de cheveux et cela la rend mal à l'aise. Steeve revient à la charge encore aujourd'hui. Lasse de son insistance, Miriame lui ordonne de lui ficher la paix. Mécontent, celui-ci s'empresse d'aller tout rapporter.

– Es-tu certain de ce que tu avances?

– Oui, ma tante. C'est exactement ce qu'elle m'a dit : « fiche-moi la paix »

– Mais pourquoi? Que lui as-tu demandé pour qu'elle te réponde de cette façon?

– Rien de bien méchant, mais elle ne veut jamais me répondre et aujourd'hui, répète-t-il avec précision et insistance, elle m'a carrément ordonné de lui ficher la paix. Elle ne veut jamais me répondre.

– Que voulais-tu savoir, Steeve?

– Pourquoi elle a les cheveux blonds alors que tout le reste de la famille a les cheveux bruns. Je ne veux pas me disputer avec elle, ma tante, je vous le jure.

Léo prend aussitôt la parole.

– Écoute, Steeve, ne lui pose plus la question aujourd'hui, et dimanche prochain elle te donnera une réponse. Tu veux bien?

– Oui, mon oncle.

Celui-ci lance un regard à sa femme. Il est grand temps d'avoir une franche discussion avec leur fille.

Ainsi, le soir venu, après avoir couché la petite Annie, Henriette et son mari abordent le sujet avec délicatesse.

– Miriame, viens nous retrouver dans le salon. Nous aimerions te parler avant l'heure du coucher.

– Oui, maman.

Celle-ci arrive à toute vitesse.

– Qu'est-ce qu'il y a?

– Tu te rappelles aujourd'hui lorsque Steeve t'a demandé pourquoi tu étais blonde alors que nous et ta sœur avons les cheveux bruns?

– Ne me dispute pas, maman. Si je lui ai dit de me ficher la paix, c'est qu'il n'arrêtait pas de le demander.

– Je n'ai pas l'intention de te gronder, bien au contraire. J'aimerais par ailleurs répondre à la question de Steeve. Voudrais-tu connaître la réponse, Miriame?

– Oui, car je suis fatiguée de ne pas savoir quoi lui répondre.

– Alors écoute bien. Je vais te raconter une très belle histoire qui nous concerne tous les trois. Papa, maman et toi, spécifie-t-elle.

– Et Annie?

– Annie viendra un peu plus tard dans l'histoire, réplique son père.

– Ah! Je t'écoute, maman, signale-t-elle en s'assoyant confortablement.

– Voilà. Lorsque nous nous sommes mariés, papa et moi, c'était dans le but de fonder une famille. Cela veut dire avoir des enfants. Jusque-là, est-ce que tu comprends, Miriame?

– Bien sûr, maman.

– Sauf que dans notre cas, même si nous nous aimions très fort, le petit Jésus ne nous en a pas donnés, émet-elle en avalant sa salive.

– Maman, ça n'a pas de sens! Tu m'as et tu as aussi Annie.

– C'est juste, mais puisque maman ne pouvait plus, enfin ne pouvait pas avoir d'enfants de la même façon que tante Gisèle…

– Veux-tu dire que je n'ai pas été dans ton ventre?

– C'est ça, mais tu n'en es pas moins ma fille.

– Maman, je ne comprends pas. Explique-moi.

– Puisque maman ne pouvait pas porter de bébé dans son ventre comme l'a fait ta tante Gisèle, nous sommes allés te chercher dans une maison spéciale, là où il y a plein d'enfants qui attendent qu'une maman et qu'un papa viennent les chercher.

– Vous êtes venus me chercher là-bas?

– C'est exact, Miriame, répond Léo. Il y avait beaucoup d'enfants et c'est toi que nous avons choisie parmi tous les autres.

– Enfin, s'exclame l'enfant. Je vais pouvoir répondre à Steeve. Papa, est-ce qu'il y avait beaucoup d'enfants avec les cheveux bruns dans cette maison spéciale?

– Oh oui! Mais vois-tu, tu étais si belle avec tes cheveux blonds…

– J'avais de beaux cheveux?

– Des cheveux splendides.

– Est-ce qu'Annie était là-bas avec moi?

– Non, lorsque nous sommes allés te chercher, ta sœur n'était pas encore arrivée à la maison spéciale. Elle est arrivée beaucoup plus tard.

– Ah! Mais pourquoi n'êtes-vous pas allés me chercher une sœur blonde comme moi?

Voyant son mari dans l'embarras, Henriette prend la relève.

– Tu sais, Miriame, même si Annie n'était pas blonde, elle était aussi jolie que toi. Nous voulions simplement avoir deux petites filles différentes à aimer.

– C'est tout?

– Oui, as-tu d'autres questions à nous poser ou y a-t-il quelque chose que tu n'as pas compris?

– Non, non. Maintenant je vais pouvoir répondre à Steeve, répète-t-elle à nouveau. J'ai été choisie parmi plusieurs autres enfants parce que j'étais belle avec mes cheveux blonds.

– C'est exact. À présent jeune demoiselle, il est temps d'aller dormir.

Cette conversation avait complètement épuisé Henriette, car la tragédie de sa grossesse avait inévitablement refait surface. Ce soir-là, bien qu'elle pût s'endormir avec la satisfaction d'avoir donné une réponse honnête et acceptable à sa fille aînée, son sommeil fut envahi par d'horribles cauchemars.

* * *

Chapitre 5

Bien des saisons sont nées et mortes les unes après les autres depuis le séjour de Simone à la Maison Miséricorde. L'adolescente amoureuse de jadis est à présent une jeune femme de vingt et un ans, indifférente aux regards admirateurs d'un bon nombre d'hommes au village. Simone n'est pas prête à s'embarquer dans une histoire sentimentale et ne le sera sans doute jamais. D'ailleurs, personne à ses yeux n'équivaudra Vincent. Elle préfère orienter sa vie en célibataire et se concentrer entièrement à sa carrière avec la même énergie que pour ses études.

Depuis une heure, Simone tourne et retourne dans son lit. Nerveuse et anxieuse, elle finit par regarder sa montre. Cinq heures du matin. Incapable de retrouver le sommeil, elle se lève, met sa robe de chambre laissée la veille au pied de son lit et descend à la cuisine. À cette heure matinale, le silence règne dans la maison. À pas feutrés, elle se dirige vers la fenêtre. À l'horizon, le soleil commence à peine à s'étirer et l'absence de nuages laisse présager une journée magnifique. Instinctivement, elle ouvre la porte et sort sur le balcon respirer l'odeur automnale. Elle descend doucement l'escalier et se dirige vers les balançoires construites par son père lorsqu'elle avait cinq ans. Assise à observer la naissance du jour, elle repense au temps de son enfance, à cette période où rien ne venait assombrir son présent. Que d'années écoulées depuis ce temps d'insouciance!

Le miaulement d'un chat la tire de ses rêvasseries. Simone tourne la tête et aperçoit le gros matou noir de la voisine sortir du boisé. Celui-ci s'amène vers elle. Sans aucune hésitation, il vient lui frôler le mollet. Simone le soulève et le caresse.

« Sans doute un signe que tout se passera bien aujourd'hui », songe-t-elle à demi superstitieuse.

Au bout d'une demi-heure, la jeune femme retourne à la maison et déjeune. Attablée à siroter son café et à grignoter ses toasts beurrés de confiture de fraises, elle essaie d'imaginer sa première journée en tant que maîtresse d'école. La crainte et la peur de ne pas être à la hauteur viennent s'immiscer entre sa capacité d'enseigner et l'assurance qu'elle avait encore hier en se couchant.

De retour dans sa chambre, elle entreprend de faire son lit. Encore ce matin, elle soulève son oreiller et ramasse cette petite suce devenue avec le temps son porte-bonheur. Machinalement, elle la replace dans son étui et la glisse dans son sac à main. Ce geste effectué depuis déjà six ans lui donne la force nécessaire de continuer à vivre. Sans pour autant en être certaine, elle espère qu'un jour elle pourra remettre ce petit objet à l'enfant qu'elle a abandonné par amour.

Vêtue adéquatement, Simone s'examine une dernière fois dans le miroir de sa chambre avant de descendre retrouver les membres de sa famille. Dès son arrivée à la cuisine, Solaine la complimente sur sa toilette. Carl se contente de lever les yeux.

– Cette robe te va à ravir, Simone.

– Merci, tu es très gentille.

Près du poêle, Marcelle la regarde avec admiration. Elle sait que cette première journée d'enseignement a une grande importance pour sa fille. N'est-ce pas l'objectif qu'elle s'était fixé pour ne pas sombrer dans une dépression? Son courage et sa détermination en ont fait une personne sûre d'elle, responsable, et digne d'occuper un tel poste.

– Approche, Simone, je vais te faire cuire des œufs.

– Non merci, maman. J'ai déjà déjeuné un peu plus tôt.

– Mon Dieu! T'es-tu levée à l'heure des poules?

Silencieux depuis l'arrivée de sa sœur, Carl se lève soudainement de table et se dirige droit vers elle. Arrivé tout près, il l'effleure d'un petit baiser sur la joue en lui souhaitant bonne chance dans ses nouvelles fonctions. Il disparaît ensuite dans le vestibule pour y prendre son manteau avant de filer à son travail.

Touchée par ce geste fraternel, Simone reste figée, la main caressant sa joue. Son père et Sonia se pointent à cet instant.

– Carl est déjà parti?

– Oui, Édouard. Ton fils commençait à travailler un peu plus tôt ce matin.

– J'ai une faim de loup.

– Assieds-toi, je vais te servir. Sonia, veux-tu des œufs?

– Non, merci maman. Je n'ai pas très faim.

– Comme tu voudras.

Sonia se tourne vers Simone.

– C'est aujourd'hui la grande rentrée.

– Oui et ça m'énerve un peu, avoue Simone.

– T'en fais pas! Tout va bien se passer. Tu connais la matière sur le bout de tes doigts, et les enfants t'adorent. Tu n'as vraiment pas à t'inquiéter.

– Je voudrais bien avoir ton assurance, ce matin.

Marcelle se mêle de la conversation.

– Tu te prépares depuis des années, Simone. Ne te laisse pas envahir par la peur. Tout ira bien. Tu sauras me le dire.

– Il faut que j'y aille maintenant. Bonne journée tout le monde.

– Bonne journée à toi aussi.

Dans la cour d'école, Simone dévisage chaque gamine du même âge que sa fille. Sans vraiment en prendre conscience, elle la cherche constamment.

Un cri la fait sursauter.

– Simone! Simone!

Scrutant l'horizon afin de savoir d'où vient cet appel, elle se retourne et aperçoit une amie d'enfance.

– Non, ce n'est pas vrai! Céline, c'est bien toi?

– Eh oui! C'est bien moi.

– Mais, que fais-tu ici?

– Tu n'es pas au courant? Je commence aujourd'hui, tout comme toi.

– Si je m'attendais à ça! Je suis tellement contente de te revoir. Ça fait si longtemps!

– Tu parles! La dernière fois, c'était... attends que je me rappelle... Nous avions dix ans.

– J'étais loin de m'imaginer que tu deviendrais maîtresse d'école.

– On m'a forcé un peu la main, je dois l'admettre. Mon père tenait absolument à me voir pratiquer un métier convenable, souligne-t-elle d'un ton moqueur.

– Tu n'as pas changé. Tu gardes toujours cette drôle de mimique lorsque tu parles de ton père.

– Mais toi, Simone, si je me souviens bien... tu as toujours voulu enseigner.

– Oui. Et c'est aujourd'hui le grand départ.

– Es-tu aussi nerveuse que moi?

– Le mot nerveuse n'est pas assez fort. J'ai des fourmis dans tout le corps tellement cette rentrée des classes me stresse.

Les deux amies se mettent à rire de bon cœur.

– Tu sais, Céline, je suis vraiment contente de ne pas être la seule novice aujourd'hui.

– Moi aussi. On devrait entrer. Qu'en penses-tu?

Après avoir franchi le seuil de la porte, Céline s'exclame :

– Ça me fait tout drôle. Je n'ai pas remis les pieds dans cette école depuis tellement d'années!

Dans la classe, une trentaine d'élèves dévisagent Simone en silence. Malgré tout, la jeune femme se sent à l'aise. Elle regarde chaque petit visage avec attention dans l'espoir d'y découvrir un trait pouvant avoir une quelconque ressemblance avec elle ou avec Vincent, mais aucun de ses élèves ne correspond à sa recherche.

– Je m'appelle Simone Lavoie et je serai votre institutrice cette année. Afin de faire connaissance, j'aimerais qu'à tour de rôle chacun de vous se présente.

Elle désigne un élève et lui suggère de débuter. Le petit garçon aux cheveux couleur carotte se lève et articule son nom assez timidement.

– Mon nom est Serge Lapointe.

Une petite fille se lève à son tour et émet son nom assez fort pour bien se faire entendre.

– Je me nomme Sophie Maltais.

Tous les élèves y passent sans restriction, même les plus gênés.

La première journée, aussi stressante pour les enseignantes que pour les élèves, se passe relativement bien. Simone rejoint Céline dans la salle des professeurs à la fin des cours.

– Et puis! Comment s'est passée ta première journée, Simone?

– Je croyais être intimidée devant cette soixantaine d'yeux rivés sur moi, mais pas du tout. Je me sentais très bien. Et toi, Céline?

– Ça m'a pris un peu plus de temps pour me dégeler, si je peux m'exprimer ainsi. Je me suis sentie à l'aise seulement vers deux heures, pas avant.

– Au moins, la glace est cassée. Demain, tout ira mieux.

– Je l'espère.

Après avoir discuté un moment, Simone et Céline repartent chacune de leur côté.

À la maison, Marcelle s'impatiente devant la fenêtre depuis déjà un quart d'heure. Lorsqu'enfin elle distingue la silhouette de sa fille à l'horizon, elle s'empresse de lui préparer un café, sûrement bien mérité après une journée entière entourée d'enfants.

– Comment s'est passée la rentrée? lui demande-t-elle aussitôt.

– Bien.

– Viens. Je nous ai préparé un bon café. Nous serons tranquilles pour bavarder.

– Tu es seule?

– Oui, ton père n'arrivera pas avant cinq heures. Il avait une réunion de bûcherons, et ton frère fait du temps supplémentaire. Quant aux jumelles, elles arrivent un peu plus tard depuis qu'elles vont au collège classique. Alors? Raconte.

– Dès mon arrivée, j'ai rencontré une amie d'enfance. Elle aussi commence à enseigner cette année.

– De qui s'agit-il?

– Céline.

– Pas la petite Laberge?

– Elle en personne.

– Mon Dieu! Elle a déménagé au village voisin en 1955, si mes souvenirs sont bons.

– C'est exact, maman, et je ne l'avais pas revue depuis.

– Tu parles d'une coïncidence! Et c'est sa première année d'enseignement, elle aussi?

– Oui maman, et elle est assignée aux élèves de première année, tout comme moi. J'aurai donc affaire à elle assez souvent.

– C'est merveilleux! Jadis, tu t'entendais tellement bien avec elle. Lorsqu'elle a déménagé, tu es restée une semaine à pleurer son départ.

– C'est vrai, je l'aimais beaucoup, se souvient-elle.

– Parle-moi de ta classe maintenant.

Simone abrège le déroulement de sa première journée. Par contre, elle en dévoile un peu plus sur ses sentiments face à ses collègues.

– Toutes les enseignantes m'acceptent, enfin presque toutes.

– Que signifie ce « presque toutes »? demande sa mère inquiète.

– Je pense à Mme Grenier. Cette femme enseigne depuis dix-sept ans. Elle m'a même fait l'école en deuxième année, alors...

– Alors quoi?

– Je la sens mal à l'aise lorsqu'on se croise dans un couloir. J'ai l'impression qu'elle me considère encore comme une élève.

– Simone, il faut juste lui laisser le temps de s'habituer. Tu verras, cette femme finira par t'accepter. J'en suis certaine.

* * *

Si la première journée d'école s'est relativement bien passée pour Simone, il n'en est rien pour Rita qui entame sa première année. Ce matin, Thérèse s'apprête à reconduire sa fille à l'école du quartier. Malheureusement, le ravissement de la fillette s'est subitement transformé en angoisse. Rita ne veut tout simplement plus quitter le noyau familial. Thérèse a beau lui expliquer qu'elle ne sera pas la seule petite fille de son âge à s'y rendre, rien n'apaise les sanglots de son aînée. Elle se cramponne à sa mère et essaie incessamment de la dissuader de l'abandonner.

– Maman, garde-moi avec toi, je ne veux pas y aller…

Ces paroles reviennent toutes les trente secondes, au grand désespoir de Thérèse. De plus, la fillette ne touche même pas à son petit déjeuner.

Thérèse est à bout d'arguments. Une phrase pourtant vient tout régler.

– Ta cousine sera là, car elle commence l'école, elle aussi.

– Rose sera là?

– Oui, tout comme toi. Ta tante Marlène va la reconduire.

– Je ne le savais pas?

– J'étais pourtant certaine de te l'avoir dit.

– Alors allons-y. J'ai hâte de retrouver Rose, moi.

Thérèse soupire de soulagement. Les larmes de Rita sèchent rapidement et elle offre même un joli sourire.

À l'école, la peur de quitter sa mère lui revient quand subitement elle entend un petit garçon pleurnicher. Celui-ci s'agrippe désespérément à sa mère. Habituée à ce genre de scénario, une des enseignantes s'approche du garçonnet et lui chuchote quelques mots à l'oreille. Magiquement, l'enfant cesse de pleurer. Thérèse observe sa fille et constate à nouveau des larmes aux coins de ses yeux. Dieu merci, Rose et sa mère arrivent à cet instant précis.

– Rose!

– Salut, Rita. J'espère être dans ta classe.

– Je le souhaite aussi.

Laissant bavarder les deux cousines, Thérèse et Marlène en profitent pour discuter.

– Je croyais ne jamais en finir. Rita a tellement pleuré. Je ne savais plus quoi faire.

– La mienne aussi avait des réticences, mais c'est tout à fait normal. L'inconnu fait peur.

– J'aurais tant souhaité que cela se passe autrement!

Lorsque la directrice, debout derrière son micro, amorce son discours, élèves et parents se taisent et l'écoutent. Par sa prestance, la responsable de l'école rassure tout de suite les élèves et les parents présents. Sans tarder, elle demande aux enseignantes de monter sur la scène, près d'elle, afin de les présenter à l'assistance. Rita regarde défiler les maîtresses d'école et se demande qui va lui enseigner. Après les présentations officielles, les élèves sont invités à suivre l'institutrice qui leur est assignée. Au grand bonheur de Thérèse, les deux fillettes se retrouvent dans la même classe.

Quelques minutes plus tard, Thérèse retourne chez elle les yeux rougis. Même si elle sait que sa fille saura s'adapter à la vie scolaire, son cœur de mère s'inquiète malgré tout. Après avoir écouté le compte rendu de sa femme, Julien l'embrasse et part travailler. Celle-ci reprend alors sa besogne. Mireille a besoin d'elle, alors elle ne doit pas laisser l'anxiété prendre le dessus.

À l'heure du dîner, Rita raconte son avant-midi à sa mère. Thérèse constate alors qu'elle s'inquiétait pour rien. Sa fille aime l'école.

* * *

Samedi est un jour de congé pour toute la famille Dumas. Maintenant habituée à se lever tôt pour se rendre à l'école, Rita est incapable de rester au lit bien longtemps, même les jours de fin de semaine. Ce matin, après avoir déjeuné, elle s'habille et va jouer dehors avec son chien Mickey.

– N'oublie pas de mettre un chapeau, Rita. Il vente dehors et je ne voudrais pas avoir à te soigner pour des otites.

– Maman, je n'en ai pas besoin. Il fait soleil.

– Le mois de novembre est à nos portes, il n'y a pas matière à discussion.

Rita se couvre la tête non sans maugréer en sortant. Dehors, elle s'amuse à tirer une boule en caoutchouc à son chien. Celui-ci court à chaque volée, l'attrape et revient la lui remettre dans les mains sans démontrer le moindre signe de fatigue. Lasse de répéter le même geste, la jeune fille se dirige vers les balançoires. Le chien la suit sans hésiter. Une drôle d'idée germe dans sa tête au bout d'un moment.

Elle abandonne la balançoire et s'installe à genoux sur le gazon refroidi. Mickey s'approche d'elle à sa demande. Délibérément, elle enlève son bonnet afin de couvrir la tête de son meilleur ami. Celui-ci se débat fortement en remuant la tête de gauche à droite. Satisfaite de son geste, la fillette admire son compagnon de jeu. Mickey n'a pas l'air d'apprécier son accoutrement. Voulant à tout prix se débarrasser de ce morceau de tissu ajusté sur sa tête, l'animal se met à courir de long en large, s'arrêtant de temps à autre pour aboyer avant de tenter à nouveau d'atteindre avec ses pattes la fameuse coiffure et de s'en libérer.

Occupée à débarrasser la table, Thérèse ne se rend pas compte des manigances de sa fille. Quant à Julien, celui-ci surveille Rita d'un œil distrait tout en feuilletant son journal. Lorsqu'il lève finalement les yeux, il aperçoit sa fille en train de rire aux éclats.

Sans en connaître la raison, il se dit qu'un enfant qui rit est un enfant heureux. Satisfait de sa réflexion, il replonge le nez dans son article.

Thérèse revient près de l'évier et regarde par la fenêtre. Lorsqu'elle aperçoit le chien courir avec le chapeau de Rita sur sa tête, elle devient furieuse malgré la situation passablement cocasse. Son enfant lui a désobéi.

Elle sort expressément sur le balcon et crie à sa fille de venir la rejoindre immédiatement. Alertée par le voix de sa mère, Rita se sent soudainement coupable d'avoir transgressé ses directives. D'un pas rapide, elle s'amène vers Thérèse. Toujours embarrassé par sa coiffure, Mickey accompagne la fillette en zigzaguant.

– Qu'est-ce qu'il y a? demande-t-elle en évitant le regard de sa mère.

Celle-ci se tient bien droite, les deux mains sur ses hanches.

– Veux-tu s'il te plaît dégarnir le chien de ce qui t'appartient et entrer dans la maison, s'exclame-t-elle d'une voix sévère.

Cette fois-ci, la fillette obéit sans rouspéter.

– Et maintenant, dans ta chambre, jeune fille, ordonne-t-elle.

Tête basse, Rita entre dans la maison et disparaît dans sa chambre. Thérèse observe son mari d'un air interrogateur.

– Pourquoi me regardes-tu de cette façon, Thérèse? demande Julien.

– Avais-tu remarqué que la petite ne portait plus sa coiffure?

– Thérèse! Lorsque je suis arrivé à la cuisine, Rita était déjà dehors. Je ne pouvais pas savoir qu'elle était coiffée!

– C'est vrai, admet-elle. Excuse-moi, Julien, mais c'est la première fois qu'elle me désobéit et je me sens tout à l'envers.

– Je vois, dit-il songeur.

– Que devons-nous faire, Julien? Doit-on la punir?

– Si nous lui parlions d'abord, suggère-t-il.

– C'est une bonne idée.

Thérèse va de ce pas chercher sa fille. Entre-temps, Julien s'installe à la table de cuisine. Rita arrive au bout de quelques minutes.

– Veux-tu nous expliquer la raison pour laquelle tu as enlevé ton chapeau pour le mettre au chien? Ta mère a pourtant été claire. Tu dois te cacher les oreilles.

– Je ne voulais pas que... Je ne sais pas...

– Si, tu sais et nous aimerions savoir pourquoi.

– J'ai pensé que le chien devait avoir froid, lui.

– Écoute, mon trésor, les chiens n'en ont pas besoin, car ils ont des poils pour se réchauffer.

– Mais ses oreilles, papa!

– Ses oreilles sont également protégées contre le froid.

– Je m'excuse. Je ne recommencerai plus, mais je voulais juste partager.

– Pardon?

– Ma maîtresse nous répète sans cesse de partager avec les autres. J'ai pensé bien faire en partageant mon chapeau avec Mickey. Est-ce si mal que ça?

Thérèse sent l'émotion l'envahir.

– Ma chère petite! Non, ce n'est pas mal de partager, bien au contraire, seulement là, ce n'était pas une très bonne idée puisque le chien, comme l'a dit ton père, n'en a pas besoin.

Rita reste silencieuse.

– Écoute Rita, si tu doutes de quelque chose, viens m'en parler à l'avenir et nous en discuterons. Je serai toujours là pour répondre à tes questions.

– Oui, maman.

– Viens m'embrasser maintenant. Je ne suis plus fâchée et je t'aime toujours. Ne l'oublie pas.

– Moi aussi je t'aime, maman.

Chapitre 6

Noël approche à grands pas. Dans deux semaines, tous les membres de la famille Dumas vont quitter la Beauce et iront passer les Fêtes au Saguenay chez Francine, une sœur de Thérèse. Son mari, Pierre, occupe un emploi à l'usine Alcan, à Arvida, depuis plus d'un an.

En attendant ce « grand » voyage, Rita continue d'aller à l'école avec sa cousine Rose. En classe, celle-ci se découvre une passion pour le dessin. Elle adore les cours où elle peut crayonner à sa guise. La dernière journée avant le long congé des Fêtes, la maîtresse demande à ses élèves de reproduire leur famille. Celle-ci spécifie que chaque illustration sera accrochée sur le mur arrière de la classe. Sans plus attendre, la fillette se penche sur son pupitre et dessine avec enthousiasme. Son esquisse prend forme assez rapidement. Rita représente son père assez grand, sa mère très bien coiffée, elle-même et sa petite sœur Mireille. Elle termine son œuvre par son chien Mickey. Pour enjoliver le tout, elle applique une grande quantité de couleurs.

Rita observe souvent les croquis des autres. Furtivement, elle s'approche de son copain Marc et admire son dessin. Plusieurs personnages sont illustrés sur sa feuille.

– Ton dessin est très joli.

– Merci, Rita. Tu me montres le tien?

– Oui, regarde. J'ai reproduit mon père, ma mère, moi, ma sœur et mon chien Mickey.

– Tu as un chien?

– Oui, et je l'aime beaucoup.

– Moi je n'en ai pas.

– Ce n'est pas très grave. Tu as une si grande famille. Veux-tu me la présenter?

Le garçonnet pointe son crayon sur chaque membre de sa famille et les nomme les uns après les autres.

– Ici c'est papa, maman, Charles, Christian, Bernard, Hélène, Sophie et moi.

– Et les deux autres, qui sont-ils?

– Je ne les connais pas, mais ce sont mes parents biologiques.

– Tes quoi?

– Mon papa et ma maman biologiques, répète-t-il.

– Personne ne peut avoir deux mamans et deux papas. Ça ne se peut pas.

– Si, car moi j'en ai deux.

Choquée d'entendre une telle invention, Rita tourne les talons et regarde à présent le dessin de son amie Nancy.

– Il est magnifique ton dessin.

– Merci, tu es gentille. J'aime beaucoup dessiner.

– J'adore la couleur de la robe de cette madame.

– C'est ma mère. Elle porte souvent une robe rose.

Les paroles de Marc la tourmentent malgré tout. Aussi, pour vérifier ses dires, elle demande à sa copine :

– Tu ne dessines pas tes parents biologiques, Nancy?

– Mes quoi?

– As-tu des parents biologiques? répète-t-elle.

– Je ne sais pas. Qu'est-ce que ça veut dire « des parents biologiques »? demande la fillette intriguée.

– C'est une deuxième maman et un deuxième papa. Mais eux, personne ne les connaît, spécifie-t-elle.

– Ah! Maman et papa ne m'en ont jamais parlé. Et toi? En as-tu?

Rita hausse les épaules.

– Je vais demander à maman en rentrant chez moi. Marc dit qu'il en a, lui.

Julien, un petit garçon aux cheveux blonds, s'approche d'eux avec son dessin dans les mains.

– Voulez-vous regarder ma famille?

Rita s'empresse d'accepter.

– Voici ma mère, ma sœur, mon frère et moi.

– Mais où est ton père? Tu as oublié de le dessiner.

– Je n'ai pas de papa. Il est mort lorsque j'avais trois ans.

– Il est mort!

– Il a eu un accident de voiture et il est mort. Je ne m'en souviens pas beaucoup... Maman a quelques photos de lui et parfois... je le regarde.

– Il te faudrait un papa biologique comme Marc. Lui, il en a deux.

– C'est impossible! Il t'a fait une blague.

– Tu crois?

– J'en suis sûr.

L'enseignante demande aux enfants de regagner leur place.

– Silence, maintenant, décrète-t-elle en déposant un panier de bonbons sur son pupitre.

Tous les enfants reluquent la corbeille, et un sourire se dessine sur chaque visage.

– Avant de partir pour le long congé, déposez vos dessins sur le coin de mon bureau et prenez-vous un biscuit. C'est ma façon de vous souhaiter un joyeux temps des Fêtes.

* * *

Rita arrive chez elle en coup de vent. À peine a-t-elle mis les pieds dans la maison qu'elle s'exclame :

– Maman! Maman, regarde ce que Mlle St-Gelais nous a donné avant de partir.

Surprise de constater sa fille aussi énervée, Thérèse s'approche d'elle.

– Allons Rita, tu parles d'une façon d'entrer.

– Regarde! Regarde maman! La maîtresse nous a tous donné avant de partir. Elle est gentille, n'est-ce pas?

– Oui, très gentille, approuve-t-elle.

– Sais-tu ce qu'on a fait cet après-midi?

– J'ai l'impression que tu vas me le dire bientôt.

– Nous avons dessiné. Nous n'avons pas fait de français, ni d'arithmétique.

– Les vacances ont débuté un peu plus tôt à ce que je vois. Et qu'avez-vous dessiné?

– Notre famille.

– Est-ce que je peux voir ton dessin?

– Je ne l'ai pas, maman. Mlle St-Gelais va l'accrocher sur le mur de la classe.

– Je devrai donc attendre d'aller chercher ton bulletin pour voir ton chef-d'œuvre.

– J'aurais aimé te le montrer avant, mais…

– Ce n'est pas si grave. Je le verrai plus tard.

Rita se souvient des propos de Marc. Spontanément, elle demande à sa mère :

– Est-ce que j'ai deux mamans et deux papas, moi, maman?

Le cœur de Thérèse fait un soubresaut.

– Pardon?

– Marc, un garçon dans ma classe, dit avoir deux mamans et deux papas. Est-ce que ça se peut?

Thérèse prend une grande respiration avant d'interroger sa fille.

– Que t'a-t-il dit au juste, ce Marc?

– Il m'a d'abord montré son dessin en me nommant tous les membres de sa famille. Seulement, il y avait un papa et une maman de trop. Il m'a dit que c'étaient ses parents bioforiques ou biolofiques. Je ne me souviens plus au juste du mot. Qu'est-ce que ça veut dire, maman? Je n'ai rien compris. Crois-tu qu'il m'a fait un mensonge? Ça ne se peut pas, hein maman? Personne n'a deux mamans et deux papas.

Thérèse pouvait s'attendre à tout de sa fille, mais jamais à une telle question. Cherchant une façon de lui répondre correctement sans entrer dans les détails en l'absence de son mari, elle lui répond simplement que son copain ne lui a pas menti.

– Par contre, Rita, le mot exact est biologique. Écoute, j'aimerais bien t'expliquer tout ça en profondeur, mais c'est presque l'heure du repas et je dois le préparer. Ce soir, lorsque Mireille sera couchée, nous en reparlerons avec ton père.

– D'accord, maman. Je vais aller jouer avec Mireille dans la salle de jeu en attendant le souper.

– C'est ça. Va t'amuser avec ta petite sœur. Je vous appellerai lorsque le repas sera prêt.

Restée seule, Thérèse se met à frissonner. Jamais au grand jamais elle avait envisagé lui révéler la vérité. D'ailleurs, il lui arrivait même de croire qu'elle avait porté ses deux enfants.

« Seigneur, comment vais-je lui annoncer que je ne suis pas sa vraie mère, qu'il y en a une autre quelque part dans ce bas monde qui a préféré l'abandonner à sa naissance? Pourquoi diable a-t-elle posé cette question? J'aurais tant voulu qu'elle l'ignore toute sa vie! Et maintenant, que dois-je faire? Julien, arrive pour l'amour du ciel. Arrive pour qu'on en discute. Je suis si bouleversée! »

* * *

Debout face à la fenêtre de sa chambre, Thérèse s'essuie de nouveau les yeux. Le sentiment d'impuissance et la peur de perdre ce qu'elle a de plus précieux au monde l'envahissent comme les maringouins infestant la vallée les soirs d'humidité. Impuissant devant le chagrin de sa femme, Julien s'efforce de trouver les mots appropriés afin de minimiser la situation, mais aucune de ses paroles ne soulage de cœur de Thérèse.

– Thérèse, cesse de te faire du mal et viens te coucher.

– Je suis incapable de dormir, pas après…

Et les sanglots recommencent.

– Allons, chérie, tu fais une montagne avec un grain de sable. Rita n'a pas dit qu'elle nous abandonnerait.

– C'est la soirée la plus pénible de toute ma vie.

Julien est à bout d'arguments depuis leur entretien avec Rita. La petite les a écoutés sans les interrompre, mais à la toute fin, celle-ci leur a annoncé qu'un jour elle retrouverait ses vrais parents.

– Il fallait bien lui révéler un jour. Elle a déjà six ans. Il était grand temps.

– Je sais, mais c'est si difficile pour une mère d'entendre sa fille lui dire qu'un jour…

Les mots s'étouffent à nouveau.

– Ne pleure plus, Thérèse. Personne ne nous enlèvera notre enfant. Rita restera toujours notre fille, même si un jour elle retrouve ses vrais parents.

– C'est nous, ses vrais parents, hurle-t-elle.

– Oui, mais…

– Il n'y a pas de mais. Nous en prenons soin depuis son entrée dans le monde. Ce n'est pas cette femme qui…

Julien arque les sourcils.

– Qui s'est volatilisée dès la naissance de notre Rita sans le moindre regret, juge-t-elle. Voilà, je l'ai dit.

– Ce n'est pas elle qui en prend soin depuis sa tendre enfance, mais cette femme reste quand même la mère biologique de Rita. Elle l'a mise au monde, Thérèse. Nous devrions plutôt la remercier de nous l'avoir confiée au lieu de chercher à la critiquer. D'ailleurs, renchérit-il, nous ne connaissons pas les circonstances de cet abandon, alors ne la mettons pas au banc des accusés.

– Comment une mère peut-elle abandonner son enfant? Je ne comprends pas. Moi qui aurais tant voulu la porter! La vie est tellement injuste.

– Cette femme l'a peut-être donnée par amour. Enfin, peu importe la raison, si elle ne l'avait pas placée en adoption, notre vie à nous aurait été bien différente.

Thérèse prend soudainement conscience des paroles de son mari et s'apaise un peu. Et si c'était vrai que cette femme avait donné sa fille par amour? Elle devait terriblement souffrir de la savoir chérie par une autre. « Comment puis-je me plaindre, songe-t-elle, alors que c'est moi que Rita appelle maman? »

– Tu as sans doute raison, Julien. Je ne dois pas m'en faire avec les propos de Rita. Je sais qu'elle m'aime. Oui, ça je le sais, dit-elle en reniflant, et si un jour notre fille désire faire des recherches pour retrouver sa mère biologique, je n'y ferai pas objection.

– Cette femme ne prendra jamais ta place Thérèse, car la vraie mère… c'est celle qui en prend soin. C'est toi, tu m'entends, personne d'autre.

– Oui, Julien. J'y vois un peu plus clair maintenant.

– Viens te coucher maintenant.

Le cœur un peu moins lourd, celle-ci s'allonge près de son mari.

– Julien, réclame-t-elle au bout d'un moment, prends-moi dans tes bras s'il te plaît.

* * *

Chapitre 7

C'est la veille de Noël. Pendant que Léo se douche et que ses filles se reposent, Henriette termine l'emballage des cadeaux avant de partir pour la messe de minuit. Contrairement à sa petite sœur, Miriame a longtemps combattu le sommeil avant de s'assoupir.

En entendant les onze coups de l'horloge grand-père, Henriette réveille finalement les enfants. Il est grand temps de s'habiller et de partir pour l'office. Malgré sa petite sieste, Miriame est toujours aussi agitée.

– Il faudrait te calmer un peu, Miriame. Ce n'est pourtant pas ton premier réveillon! Pourquoi t'énerves-tu ainsi?

– Je ne sais pas, maman. Ça ne m'énerve pas d'aller chez tante Gisèle. Je t'assure.

– Alors pourquoi te comportes-tu ainsi?

– Je n'en sais rien. C'est ici, dit-elle en pointant sa poitrine.

– Que veux-tu dire?

– Ça me fait tout drôle en dedans, explique la fillette dans ses mots d'enfant. C'est bizarre.

Henriette ne saisit absolument rien des propos de sa fille, mais fait semblant d'avoir compris.

– Ça passera dans quelques minutes. Pour l'instant, il faut te dépêcher. Va vite mettre tes bottes, ton manteau et n'oublie pas ton chapeau.

– Oui, maman.

Dans la voiture circulant difficilement dans les rues enneigées, Miriame ressent de nouveau cette curieuse sensation. N'osant interrompre la conversation entre ses parents, elle n'en reparle pas tout de suite. Cependant, pendant l'office religieux, ce sentiment inhabituel l'habite davantage, or, prise de panique, elle tire sur la manche du manteau de sa mère et lui chuchote :

– Maman, c'est encore là.

– Qu'est-ce qui est encore là?

– Tu sais. Je t'en ai parlé avant de partir.

– Tout redeviendra normal après la messe, lui murmure-t-elle. À présent, ne parle plus et écoute le prêtre.

– Oui, maman.

Miriame ne prête toutefois aucune attention au rituel se déroulant à l'avant. Trop perturbée par cette perception anormale, elle s'agite fréquemment sous les yeux mécontents de sa mère. Lors de l'eucharistie, bon nombre de personnes se lèvent et défilent les uns après les autres devant l'aumônier. N'ayant pas encore fait sa petite communion, Miriame doit demeurer assise et attendre. De plus en plus énervée, elle regarde de gauche à droite et constate alors qu'elle n'est pas la seule dans cette situation. Parmi ces gens, une petite fille attire son attention. Elle ne l'a jamais vue et pourtant elle a l'impression de la connaître. Se sentant observée, la fillette tourne machinalement la tête vers elle. Elles n'ont pas le temps ni l'une ni l'autre de se dévisager. Une vieille dame regagne son banc à l'instant même et vient se placer entre elles. Miriame s'étire le cou à plusieurs reprises, cherchant à la voir de nouveau, mais l'allée centrale se bonde prestement de gens qui reviennent de communier.

L'office terminé, les fidèles quittent l'église le cœur joyeux. C'est maintenant l'heure de réveillonner. Dehors, la neige tombe à gros flocons et le vent souffle très fort. Les gens regagnent hâtivement leur voiture. Malgré la tempête, Miriame demeure sur le perron de l'église à scruter la foule afin d'y repérer cette petite fille au manteau rouge. Henriette s'aperçoit vite de son absence et retourne sur ses pas.

– Il est temps de partir, Miriame. Viens!

– Juste un moment, maman.

– Que se passe-t-il, Miriame? Je te trouve bien étrange ce soir.

L'enfant pointe à nouveau sa poitrine.

– C'est ici, maman. Pendant la messe, c'était tellement fort, explique-t-elle.

– Ce devait être la magie de Noël. Viens maintenant. Tante Gisèle nous attend.

* * *

Chez Francine, la sœur de Thérèse, la veillée s'intensifie par les chants joyeux des deux beaux-frères un peu éméchés. Pierre savoure dignement la rare visite de Julien en trinquant avec lui pour tous les motifs possibles. Thérèse regarde son gai luron de mari chanter sur une fausse note et rit de bon cœur. Elle n'a pas souvent l'occasion de voir son époux s'enivrer.

Pendant que les enfants s'amusent entre eux, Francine et Thérèse garnissent la table d'un copieux buffet. Elles en profitent pour bavarder comme au bon vieux temps.

– Ton aînée a beaucoup changé depuis un an.

– Je sais. Rita grandit à vue d'œil. Je lui confectionne de nouveaux vêtements tous les deux mois.

– J'ai remarqué son manteau lorsque vous êtes arrivés. C'est une vraie merveille et la couleur lui va à ravir. Tu as des doigts de fée, ma parole!

– Merci. C'est vrai que le rouge lui va bien. Elle…

Une voix provenant du salon interrompt leur conversation. Bouteille à la main, Pierre leur fait de grands signes.

– Eh les femmes! Venez chanter avec nous.

Sans avoir à se faire prier bien longtemps, les deux sœurs les rejoignent en apportant avec elles des ustensiles indispensables afin de les accompagner. En entendant le bruit des cuillères se frapper, les enfants accourent aussitôt au salon.

* * *

Non loin de là, Miriame s'amuse avec ses cousins. Chez Gisèle, la maison est pleine à craquer. Les enfants vont ici et là, contournant les adultes, qui racontent des blagues en prenant un petit verre.

L'agitation étrange éprouvée par Miriame s'est finalement dissipée en revoyant sa cousine. Cependant, lorsqu'elle déballe la poupée Barbie offerte par sa marraine, l'étrange sensation la talonne à nouveau. Paralysée par la joie de recevoir cette poupée tant désirée, et par ce bouillonnement incommodant, elle demeure un moment sans bouger avant d'accourir vers sa tante pour la remercier. À peine a-t-elle effleuré la joue de Gisèle qu'elle rejoint sa mère et lui murmure à l'oreille :

– Maman, ça me fait encore drôle en dedans.

– Ma chère petite, émet-elle en lui caressant les cheveux, je crois en connaître la raison. Tu es fatiguée. Il est déjà deux heures du matin, et même si tu as dormi un peu avant la messe de minuit, tes heures de sommeil ont néanmoins été coupées. Dans quelques jours, lui assure-t-elle, toute cette nervosité du temps de Fêtes disparaîtra. Tu verras.

Lorsque Miriame se couche vers trois heures, son trouble s'estompe doucement.

* * *

Déjà le 3 janvier. Les Dumas reprennent le chemin du retour. Chaque membre de la famille rapporte un souvenir heureux de ce merveilleux voyage au Saguenay. Francine et Pierre auraient bien aimé les retenir plus longtemps, mais Julien recommence à travailler bientôt et l'école reprend dans quelques jours. Toute bonne chose à une fin.

Le trajet paraît interminable pour les enfants assis sur la banquette arrière. Mireille finit par s'endormir au ronronnement de la voiture. Quant à Rita, elle ne cesse d'admirer la Barbie qu'elle a reçue de ses parents. Même si elle la désirait de tout son être, sa mère lui répétait continuellement qu'elle n'avait pas les moyens de la lui offrir. Rita avait fini par croire qu'elle ne l'aurait jamais. Et voilà qu'à présent, elle la tenait entre ses mains. Elle n'y croyait pas encore.

À l'approche de Québec, Julien allume la radio. Les chants de Noël ont cédé leur place à la musique populaire. Accoudée contre la porte, Rita baille au son d'une chanson de Ginette Reno et finit par s'endormir elle aussi.

* * *

Chapitre 8

Février 1968, mois le plus court et pourtant si long! Le vent glacial ne semble pas vouloir céder sa place au printemps.

Ce matin, Simone est en retard. Camouflée sous ses couvertures, elle n'a pas entendu le réveil sonner. Lorsqu'elle ouvre finalement les yeux, il est déjà huit heures passées. Il ne lui reste donc qu'une demi-heure pour se doucher, s'habiller, déjeuner et faire son lit.

Sachant que le désordre tracassera sa fille toute la matinée, Marcelle se lève rapidement et s'infiltre dans la chambre de Simone pendant que celle-ci est sous la douche.

« D'abord le lit, calcule-t-elle et ensuite j'irai lui préparer un bon petit déjeuner. »

Marcelle soulève l'oreiller et découvre une petite suce blanche sur les draps bleu ciel. Ébranlée par sa découverte, elle fige quelques secondes devant l'objet avant de reprendre ses esprits. Elle replace hâtivement la suce et l'oreiller tels qu'ils étaient et sort prestement du refuge intime de sa fille. Déconcertée, elle met le cap vers la cuisine. Cherchant à dissimuler ses émotions, elle prépare nerveusement le café.

Douchée, Simone regagne sa chambre et s'habille en vitesse. Elle ramasse la suce sous son oreiller et l'insère dans son étui, avant de la glisser dans son sac à main encore une fois. Attirée par l'arôme du café, elle replace les couvertures de son lit et descend rapidement l'escalier.

« J'aurai peut-être le temps d'en prendre un avant de partir travailler, songe-t-elle en posant ses yeux sur sa montre. Et pourquoi pas un bol de céréales, évalue-t-elle en pressant le pas. »

À la cuisine, la table est déjà dressée et son petit-déjeuner est servi.

– Bonjour, Simone.

– Bonjour, maman.

– Viens t'asseoir. Je t'ai préparé des œufs.

– Merci, maman. Je ne sais vraiment pas ce que je ferais sans toi.

– Ne me fais pas rougir ce matin. C'est ton premier retard.

Simone déjeune à la hâte sans même remarquer la nervosité de sa mère. Elle termine son café d'un seul trait et disparaît pour la journée.

À présent seule, Marcelle se met à trembler. Elle s'installe au bout de la table et laisse sa peine se manifester. Sous ses paupières closes, elle revoit la petite suce blanche. Son cœur de mère n'ignore pas la douleur qu'éprouve sa fille depuis huit ans. Elle-même, la grand-mère, se repentit souvent d'avoir laissé sa petite-fille grandir loin de sa vraie famille, alors comment ne pas imaginer la souffrance de celle qui l'a mise au monde?

« Je dois faire quelque chose, mais quoi? Et si j'en parlais à mon confesseur », songe-t-elle.

Elle sèche rapidement ses larmes et entreprend sa routine du matin, bien décidée à rendre une petite visite à M. le curé au cours de la journée. En début d'après-midi, elle s'habille chaudement, sort de chez elle et se dirige vers le presbytère. Comme toujours, l'homme de Dieu l'accueille avec courtoisie.

– Bonjour, madame Lavoie. Comment allez-vous aujourd'hui?

– Bien, merci et vous? répond-elle machinalement.

– Très bien. Même s'il fait un peu froid en ce 29 février, je demeure confiant. Le printemps ne tardera plus bien longtemps.

La date prononcée par le prêtre provoque chez Marcelle un sentiment de culpabilité. Voilà huit ans, jour pour jour, Simone accouchait, et elle n'y a pas pensé ce matin, pas même en voyant la suce cachée sous l'oreiller. C'était un 29 février. Comment oublier une date qui ne revient que tous les quatre ans?

La voix du prêtre la fait sursauter.

– Excusez-moi, mon père. Que me disiez-vous?

– Vous avez visiblement besoin de parler, affirme-t-il avant de poursuivre. Accepteriez-vous de prendre le thé en ma compagnie.

– Je veux bien. Vous avez raison, j'ai vraiment besoin de parler, soupire-t-elle. Me confier m'apaisera sûrement un peu.

– J'en suis certain. Passons au salon du presbytère. Nous y serons plus confortables.

Bien installée dans un des nombreux fauteuils de la grande pièce, Marcelle se demande comment lui présenter l'objet de sa visite.

– À présent madame Lavoie, si vous me disiez ce qui ne va pas.

– Concrètement, c'est le prêtre, mais également l'ami que je suis venue rencontrer cet après-midi.

– Alors ça me fait doublement plaisir de vous recevoir, dit-il en souriant. Cependant, vous me semblez hésitante.

– Vous savez, c'est un sujet bien délicat et il m'est très difficile d'en parler.

– Allons, madame Lavoie. Ne venez-vous pas d'affirmer que je suis votre ami? Ne soyez pas gênée. Cette conversation restera confidentielle.

– Je vous remercie.

Effleurant d'abord la tasse des lèvres, Marcelle prend une petite gorgée avant de se livrer.

– J'ai quelque chose sur le cœur depuis très longtemps, entame-t-elle en tremblant, mais aujourd'hui, j'étouffe. J'ai besoin d'en parler.

– Je suis tout ouïe madame Lavoie, lui certifie le prêtre en touchant sa main. Je n'ai aucune obligation cet après-midi, alors vous pouvez prendre tout votre temps.

– C'est tellement difficile!

– Parlez, madame Lavoie. Cela vous soulagera.

– Il s'agit de ma fille Simone, dévoile-t-elle en posant son regard sur le crucifix déployé sur le mur derrière le prêtre.

– Simone!

– Oui, Simone. Vous rappelez-vous lorsque vous avez annoncé la mort tragique du docteur Simard et de toute sa famille?

– Si je me rappelle? Je ne pourrai jamais oublier ce jour.

– Vous souvenez-vous également de la réaction de ma fille?

– Pauvre petite! Je n'étais pas au courant de son amour pour le jeune Vincent, car jamais je ne lui aurais annoncé de cette façon.

– Si elle a réagi aussi vivement, c'était également parce que…

– Poursuivez, madame Lavoie.

– Vincent était beaucoup plus qu'un amoureux pour elle.

– Je ne comprends pas. Que voulez-vous me dire?

– Moi-même n'en savais rien à ce moment-là, mais Simone était enceinte. Elle venait tout juste de l'apprendre. Vincent était le père, profère-t-elle en éclatant en sanglots.

– Mon Dieu, si j'avais su. Quelle tragédie pour cette petite, et dire qu'elle a appris la mort du père de son enfant de cette manière.

– Vous comprenez maintenant la raison pour laquelle Simone était si attristée et hystérique?

– Si je comprends? Je n'en reviens tout simplement pas. Je m'en veux tellement. Si j'avais su, répète-t-il à nouveau.

– Personne ne le savait. Vous n'avez pas à vous en vouloir. Moi par exemple…

– Pourquoi vous?

Marcelle se mouche avant de poursuivre.

– Lorsque Simone me l'a avoué quelques semaines plus tard, elle m'a fait promettre de ne pas en parler à personne, spécifie-t-elle. Ce que j'ai respecté jusqu'à aujourd'hui.

– Ne vous en faites pas. Je prends cette conversation comme une confession. Vous pouvez poursuivre.

– Je n'en ai même pas soufflé mot à mon mari. C'était plutôt facile à l'époque, car Édouard passait des semaines entières dans les bois à bûcher.

– Oui, je me rappelle.

– Le lendemain de ses aveux, j'ai amené Simone au cabinet du docteur Ferland. Après l'avoir examinée, il a confirmé ses dires. Elle était bel et bien enceinte. Par la suite, il nous a questionné sur nos intentions face à cette grossesse. Sincèrement, nous n'en savions rien. Cette situation était tellement imprévue. Il nous a alors parlé d'un établissement à Québec tenue par des religieuses. Ces sœurs accueillaient des jeunes filles dans les mêmes conditions que ma Simone et elles se chargeaient également de faire adopter les nouveau-nés.

– Vous parlez de la Maison Miséricorde?

– Oui, comment savez-vous?

– Je vous expliquerai plus tard. Continuez.

– Simone y a pensé quelque temps. Devait-elle donner son enfant ou l'élever seule malgré l'opinion préconçue de la société dans le contexte du début des années soixante? Cela semblait presque impossible. Simone ne pouvait même pas envisager de se marier, puisque Vincent venait de mourir, et qu'elle était si jeune, ajoute-t-elle en s'essuyant à nouveau les yeux.

– Et c'est la raison pour laquelle Simone est partie pendant un an, si je me rappelle bien.

– Oui. Si vous saviez comme je m'en veux.

– Mais à l'époque, et même aujourd'hui, spécifie-t-il, il est très mal vu pour une jeune fille célibataire d'avoir un enfant.

– Je sais, et je ne serais probablement jamais venue vous voir si je n'avais pas trouvé ce petit objet ce matin.

– Quel objet?

– Simone était en retard, alors...

Marcelle sanglote davantage.

– J'ai seulement voulu l'aider. Rien de plus.

– Qu'avez-vous fait, madame Lavoie?

– Je me suis précipitée dans sa chambre afin de faire son lit pendant qu'elle était sous la douche, mais lorsque j'ai soulevé l'oreiller…

– Continuez, madame Lavoie, l'encourage-t-il.

– J'y ai trouvé une suce blanche.

– Vous croyez que c'est la suce…

– J'en suis certaine. Voilà pourquoi ma fille n'a jamais voulu se faire aider. Ce matin, si elle n'avait pas été en retard, je n'aurais jamais…

– Allons! Il ne faut pas vous en vouloir d'avoir découvert son secret. Vous n'y êtes pour rien.

– Je m'en veux pour tout, monsieur le curé, pas juste pour ça. D'abord de l'avoir laissée donner son bébé, ma petite-fille. Simone doit terriblement souffrir de cet abandon. La suce me le confirme. Je sais, ajoute-t-elle en reniflant, à l'époque, elle n'avait pratiquement pas le choix, mais c'est tellement difficile pour moi de vivre avec ça sur la conscience jour après jour, moi la grand-mère. Imaginez ce que peut éprouver la vraie mère? C'est un cauchemar permanent pour elle, j'en suis certaine. Et aujourd'hui, renchérit-elle, Simone doit souffrir davantage puisque nous sommes le 29 février. Sa fille fête ses huit ans. Vous savez, monsieur l'abbé, ce n'est pas parce qu'une chose ne se voit pas qu'elle n'existe pas.

– J'en suis conscient. À vous écouter, je commence à comprendre bien des choses.

– Le pire, précise-t-elle, c'est qu'elle doit s'imaginer que sa fille lui en veut de l'avoir abandonnée alors qu'en réalité Simone l'a donnée par amour afin que sa petite jouisse d'un vrai foyer. Comprenez-vous, monsieur le curé?

Le pasteur était bien loin de Marcelle en ce moment. Perdu dans ses souvenirs, il revivait ses sept ans. Sa mère et son père venaient de lui annoncer qu'ils n'étaient pas ses vrais parents.

Malgré son jeune âge, ceux-ci avaient jugé bon de le lui avouer. Enfant sérieux, il avait écouté sans broncher, ne laissant transpirer aucune amertume envers cette mère étrangère, alors qu'en réalité son cœur d'enfant en était renversé. Il ne comprenait pas qu'une mère puisse abandonner son enfant. Pas sa mère! Non, c'était impossible, pas sa propre mère! Pendant des années, il avait entretenu une furieuse rancune envers cette femme jusqu'à ce qu'un jour il décide de devenir prêtre et d'entrer au séminaire.

Ce jour-là, il balaya à tout jamais de son esprit le ressentiment envers cette mère inconnue, oubliant jusqu'à son existence. Seulement aujourd'hui, le passé le rattrapait. Il commençait à comprendre bien des choses, entre autres que sa mère naturelle avait dû beaucoup souffrir de l'abandonner et peut-être souffrait-elle encore, si elle était toujours de ce monde.

« Mon Dieu, pardonne-moi, implore-t-il silencieusement. Comment ai-je pu bannir de mon existence cette femme qui m'a donné la vie? Je devrais plutôt prier pour elle, moi qui me dis homme de Dieu. »

– Je comprends parfaitement, madame Lavoie. Je vous assure que si aujourd'hui cette petite en veut à sa mère biologique, un jour, oui un jour, elle comprendra le geste d'amour de Simone. Oui, je vous le certifie, un jour elle comprendra.

– Merci, monsieur le curé. J'avais tant besoin t'entendre ces paroles. Je ne voudrais pas que ma petite-fille en veuille à ma Simone toute sa vie.

– N'ayez crainte, madame Lavoie. Quelqu'un quelque part se charge toujours de vous ouvrir les yeux.

Sur le chemin du retour, Marcelle se demande la raison pour laquelle le curé connaissait si bien la Maison Miséricorde. N'était-il pas supposé lui en reparler?

* * *

Chapitre 9

Le cœur chargé d'émotion, Simone relit pour la deuxième fois les mots de sa carte de souhaits offerte par Céline et d'autres collègues de travail. Secrètement, sa grande amie retrouvée depuis quatre ans lui a organisé une petite fête pour ses vingt-cinq ans. Comme de coutume, Simone s'est rendue à la salle des professeurs à la fin de sa journée de travail afin de corriger des travaux d'élèves au lieu de les apporter chez elle. Aujourd'hui, à sa grande surprise, plusieurs de ses pairs se trouvaient déjà sur place. En entendant chanter « Bonne Fête », Simone s'est alors sentie devenir rouge de gêne L'organisatrice de cette petite réunion avait même pensé à acheter un gâteau d'anniversaire pour souligner l'événement.

– Je te souhaite de rester longtemps parmi nous, lui prédit une enseignante de troisième année.

– C'est la santé qu'il faut conserver, c'est ce qu'il y a de plus important, affirme son ancienne maîtresse d'école qui ne semblait pas pressée de prendre sa retraite.

– J'espère que tu trouveras l'homme de ta vie, tout comme j'ai trouvé le mien l'an passé, exprimait une jeune enseignante mariée depuis quelques mois.

Chacun y allait de sa propre expérience de vie. Le vœu de Céline l'avait cependant plus affectée que tous les autres. Ignorant tout de son passé, les quelques mots murmurés à son oreille lui avaient fait bondir le cœur.

– Je te souhaite de trouver ce qui te manque pour être heureuse. En attendant, n'oublie pas que je suis là pour t'écouter. Une amie, c'est fait pour ça.

« Ce qui me manque pour être heureuse! Oh mon Dieu! Si elle savait! Ma fille, juste ma fille. Elle a déjà dix ans. Comment est-elle? Lui a-t-on dit qu'elle avait une autre maman quelque part dans ce monde? M'en veut-elle de l'avoir abandonnée? »

Une voix la fait revenir à la fête.

– Souffle les bougies de ton gâteau, et n'oublie pas de faire un vœu.

Les yeux fermés, le désir de Simone se transforme en prière. Elle aspire tant retrouver sa petite fille et la serrer à nouveau contre son cœur.

La petite fête terminée, Simone remercie chaque personne de la belle surprise, précisant qu'elle ne l'oublierait jamais. Ensuite elle rejoint son amie.

– Céline! Je ne sais comment te remercier.

– Je suis contente que cela t'ait plu. Que dirais-tu de venir prendre un verre avec Pierre et moi?

– Allez-y sans moi, je vais rentrer à la maison.

– Je n'accepte aucun refus, s'exclame-t-elle fortement. Ce soir, ajoute-t-elle, tu n'as pas le choix. Il est grand temps que tu rencontres quelqu'un.

– Pardon?

– Tu as très bien compris. Je veux bien t'organiser tous tes anniversaires jusqu'à ce que tu atteignes l'âge de cent ans, mais de là à te fêter à la Sainte-Catherine, il y a une marge. Je te rappelle que tu as déjà vingt-cinq ans et que tu n'as toujours pas de petit ami. Alors j'ai décidé de t'aider.

– Tu n'y penses pas sérieusement?

– Si, et c'est la raison pour laquelle Pierre a invité un de ses collèges de travail à sortir avec nous. Nous allons te le présenter. Il se nomme Jean-Claude et il est très gentil.

– Mais…

– Il n'y a pas de mais. Je suis ton amie, alors fais-moi confiance.

* * *

Fixant la lune à travers la fenêtre de sa chambre, Simone, couchée depuis peu, murmure le prénom de Jean-Claude. Il est vrai qu'elle a passé une magnifique soirée en sa compagnie. Céline avait raison lorsqu'elle affirmait qu'il était un homme sympathique. En plus d'être gentil, la beauté de son visage tout comme son physique d'athlète ne la laisse pas indifférente.

« Cet homme a le profil de l'homme idéal, pense-t-elle. Avec lui, je peux parler de tout. Il est si cultivé! Il possède un bon sens de l'humour et un esprit imaginatif extraordinaire. Oui, ce Jean-Claude me plaît beaucoup. J'adore ses cheveux bruns ondulés qui longent son cou jusqu'à ses épaules et son regard perçant. Pourtant, en dépit de l'attirance que j'éprouve pour cette homme, je n'ai pas le droit d'entamer une relation avec lui. Et d'ailleurs, se persuade-t-elle, mon cœur ne battra jamais aussi fort pour un autre homme. »

Perdue dans ses plus douces nostalgies, son cœur se met à galoper en évoquant son amour d'adolescence.

« Lorsque Vincent était tout près de moi, songe-t-elle en essuyant une larme, j'étais certaine que le cœur allait me sortir de la poitrine tellement il battait fort. Et lorsque ses lèvres se posaient finalement sur les miennes, je n'avais qu'une seule envie, celle de me perdre dans ses bras. Oh Vincent! Si tu n'étais pas mort dans ce bête accident, notre vie aurait été si belle! On s'aimait tellement! Jean-Claude veut me revoir, médite-t-elle à nouveau. Que dois-je faire? Je ne sais pas. Je ne sais plus rien. J'aime bavarder avec lui, il est si naturel, mais je ne veux surtout pas lui faire perdre son temps. Je dois lui dire la vérité sur mes sentiments. Il ne pourra jamais devenir mon amoureux, car personne ne prendra la place de Vincent dans mon cœur. Non, jamais. Je l'aimais trop. Je l'aime trop. »

Les yeux brumeux de Simone ne discernent désormais plus l'astre éclairant son visage.

« Vincent… Oh! Vincent… déjà dix ans que tu es parti et pourtant, tu restes si présent en moi. Et notre fille, notre petite Miriame… »

Sur cette pensée, Simone finit par s'endormir.

* * *

Chapitre 10

À la Maison Miséricorde, bien des changements surviennent. Toujours directrice de l'établissement, sœur La Chapelle attend impatiemment sœur Miriame. Elle a affaire à elle et cela ne peut pas attendre. Avisée, sœur Miriame arrive en hâte au bureau de sa supérieure.

– Bonjour, mère.

– Bonjour, sœur Miriame. Fermez la porte et asseyez-vous. J'ai à vous parler.

– Vous avez l'air sérieux. Se passe-t-il quelque chose de grave?

– Non, rassurez-vous. L'établissement ne ferme pas encore ses portes, même si le nombre de filles enceintes diminue chaque année. Malheureusement, dans la province et partout dans le monde, il y a encore de jeunes idiotes ayant le diable au corps. La seule différence, c'est qu'avec les années « *peace-and-love* », ces petites inconscientes commencent à s'en occuper.

– Vous ne devriez pas parler ainsi, mère. Plusieurs adolescentes nous arrivent en larmes et ce n'est pas toujours parce qu'elles ont aimé. Nombreuses sont celles à avoir été forcées.

– Je sais, mais même elles, je me demande si elles n'ont pas fait exprès d'attirer le démon en s'habillant de manière indécente.

– Mère, je ne vous comprends pas. Ce n'est nullement leur faute. Ça, j'en suis certaine.

– Disons que je n'ai rien dit. Par contre, il y en a encore beaucoup trop à se dandiner et à ensorceler le sexe masculin. De vraie petites courtisanes! Leur activité malsaine est inacceptable et je ne l'approuverai jamais.

Tant qu'à entendre déblatérer sur ces jeunes filles, sœur Miriame préfère changer de sujet avant de s'emporter.

– De quoi vouliez-vous me parler?

– Vous êtes transférée, lui lance-t-elle sans ménagement.

– Pardon!

– Vous avez très bien entendu et, en tant que religieuse subalterne, vous devez obéir à mes ordres. Un point c'est tout.

– Mais où?

– Dans le même genre de maison, malheureusement. Vous êtes bilingue, et en Ontario, il y a davantage de jeunes filles enceintes. L'établissement a besoin de personnel.

– Et vous avez pensé à moi?

– Exactement.

Sœur La Chapelle arrache une feuille de son calepin et poursuit.

– Voici votre nouvelle adresse. On vous y attend dans deux semaines.

– Mère, implore-t-elle, ne me transférez pas. Permettez-moi de demeurer au Québec.

– Désolée, vous n'avez pas le choix.

– Je ne suis plus très jeune, mère. Je ne veux pas finir mes jours en Ontario.

– Écoutez, sœur Miriame, il est grand temps de remettre les pendules à l'heure. Lorsque vous avez prononcé vos vœux, il y en avait un de consacré à l'obéissance, alors ne discutez pas ma décision. Est-ce clair?

– Oui, mère.

– À présent, laissez-moi travailler.

– Mère?

– Quoi? lance-t-elle en soupirant.

– J'ai un petit appareil photographique. Mon frère me l'a offert il y a très longtemps. Serait-il possible de prendre quelques clichés de mes consœurs? J'aimerais prendre une photo de vous également. Nous avons travaillé ensemble de si longues années.

– Je vous l'ai toujours dit et je vous le répète, vous êtes une éternelle sentimentale. Ça n'a aucun sens! Enfin, si cela peut vous faire plaisir, je n'y vois aucune objection. Par contre, je tiens moi-même à ouvrir l'enveloppe lorsque vous les recevrez.

– Oui, mère. Merci. Je n'en attendais pas moins de vous.

– Attention, sœur Miriame. J'ai accepté, mais ça ne veut pas dire que je vous donnerai le droit de toutes les apporter. Certains endroits ici n'ont pas lieu d'être photographiés. C'est une règle et il faut la suivre.

– J'ai très bien compris, mère.

* * *

La semaine suivante, sœur Miriame se rappelle les directives de sa supérieure. Enveloppe en main, elle s'empresse d'aller frapper à sa porte.

– Bonjour, mère. Comme convenu, je viens vous montrer les photos. Je viens tout juste de les recevoir.

– Donnez-les-moi, ordonne-t-elle en se levant. J'espère que vous n'avez pas transgressé les règles de l'établissement.

– J'ai fait bien attention de ne pas enfreindre les règles, lui assure-t-elle en lui tendant l'enveloppe.

La directrice ouvre l'emballage et en sort une pile de clichés. Subitement, sans même avoir le temps de poser les yeux sur la première photo, elle échappe le tout. Sœur Miriame s'empresse de ramasser les épreuves dispersées sur le plancher. En se relevant, elle ose lui faire cette remarque :

– Mère! Mais vous tremblez!

– Ce n'est rien.

– Peut-être vaudrait-il mieux que je reste pour vous seconder, raisonne-t-elle, pleine de bonnes intentions.

À ces mots, sœur La Chapelle élargit les yeux et réplique avec ironie.

– Vous n'y pensez pas sérieusement? Vous, une simple subordonnée! Allons donc!

– Mais mère, je vous trouve fatiguée et je m'inquiète pour...

La directrice ne lui laisse pas le temps de terminer sa phrase.

– Cessez de vous trouver des excuses pour retarder votre départ. De toute façon, si jamais il me fallait quelqu'un pour m'assister, ce qui n'est point le cas, ce ne serait certainement pas vous, puisque vous n'avez aucune qualité requise pour diriger un tel établissement.

Irritée, la directrice incline rapidement la tête et observe la première photo. Elle relève aussitôt le menton et lui lance sans aucune délicatesse :

– Visiblement, vous n'êtes pas une très bonne photographe. Vos photos ont l'air de sortir du Moyen-Âge tellement elles sont jaunes! Votre film devait être très vieux.

Sans attendre de réponse, elle se penche à nouveau et examine chaque image avec attention. Elle s'attarde sur celle que sœur Miriame a prise d'elle.

– Je suis assez photogénique, ne trouvez-vous pas?

– Tout à fait, mère.

– Regardez-moi sœur Berthe. Un vrai visage de mi-carême, réplique-t-elle le bec pincé.

– Sœur Berthe est très réservée, mère.

– Elle aurait quand même pu se forcer pour sourire.

– Ce n'est pas bien grave. Je garderai malgré tout un beau souvenir d'elle.

Le visage de la directrice change complètement. Crispée, elle regarde avec indignation la photo de deux petits bébés couchés côte à côte.

– Mais, qui sont ces bébés?

Paralysée comme un enfant venant de se faire prendre la main dans le sac, sœur Miriame baisse instantanément la tête. Comment a-t-elle pu oublier qu'il y a quelques années, elle avait entamé le film en photographiant les jumelles de Simone.

– Sœur Miriame, s'écrit-elle, je veux une réponse sur-le-champ. Qui sont-ils? Vous les avez même photographiés deux fois.

– Mère…

– Allez! Je veux le savoir immédiatement.

– Ce sont les jumelles de Simone. Vous souvenez-vous de ma petite protégée?

– Si je me rappelle! Comment oublier?

– À l'époque, mon frère venait de m'offrir cet appareil et je voulais l'essayer.

– Et bien sûr, hurle-t-elle, vous avez transgressé la loi en photographiant ces enfants.

– Je suis désolée, mère.

Honteuse, sœur Miriame continue sa confession.

– Simone était comme ma fille et ses deux petites jumelles… comme mes petits-enfants.

– Mais vous rendez-vous compte de ce que vous avez fait? Ceci est impardonnable. Vous savez parfaitement qu'il ne doit rien rester de concret du passage de ces filles-mères. Vous semblez l'avoir oublié.

– Je sais, mère, mais…

– Il faut les détruire au plus vite.

– Ne faites pas cela, mère.

– Le règlement est formel, il ne…

– Mère, insiste-t-elle, il n'y a que vous et moi à être au courant. Je vous en prie. Personne n'en saura jamais rien. D'ailleurs, aucun nom n'est écrit sur la photo. S'il vous plaît, ne les détruisez pas. C'est tout ce qu'il me reste.

Voyant les yeux brumeux de sa consœur, sœur La Chapelle s'attendrit et consent à faire une exception.

– Je vois bien que ces photos vous tiennent à cœur. Cependant, en tant que chef de cet établissement, je dois m'y opposer. D'autre part, vous déménagez dans quelques jours, ce qui signifie que ces photos ne resteront plus ici. Je veux bien vous laisser une seule photo de ces jumelles, consent-elle après avoir réfléchi un moment. L'autre, je verrai personnellement à la détruire.

– Merci, merci beaucoup, mère.

– Allez maintenant, partez avec cette photo avant que je change d'idée.

Sœur Miriame remercie à nouveau sa supérieure avant de presser le pas vers la sortie de son bureau.

* * *

Chapitre 11

Dans la Beauce, chez les Dumas, une jeune fille vit un drame.

Assise sur le bol de toilette, Rita découvre avec horreur le sang qui coule entre ses jambes. Déroulant rapidement le papier hygiénique, elle entreprend de s'essuyer, une fois, deux fois, trois fois, en prenant bien soin d'aligner chaque morceau de papier entaché sur le chauffage électrique à droite des toilettes.

« Enfin, c'est terminé! » se dit-elle en regardant avec dégoût tous ces bouts de papier souillés.

Elle prend ensuite une bonne inspiration et se met à hurler.

– MAMANNNNNNNN...

Occupée à laver la vaisselle, Thérèse dépose rapidement son assiette sur le comptoir en entendant le cri hystérique de sa fille. Elle accourt comme une flèche dans la salle de bain. En apercevant tous ces morceaux de papier ensanglantés bien disposés sur le radiateur, Thérèse fait un effort immense pour ne pas rire.

– Maman! Dis-moi que ce n'est pas ça! Maman, s'il te plaît, je ne veux pas que ce soit ça!

Voyant sa fille au bord des larmes, Thérèse s'approche et vient s'agenouiller près d'elle.

– Si, Rita. Ça m'en a tout l'air.

– Non! Je ne veux pas, maman.

– Écoute, Rita, tu as déjà treize ans. C'est tout à fait normal d'avoir tes menstruations.

– Maman, je n'en veux pas de cette chose-là. C'est dégoûtant.

– Pourtant, il faudra t'y faire. C'est le signe que tu n'es plus une petite fille. Tu entres à présent dans le monde des grands.

– Si c'est ça devenir grande, je préfère rester petite, réplique la fillette instantanément.

– Malheureusement, personne ne peut arrêter le temps qui passe. Tu sais, Rita, tu n'es pas la seule chez qui les menstruations surgissent à cet âge. D'ailleurs, renchérit-elle, la plupart des jeunes filles ont leur première menstruation bien avant.

– Veux-tu dire que je suis en retard sur les autres?

– Non, bien sûr que non, mon trésor, mais… Comment dire… Disons que tu es chanceuse de ne pas les avoir eues avant.

– Oh maman! Est-ce que ce sang va couler entre mes jambes toutes les jours de ma vie de grande?

– Non, rassure-toi. Ceci n'arrive qu'une fois par mois.

– Que dois-je faire, maman?

– Pendant quelques jours, tu devras mettre une serviette sanitaire au fond de ta petite culotte.

– Vais-je être prise avec cette chose dégueulasse tous les mois jusqu'à ma mort?

– Les femmes enceintes n'ont pas leurs règles pendant leur grossesse.

– Comment ça?

– Pour l'instant, je te dirai simplement que le sang sert au bébé dans le ventre de la mère. Il…

– N'en dis pas plus, maman. Je veux juste savoir comment faire pour que personne ne s'en rende compte. Je ne veux surtout pas que papa le sache, ni ma sœur. C'est une affaire de filles, de grandes filles.

– D'accord. Personne n'en saura rien. Ce sera un secret entre nous. En attendant, je vais te donner ce qu'il faut pour te protéger et, plus tard, si tu veux, nous en rediscuterons.

– Donne-moi quelque chose qui ne se verra pas à travers mon pantalon.

Thérèse prend une boîte sous l'armoire.

– Avec ces petites serviettes sanitaires, personne ne s'en rendra compte.

– Maman. J'aurais aimé ça rester petite plus longtemps.

– Je sais, Rita. À présent, je retourne dans la cuisine.
– Maman?
– Oui, Rita.
– Tu me jures de ne rien dire?
– Oui. Je te le promets.

* * *

Chapitre 12

Ce soir, Simone offre une image ravissante. Sa robe de soie rouge, égayée par un col de dentelle, dessine harmonieusement les formes de son corps. Ses cheveux, fraîchement lavés et coiffés en chignon, donnent le résultat prévu. Satisfaite de son apparence, elle révise les détails pour la réception de ce soir. C'est la toute première fois qu'elle reçoit depuis son aménagement et elle désire que tout soit parfait.

« Il ne reste qu'à mettre une musique d'ambiance » en déduit-elle.

À nouveau, Simone admire les meubles et la décoration de son salon.

« Mon premier appartement! Me voilà vivant enfin seule à 29 ans. Est-ce possible? Avoir su le bien-être que procure d'avoir son chez-soi, je me serais décidée bien avant. Je me sens tellement bien! »

À cet instant, on sonne à la porte. Simone s'empresse d'aller ouvrir. Derrière la porte, Jean-Claude attend les bras chargés d'une grosse gerbe de fleurs.

– Bonsoir, Jean-Claude.

– Bonsoir, ma chère Simone. Tu es ravissante.

– Merci, tu es gentil. Entre, tu es le premier arrivé.

– Je vais donc avoir le temps de te courtiser, soumet-il en riant.

– Jean-Claude, si je ne te connaissais pas depuis quatre ans, je me sentirais très mal.

– T'en fais pas! Je te taquine. Je sais parfaitement que je ne suis qu'un ami pour toi. Tu me l'as si souvent répété! Mais laisse-moi quand même croire que je suis beaucoup plus.

– Jean-Claude!

– Je plaisante.

Il lui présente le superbe bouquet de fleurs multicolores.

– C'est pour toi. Puisque je ne peux pas étaler mon amour sur un plateau d'argent, laisse-moi au moins t'offrir ces fleurs.

– Merci, Jean-Claude. Tu es un véritable ami.

– Je sais… Je sais… Juste un ami, grogne-t-il.

– Eh oui! Juste un ami, mais un ami que j'adore.

Simone l'embrasse sur la joue et l'invite à faire le tour de son appartement.

– Eh bien! Ton appartement est un vrai petit nid d'amour!

– Jean-Claude, attention… Tu recommences.

– Excuse-moi, mais c'est si difficile pour moi de te voir aussi jolie sans pouvoir te chanter la pomme.

– Arrête, Jean-Claude, sinon…

– Sinon quoi? Tu vas me sauter dessus? Si c'est ça, alors je recommence sur-le-champ.

– Si tu continues, je vais me sentir mal à l'aise pour vrai.

La sonnerie de la porte se fait de nouveau entendre.

– Viens plutôt ouvrir avec moi. Allez! Je vais te changer les idées, tu en as grandement besoin.

Jean-Claude s'approche de Simone et la prend par les épaules.

– Oui, ma petite fleur chérie. Allons-y! T'as raison, j'ai vraiment besoin de me changer les idées ce soir.

Toujours aussi ponctuels, Céline et Pierre arrivent à l'heure indiquée.

– Bonsoir, Céline, bonsoir, Pierre.

– Bonsoir, Simone. Tu es magnifique ce soir.

– Merci, Céline. Je te renvoie le compliment.

– Toujours le premier arrivé pour vendre ton charme, lance Céline en posant son regard sur Jean-Claude.

– Oui. Malheureusement, Simone n'y porte pas attention. Je ne comprends vraiment pas. Pourtant, je suis assez beau garçon.

– C'est vrai. Tu as un charme à faire succomber n'importe quelle femme, mais vois-tu, Simone n'est pas n'importe qui.

– Ça, je le sais. C'est la seule à m'intéresser vraiment et c'est la seule à ne pas me voir.

– Hé! Vous deux! Vous avez fini de parler comme si je n'étais pas là, intervient Simone.

Les quatre amis se mettent à rire de bon cœur. Jean-Claude est un farceur né et tout le monde le connaît.

– En attendant les autres invitées, si on prenait un petit verre? lâche tout bonnement Jean-Claude.

– C'est une excellente idée. Mais avant, venez, je vais vous faire visiter mon appartement.

– Allez-y vous trois. Moi... Simone m'a déjà fait faire le tour un peu plus tôt. Je vais préparer les cocktails en attendant.

Simone les entraîne d'abord au salon. Pierre adore sa décoration et ne se gêne pas pour le lui dire.

– Tu as fait des merveilles! C'est si joli! Céline m'avait vanté ton bon goût, mais là... j'en suis estomaqué, s'exclame-t-il en admirant chaque détail.

– Tu aimes vraiment?

– J'adore ces couleurs, la disposition des meubles, enfin, j'adore tout.

– Moi aussi, Simone. Je te le redis encore, tu as un appartement superbe.

– Vous êtes très gentils. Venez! Allons rejoindre Jean Claude.

Les autres invités arrivent à tour de rôle. Simone a évidemment invité sa famille. La seule à ne pas pouvoir venir avait une très bonne raison. Solaine est sur le point d'accoucher et son médecin l'a mise au repos complet. Carl, son frère nouvellement marié, est là avec son épouse, Nicole. Quant à Sonia, elle sera en retard. Et bien sûr, ses parents. Simone n'aurait pas pu pendre la crémaillère sans eux.

De retour au salon après avoir visité le logement, les invités prennent un verre et discutent.

– Et maintenant, si nous portions un toast à Simone propose Jean-Claude.

Après avoir pris une première gorgée, Céline lève de nouveau son verre et formule une petite phrase à l'intention de Simone.

– À ma meilleure amie. Je lui souhaite d'être heureuse dans ce merveilleux appartement.

– Merci, Céline. Je dois vous avouer la participation de ma très chère amie Céline pour la décoration, déclare-t-elle à ses invités.

La soirée se passe dans la joie. Simone se révèle une hôtesse hors pair. Après avoir dégusté un petit buffet, Simone se voit offrir des présents par tous ses invités. Émue, elle les déballe la larme à l'œil.

– Simone, proclame son père, tu ne vas pas pleurer!

– Laisse-la faire, riposte sa mère. C'est sa façon à elle de sortir ses émotions.

Jean-Claude s'approche de Simone et la prend par les épaules.

– Voyons, ma petite fleur chérie, c'est fête ce soir. Il n'y a pas de place pour les larmes!

– Je sais, mais vous êtes tous si gentils!

Le téléphone interrompt cette scène émotive. Simone se lève et va répondre. Elle revient quelques minutes plus tard rayonnante de joie.

– Écoutez tous. Sonia ne viendra pas nous rejoindre tout de suite. Je vous ai dit au début de la soirée qu'elle viendrait après son travail. Seulement voilà, elle venait à peine de terminer son quart de travail lorsqu'elle a croisé Solaine et Sylvain à l'entrée de l'hôpital.

Aussi inquiète qu'énervée par ce téléphone, Marcelle demande aussitôt :

– Solaine a-t-elle accouché?

– Oui, maman. Je vais être marraine d'un garçon, s'exclame-t-elle souriante.

– Est-ce que tout s'est bien passé?

– J'ai cru comprendre que Solaine avait accouché comme une chatte.

Simone s'approche de sa mère.

– Maman... Je vais être marraine, lui chuchote-t-elle à l'oreille. Je n'aurai pas tout perdu.

– Chère petite, lance-t-elle en l'enlaçant.

Sonia arrive au bout d'une heure au grand bonheur de Marcelle, impatiente d'en savoir plus sur l'accouchement et son petit-fils. On trinque ensuite au nouveau venu dans la famille. Vers minuit, tous et chacun disparaissent l'un après l'autre. Jean-Claude est le seul à vouloir éterniser la soirée.

– Si on prenait un dernier verre ensemble, Simone.

– Si tu veux. Mais juste un, spécifie-t-elle, car je me sens un peu fatiguée.

– Moi aussi, mais j'aimerais qu'on discute un peu.

– Comme tu voudras.

– Tu es contente d'être marraine!

– Oh oui! Te rends-tu compte? Je vais être marraine d'un beau gros garçon de huit livres.

– Comment Solaine et Sylvain vont-ils l'appeler déjà?

– Germain.

– C'est un prénom assez vieux, tu ne trouves pas?

– C'est vrai, mais ma sœur aime beaucoup ce prénom. Il lui rappelle un médecin. À l'époque, celui-ci demeurait au village.

– Un médecin!

– À l'âge de sept ans, Solaine s'est cassé une jambe et c'est lui qui l'a soignée. Le docteur Si... Germain était aimé de tous.

– Pourquoi parles-tu comme s'il ne pratiquait plus?

– Ne me pose plus de questions, Jean-Claude. Je n'ai aucune envie d'en parler.

– Très bien, fleur chérie. Viens près de moi afin que je m'imprègne de ton odeur avant de partir.

Simplement, comme une amie, Simone se rapproche de Jean-Claude et dépose sa tête sur son épaule.

* * *

Chapitre 13

Le temps passe.

Henriette consulte sa montre. Presque minuit. Inquiète, elle scrute la rue pour la centième fois dans l'espoir d'apercevoir sa fille. Elle lui a pourtant ordonné de rentrer à onze heures! L'inquiétude se mêle soudainement à l'irritation pour finalement se transformer en désespoir.

« Mon Dieu! J'espère qu'il ne lui est pas arrivé malheur », pense-t-elle affolée à cette idée.

Henriette ne peut retenir ses larmes.

« S'il te plaît Seigneur! Ramène-la-moi au plus vite. Je suis si inquiète! »

Pour chasser ses idées noires, elle reprend la lecture de son bouquin. Elle le referme aussitôt et le lance furieusement sur la table du salon avant de retourner à la fenêtre. Son angoisse s'intensifie lorsque lui revient en mémoire l'horrible nouvelle diffusée au bulletin de ce soir concernant une jeune fille agressée et retrouvée morte.

Minuit et quart et Miriame n'est toujours pas arrivée. Henriette sent soudainement la rage l'envahir.

« Attends qu'elle arrive! Elle va être des semaines sans avoir de permission. »

Celle-ci change aussitôt d'opinion.

« Seigneur! Ramène-moi ma fille et je ne la disputerai pas, mais ramène-la-moi, je t'en prie! »

Désespérée, Henriette ne tient plus en place. L'idée de réveiller son mari la travaille, mais elle y renonce aussitôt. Léo a besoin d'une bonne nuit de sommeil puisqu'il doit se lever à l'aube demain pour son travail.

Faisant les cent pas devant la fenêtre, Henriette ne sait plus à quel saint se vouer afin que sa fille lui revienne saine et sauve. Finalement, à minuit et vingt, elle soupire de soulagement en distinguant, dans l'obscurité de la nuit, la couleur du poncho de Miriame.

« Enfin, la voilà! Merci Seigneur. »

Croyant ses parents endormis, Miriame enlève ses gros sabots de bois sur la galerie et ouvre la porte sans faire de bruit. Bien éveillée, sa mère l'attend.

– Enfin, te voilà! Mais veux-tu me dire où tu étais passée? J'étais inquiète sans bon sens.

– Maman! Tu ne dors pas?

– Comme tu vois, je t'attendais. Alors? Où étais-tu?

– Je m'excuse, maman. J'aurais dû téléphoner, mais j'étais si concentrée par le film que j'en ai oublié l'heure.

– Mais de quoi parles-tu? Quel film?

– D'un film à la télévision.

– Et où étais-tu? répète-t-elle.

– Chez Laurent, mais qu'est-ce que ça peut faire l'endroit où j'ai écouté le film?

– Ça fait toute la différence. Je ne le connais pas, ce Laurent, et je ne sais même pas où il habite.

– Maman, arrête de toujours t'inquiéter. C'est agaçant à la longue.

– Si c'est fatigant pour toi, imagine pour moi. Puisque tu n'as pas respecté l'heure convenue, je me vois dans l'obligation de te couper tes sorties pendant toute la fin de semaine.

– Tu n'y penses pas, maman! Ça n'a pas de sens!

– C'est ainsi. À présent, va te coucher. Il est tard.

– Mais maman!

– Je ne discute plus. Tu as quinze ans, Miriame, pas dix-huit. Ça faisait longtemps que j'étais couchée à ton âge.

– Franchement, maman! Tu ne vas quand même pas comparer ton temps avec le mien!

– Ne sois pas impolie.

Outrée par sa pénitence qu'elle juge trop sévère, Miriame ne peut s'empêcher de répliquer :

– Les mères de mes amies n'agissent pas comme ça, elles. Et ma vraie mère ne me donnerait pas une punition aussi cruelle, rouspète-t-elle avant de monter à sa chambre sans dire bonsoir.

Terrassée par ces dernières paroles, plus un mot ne sort de la bouche d'Henriette. Elle a trop de chagrin en ce moment pour ajouter quoi que ce soit. Elle se laisse tomber sur le divan et se met à pleurer sans retenue. Un quart d'heure plus tard, l'adolescente repentante revient au salon.

– Je m'excuse, maman. Je ne pensais pas vraiment ce que j'ai dit.

Les yeux rougis, Henriette regarde sa fille aussi malheureuse qu'elle et, comme sa vraie mère, la pardonne encore une fois.

* * *

Chapitre 14

24 juin 1977

Aujourd'hui au Québec, on fête la Saint-Jean-Baptiste. Comme chaque année, dans la localité de la Beauce où habitent Thérèse et Julien, une grande foire se déroule. Toujours une des premières à investir de son temps, Thérèse a cuisiné son délicieux jambon à l'érable pour le buffet de ce soir. Quant à Julien, ses talents d'homme à tout faire ont particulièrement été appréciés au moment d'assembler les manèges pour enfants. Chaque activité a été choisie dans le but de divertir petits et grands. Outre les manèges, les clowns sont présents pour amuser les plus jeunes. Des jeux d'adresse captivent les plus vieux et une course de chevaux est prévue en début de soirée. Cette compétition enchante particulièrement les adolescents. Tout au long de cette journée, une musique québécoise se fait entendre dans toute la municipalité. Les gens s'amusent, prennent un petit verre, dansent et se régalent.

Pour Rita, âgée de seize ans et demi, cette grande fête est l'occasion de passer un peu plus de temps avec son ami de cœur. Roger, jeune adulte de vingt ans, demeurant au village voisin, ne vient plus la visiter aussi souvent depuis le début de ses études en psychologie à l'université de Trois-Rivières. Néanmoins, l'adolescente espère le voir un peu plus cet été.

La journée se passe dans la joie et vers dix-neuf heures, une voix d'homme se fait entendre au micro.

– Ceux et celles qui désirent participer à la course de chevaux doivent s'inscrire dans les plus brefs délais à l'écurie numéro 8. Celle-ci débutera dans une trentaine de minutes.

Au bras de son cavalier, Rita s'enthousiasme à cette annonce.

– Viens, Roger! Je vais m'y inscrire.

– Je croyais que tu voulais donner la chance à quelqu'un d'autre de gagner cette année.

– C'est vrai, mais c'est plus fort que moi. Allons, viens!

– Comme tu voudras.

– Tu n'aimerais pas y participer?

– Certainement pas, affirme-t-il en la prenant par les épaules, je ne veux surtout pas concurrencer ma future femme.

– Ta future femme… ai-je bien entendu, Roger?

– Ce n'est pas pour demain puisque je dois terminer mes études, mais si tu veux toujours de moi dans quelques années…

– Oh Roger! Comment peux-tu en douter? Je t'aime tellement!

Les participants sont au nombre de neuf. L'animateur invite la population à venir observer la course. Arquée sur son cheval, Rita se sent d'attaque. Elle scrute une dernière fois la foule, cherchant le visage de son amoureux. Elle l'aperçoit rapidement. Celui-ci lui fait de grands signes. Elle lui envoie un baiser soufflé avant de se concentrer.

– La course va commencer dans 30 secondes. 20…10, 9, 8, 7, 6, 5, 4, 3, 2, 1. Partez!

Rita s'élance à toute allure. Son cheval galope à une vitesse excessive, dépassant tous les autres concurrents. Au premier tournant, Rita a toujours une avance remarquable. La foule l'encourage en criant et en applaudissant. Subitement effrayé par un objet au milieu du chemin, l'animal hennit et lève les pattes avant, faisant basculer sa cavalière vers l'arrière. Des cris de désolation se font entendre dans la foule. La course est automatiquement arrêtée. Plus rapide que l'éclair, Roger accourt aussitôt vers Rita. Étendue par terre, la jeune femme se plaint.

– Ma jambe! J'ai mal à ma jambe.

– Attends, ne bouge pas. L'ambulance s'en vient. Nous allons t'emmener à l'hôpital.

– J'ai mal, j'ai si mal!

* * *

Au Saguenay, la Saint-Jean-Baptiste est une fête très populaire chez les jeunes. Emportés par une vague d'amour pour leur patrie, les fêtards le démontrent en chantant toute la nuit des airs québécois, trinquant leur grosse bière et fumant un petit joint.

Miriame et ses amis se préparent en vue de cette soirée grisante. Malgré sa tenue particulièrement hippie avec sa fleur dans les cheveux, sa jupe longue effilochée, sa tunique à franges et ses gros sabots de bois, Henriette est fière de son aînée depuis qu'elle s'est remise sérieusement aux études après un relâchement au début de l'adolescence.

– Ne rentre pas trop tard, Miriame, et surtout prends un taxi pour rentrer. Tu me connais, je suis inquiète lorsque tu reviens seule.

– Ne crains rien, maman. Nous sommes une dizaine et nous reviendrons tous ensemble.

Léo ne peut s'empêcher de multiplier les conseils comme si sa fille avait encore treize ans.

– Ne fais confiance à personne, ne bois pas dans le verre d'un autre et ne te laisse pas influencer par ceux qui prennent de la drogue et...

– Papa! Tu as fini? Je ne suis plus une gamine.

– C'est vrai, reprend Henriette, mais fais quand même attention.

– Oui maman, promis, répond-elle avant d'aller s'admirer une dernière fois dans le miroir de la salle de bain.

Les jeunes attendent Miriame près de la porte depuis un bon moment déjà et commencent à s'impatienter. Soudain, un bruit provenant de la salle de bain parvient à leurs oreilles. Henriette et Léo accourent aussitôt dans la pièce. Arrivés sur les lieux, ceux-ci découvrent leur aînée assise sur le plancher, gémissant de douleurs.

– Miriame! Que se passe-t-il?

– Je n'en sais rien maman, mais j'ai terriblement mal à la jambe. Je ne suis plus capable de me tenir dessus. C'est comme si j'avais reçu un coup.

– Montre-moi cette jambe.

Henriette ne remarque aucune ecchymose, ni blessure.

– Je ne vois rien. Attends, je vais t'aider à te lever.

– Non, maman. Ça fait trop mal!

Léo s'approche d'elle.

– Prends-moi par le cou, ma grande.

Miriame enlace son père et se laisse porter jusqu'au divan du salon. Embarrassée devant ses amis, elle les somme de partir sans elle.

– Allez-y sans moi. Je ne peux pas marcher, c'est impossible. J'ai trop mal.

– Mais…

– Partez, intervient Michel, moi je reste avec Miriame. Nous irons peut-être vous rejoindre plus tard.

Se laissant convaincre par Michel, les copains disparaissent tous ensemble. Amoureux de Miriame, celui-ci préfère demeurer auprès d'elle au lieu d'aller danser.

– Tu aurais dû partir avec eux. Tu n'es pas obligé de rester.

– Je sais, Miriame. Cependant, si tu ne viens pas, cette soirée n'a plus d'importance pour moi.

– Tu es si gentil, mais tu ne devrais pas.

– Ce n'est pas de la gentillesse, Miriame.

Durant toute la soirée, Miriame grimace de douleur. Inquiète, Henriette se promet d'amener sa fille chez le médecin demain matin sans faute.

Le lendemain, le docteur examine la jambe de Miriame, mais ne découvre aucune fracture. Pour s'en assurer, il lui fait quand même passer une radiographie. Celle-ci s'avère tout à fait normale.

– La radio ne révèle aucune fracture. Pour l'instant, retourne chez toi, mais n'hésite pas à revenir me consulter si cette douleur revient à nouveau.

* * *

Chapitre 15

Février 1980

Par cette douce soirée d'hiver, Jean-Claude et Simone se promènent tranquillement dans les rues du village en admirant la valse des flocons. Cependant, malgré ce décor féerique, Simone donne l'impression d'être envolée dans son monde et son ami Jean-Claude s'en rend compte.

– Ça ne va pas, Simone?

– Si, excuse-moi, j'étais ailleurs.

– Tu as l'air si pensive et si triste.

– N'y fais pas attention, Jean-Claude. Ce soir, ce n'est pas un soir comme les autres.

– Que veux-tu dire?

– Ça n'a aucune importance. Laisse tomber.

– Simone, lui chuchote-t-il en la prenant par les épaules, ça fait des années que je te connais et que je te regarde vivre. Je sais lorsque tu es contrariée, et ce soir, je le vois et je le sens. Je détecte dans ce joli regard une peine immense et très douloureuse. Qu'est-ce qu'il y a, Simone? Je suis ton ami, je peux peut-être t'aider. Tu as l'air si triste!

Simone lutte contre l'envie de se confier, néanmoins elle ravale son chagrin et leur promenade se poursuit en silence.

Le vent se lève et Simone frissonne. Jean-Claude l'enlace rapidement de son bras. Arrivés près de son appartement, Simone invite son ami à boire une bonne tisane. Celui-ci accepte.

Assis au salon, Jean-Claude sirote sa tisane en fixant les yeux tristes de celle qu'il aime secrètement depuis des années.

– Dis-moi ce qui ne va pas, Simone. Quelle est cette ombre qui habite ces si beaux yeux?

Simone évite son regard.

– T'es-tu disputée avec Céline? Simone, parle-moi. Je n'en peux plus de te voir si malheureuse. Parle-moi, répète-t-il à nouveau, vide-toi le cœur. Cela te soulagera.

– Céline n'a rien à voir avec ça.

– Alors, pourquoi ces yeux si mélancoliques?

– C'est si difficile!

Jean-Claude s'installe près d'elle.

– Tu peux tout me dire, Simone. Je suis ton ami et, quoi que tu dises, je le resterai à défaut d'être ton amoureux.

– Jean-Claude! Ce n'est pas le bon moment pour me chanter la pomme.

– C'est vrai, excuse-moi. Seulement, ajoute-t-il, derrière toutes ces blagues, la vérité s'y cache. Je t'aime, Simone. Je t'aime depuis très longtemps. Pourquoi penses-tu que je ne me suis jamais marié, même après avoir fréquenté toutes les filles du comté? Il n'y en a qu'une seule avec laquelle j'ai envie de partager ma vie, mais malheureusement cette femme n'éprouve rien pour moi.

Simone le regarde avec étonnement. Elle a toujours considéré ses aveux comme de pures taquineries! Et voilà qu'à présent il lui déclare son amour d'une façon solennelle.

– Jean-Claude, j'ai toujours cru…

– Je n'ai jamais été plus sérieux, Simone, mais en dépit de tout, je ne veux pas briser notre belle amitié. Alors n'y pense plus. Maintenant, toussote-t-il, raconte-moi ce qui ne va pas.

Touchée par cette éloquente déclaration d'amour, Simone remonte le temps et retrouve Vincent au discours similaire. Pleurant à chaudes larmes sur ses souvenirs, elle s'abandonne doucement et se livre à son ami sans retenue. La gorge nouée par l'émotion, Jean-Claude l'écoute attentivement. Cette confiance qu'elle lui porte fait naître en lui une admiration sans bornes pour cette femme au passé épineux.

– Céline le sait depuis une dizaine d'années.

– Je n'aurais jamais cru que tu portais un secret aussi lourd.

– Aujourd'hui ma fille fête ses vingt ans. J'aimerais tant être à ses côtés!

Sentant la douleur de sa douce, Jean-Claude lui prend le menton et l'embrasse chaleureusement sur la joue. Tendrement, sa bouche vient quérir les lèvres de Simone. Celle-ci ferme les yeux et prend soudainement conscience de son désir pour lui. Embarrassée par sa découverte, elle reprend rapidement sa place après un court baiser. Jean-Claude réintègre rapidement son rôle d'ami.

– Excuse-moi, Simone. Je ne voulais pas profiter de la situation. Je ne voudrais pas que ce baiser…

– Ne dis rien, demande-t-elle en déposant sa main sur sa bouche, j'avais sans doute besoin de ce moment de tendresse après cette confession.

– Pour ce qui est de ta fille, commente-t-il aussi gêné qu'elle, tu devrais penser à faire des recherches.

– Je l'ai abandonnée à sa naissance. Je n'ai pas le droit d'intervenir dans sa vie.

– Ne serait-ce que pour avoir de ses nouvelles.

– Je ne veux pas me faire de fausses joies. J'ai déjà trop souffert.

Après quelques minutes de silence, Jean-Claude lui demande :

– As-tu faim?

– Un peu. Veux-tu qu'on se commande un gueuleton?

– Pourquoi pas.

Jean Claude avait failli échapper qu'à défaut de se nourrir d'elle, il se contenterait d'une simple pizza, mais il s'était retenu à temps. Ce commentaire n'avait pas sa place ce soir, pas après ce qui s'était passé entre eux.

* * *

Chapitre 16

Juillet 1982

Rita se lève et se dirige directement à la fenêtre. Elle sourit en apercevant le soleil poindre à l'horizon. Aucun nuage ne trahit le bleu du ciel. Comblée par cette promesse de chaleur, elle retourne sur ses pas, saisit sa robe de chambre au pied de son lit et se précipite rapidement à la salle de couture. De là, elle admire à nouveau sa belle robe blanche ornée de perles.

Un toussotement l'oblige à se retourner. Debout près de la porte, sa mère la regarde en souriant.

– Maman!

– Bonjour, Rita. Tu t'es levée tôt.

– Je suis si énervée!

– Je n'en doute pas. J'étais moi-même très agitée le jour où j'ai épousé ton père.

Rita entraîne sa mère près de la fenêtre.

– Regarde, maman. Le soleil se lève. C'était une excellente idée d'accrocher un chapelet sur la corde à linge. Il fera un temps magnifique pour mon mariage.

– C'est un peu mystique cette histoire du chapelet, mais ça fonctionne à tous coups.

– Oh maman! J'ai tellement hâte de dire : « Oui je le veux ».

– Roger doit être tout aussi impatient.

– Je lui ai parlé au téléphone hier soir et il était très nerveux.

– C'est tout à fait normal.

– Il est le grand amour de ma vie, maman.

– Je n'en doute pas. À présent, que dirais-tu d'un bon café. Ton père et ta sœur dorment encore, alors si on s'installait sur la véranda afin de respirer cette belle matinée naissante.

– C'est une excellente idée, mais avant…

– Qui y a-t-il, Rita?

– Rien. Je veux juste te dire que je t'aime maman.

Émue, Thérèse embrasse sa fille avant de descendre à la cuisine préparer le café.

– Je t'aime aussi Rita.

Au cours de l'après-midi, la maisonnée se transforme en fourmilière. Bon nombre de parents et amis viennent tour à tour lui offrir vœux et cadeaux de mariage.

Vers dix-huit heures, vêtue de sa somptueuse robe de mariée, Rita s'admire devant le miroir.

– Comment me trouves-tu, maman?

– Ravissante. Il n'y a pas de mot plus juste.

– Il ne reste qu'à placer mon diadème.

– Attends, je vais t'aider.

Avec délicatesse, Thérèse s'empare de la couronne garnie de perles et de fleurs et la fixe à la chevelure de sa fille.

– Voilà qui est fait. Tu peux te regarder à présent.

Tournoyant sur elle-même, Rita s'avance devant la glace.

– Je suis aussi jolie que la princesse Diana le jour de son mariage.

Thérèse ne peut s'empêcher de sourire.

– Beaucoup plus belle, je t'assure. Roger en aura le souffle coupé.

– Tu crois?

– J'en suis certaine.

– J'ai hâte de voir la réaction de papa et celle de Mireille en m'apercevant, confie-t-elle en se dirigeant vers la sortie.

– Attends, Rita. Je veux te remettre quelque chose.

Sous le regard curieux de sa fille, Thérèse ouvre son coffre à bijoux et y recueille une médaille.

– Qu'est-ce que c'est, maman?

– C'est une petite médaille miraculeuse et elle t'appartient.

– Elle m'appartient?

– Tu l'avais sur toi lorsque nous t'avons adoptée. Une religieuse l'avait épinglée sur ta camisole.

Sur l'écran de sa mémoire, l'image de sœur Miriame refait surface.

– Cette religieuse semblait particulièrement attachée à toi. Tu as porté cette médaille sur toi plusieurs années, mais un jour, l'épingle s'est ouverte et tu l'as perdue. Je l'ai retrouvée quelques jours plus tard dans la cour. Cependant, j'avais peur que tu la perdes de nouveau, alors j'ai préféré la ranger dans mon coffre à bijoux afin de te la remettre le jour de ton mariage.

– Comment s'appelait cette sœur, maman?

– Je ne m'en souviens plus. Ça fait si longtemps!

– Tu crois réellement qu'elle m'aimait?

– J'en suis convaincue. Sinon, comment expliquer cette délicatesse?

– Je n'en sais trop rien. Peut-être était-ce la coutume de remettre une médaille à tous les enfants qui quittaient l'établissement.

– Je ne pense pas, car Mireille n'en portait pas lorsque nous sommes allés la chercher.

– C'est très étrange. Crois-tu que cette religieuse a connu…

Pour ne pas blesser sa mère, la jeune femme ne termine pas sa phrase.

– Ta mère naturelle, c'est bien ce que tu voulais dire? Je n'en sais rien, Rita. Quoi qu'il en soit, cette religieuse tenait à te protéger. Cette médaille en est une belle preuve.

Après un court silence, Thérèse renchérit.

– Tu peux la porter dès aujourd'hui, si tu le veux.

– Ça ne te dérangerait pas?

– Bien sûr que non, sinon pourquoi te l'aurais-je remise?

– C'est que…

– Je t'assure, Rita. Tu peux l'épingler dès maintenant, si le cœur t'en dit.

– J'ai le sentiment que, si je la porte le jour de mon mariage, mon couple sera épargné de toute difficulté. Une sorte d'antidote contre l'usure du temps en quelque sorte, ajoute-t-elle en souriant.

– Alors épingle-la à ton corsage. Il est temps de partir maintenant.

– Tu as raison. Je ne veux surtout pas faire attendre mon futur époux sur le perron de l'église. Merci encore maman.

La main en visière contre le soleil éblouissant, Roger scrute à nouveau la rue Principale, impatient de voir apparaître la voiture dans laquelle prend place sa promise. Il regarde sa montre. Déjà dix-huit heures cinquante-trois et elle n'est toujours pas arrivée. Nerveux, il reprend son va-et-vient sur le péristyle, sous le regard compatissant de son père. Ayant lui-même vécu cette anxiété, il sait que cette attente peut devenir infernale.

Moins de deux minutes plus tard, Rita arrive finalement à l'église au bras de son père. Émerveillé par cette femme éblouissante avançant vers lui, Roger en a le souffle coupé. Ému, il s'approche prestement vers elle et l'embrasse.

– Tu es ravissante ma belle, lui murmure-t-il à l'oreille.

Bien que ce spectacle soit très touchant, quelques invités enjoués exposent leurs commentaires.

– Eh les tourtereaux! Le baiser, ce n'est pas pour tout de suite! C'est après la cérémonie!

– Vous aurez toute la vie pour vous embrasser!

– Eh Roger! Patiente un peu…

Chacun y va de sa petite blague, ce qui finit par détendre le futur mari.

Ayant lui aussi été témoin de la scène, le prêtre admire ce jeune homme si spontané. Il s'approche ensuite du couple.

– Bonjour à tous et bienvenue. C'est avec émotion que j'aurai le plaisir d'unir aujourd'hui, par le lien sacré du mariage, Roger et Rita, visiblement très amoureux l'un de l'autre, amorce-t-il d'un air joyeux. Je vous invite donc à entrer dans la maison du Père où je célébrerai leur union.

Tournant les talons, l'homme de Dieu guide les futurs époux et leurs invités à l'intérieur du lieu sacré en pénétrant le premier.

Debout devant l'autel, il formule d'abord une prière à l'intention des futurs conjoints. Il procède ensuite à la cérémonie du mariage au grand bonheur de Roger et de Rita.

– Roger, acceptez-vous de prendre Rita Dumas, ici présente, pour légitime épouse, de l'aimer et de la chérir jusqu'à ce que la mort vous sépare?

Sans la moindre hésitation, Roger répond immédiatement.

– Oui, je le veux.

Dévisageant Rita, l'aumônier fait la même demande. Les yeux scintillant de larmes, celle-ci se tourne vers Roger et lui sourit avant de prononcer son accord absolu.

– Oui, je le veux.

Après l'échange des anneaux, symbole d'alliance, d'amour et de fidélité, le célébrant notifie l'union entre Roger et Rita par cette petite phrase.

– Par les pouvoirs qui me sont conférés, je vous déclare à présent mari et femme.

Il ajoute aussitôt :

– Ce que Dieu a uni, que l'homme ne le sépare pas. À présent, Roger, vous pouvez embrasser la mariée.

Sous le regard satisfait des invités, celui-ci attire sa nouvelle épouse contre lui et l'embrasse fiévreusement. Au même moment, une musique nuptiale retentit dans le sanctuaire.

Après la signature des registres, le curé regagne sa place honorable derrière l'autel. Il récite une dernière prière avant de terminer par un petite touche personnelle.

– Avant de quitter pour festoyer avec vos parents et amis, je tiens à vous féliciter personnellement pour votre engagement l'un envers l'autre.

Il bénit ensuite l'assemblée.

– Je vous bénis, au nom du père, du fils, et du saint Esprit. Allez maintenant dans la paix du Christ!

* * *

Chapitre 17

La beauté du paysage qu'offre le parc des Laurentides en cette fin de septembre a pour effet de calmer Simone, assise derrière le volant de sa voiture. Les feuillus de couleur feu, plus flamboyants que jamais en cette saison, s'amalgament à merveille au vert forêt des conifères. Aujourd'hui, après des semaines de réflexion, la jeune femme, d'apparence impassible et inébranlable, ressent une certaine excitation entremêlée d'une pointe d'anxiété à l'idée de se retrouver dans quelques heures au cœur d'un passé lointain, la Maison Miséricorde.

L'idée de revoir mère Miriame avait surgi un soir alors qu'elle et Jean-Claude écoutaient un film à la télévision chez leurs amis de longue date, Pierre et Céline. Comme de coutume, Jean-Claude n'avait pas cessé de lui faire du charme.

Le souvenir de cette soirée ressuscite au fil des kilomètres.

– Plus je regarde le film et plus je trouve que l'histoire nous ressemble, Simone.

– Tu y vas un peu fort, Jean-Claude, réplique immédiatement Pierre un peu sceptique.

– Dans le film, se plaint-il, l'homme est sans cesse éprouvé par l'actrice principale, exactement comme moi.

– Tu exagères comme toujours, rétorque Céline, amusée. L'acteur du film ne cherche qu'à se faire remarquer. Ça n'a aucun rapport avec toi et Simone!

Malgré une certaine curiosité pour la suite de sa thèse, Simone reste silencieuse. Qu'allait-il encore lui sortir ce soir? Il n'avait donc jamais fini!

« Cessera-t-il un jour de la taquiner? », se demande Pierre.

– Ne venez pas me dire que vous ne vous apercevez de rien! Je fais des pieds et des mains depuis des années afin que Simone me découvre.

– Arrête un peu, Jean-Claude, renchérit Pierre. Comment veux-tu qu'elle te prenne au sérieux?

Jean-Claude s'approche de Simone et s'agenouille près d'elle.

– Fleur chérie de mon cœur, la supplie-t-il, quand vas-tu me remarquer pour l'amour du ciel? N'attends pas que je ride comme une vieille pomme pourrie avant de me désirer. Si tu attends trop longtemps, je ne serai plus aussi délicieux et savoureux.

– Si un jour je désire manger une pomme, rouspète-t-elle en ricanant, je te le ferai savoir.

On annonce le retour de la production. Jean-Claude retourne s'asseoir près d'elle.

– J'abdique, réplique-t-il en maugréant. Il n'y a rien à faire. Ceci dit, tu ne sais pas ce que tu manques.

À la dernière pause commerciale, Jean-Claude garde cependant son sérieux en étudiant sa fleur chérie d'un œil vigilant. Celle-ci observe attentivement une publicité de couches de bébé. C'est alors qu'il comprend. Simone n'octroiera jamais son cœur à quiconque, tant et aussi longtemps qu'elle ne retrouvera pas la trace de sa fille. Cela lui paraît subitement si clair à présent.

Après la veillée, alors qu'il la reconduit en voiture, Jean-Claude insiste pour monter chez elle afin de prendre un bon café. Celle-ci accepte de bon cœur.

– Prendrais-tu autre chose qu'un café, Jean-Claude?

– Pourquoi? Qu'as-tu de plus aphrodisiaque à m'offrir?

– Jean-Claude! Tu sembles prendre plaisir à m'exciter sans arrêt.

– C'est vrai… je t'excite?

– Enfin, tu m'agaces.

– C'est encore mieux que je pensais.

– Alors, charmeur de ces dames, que puis-je t'offrir?

– Je te répondrais volontiers ton corps, mais j'ai peur de me faire mettre à la porte, je vais donc prendre un cognac, si tu en as.

– Bien sûr! Je vais même t'accompagner.

Jean-Claude heurte légèrement son verre au sien quelques minutes plus tard.

– À celle qui un jour me découvrira et me désirera, et j'espère que ce sera ce soir, renchérit-il sur un ton malicieux.

– Grand fou, va!

Celui-ci se lève.

– J'en prendrais bien un deuxième, et toi?

– Je ne crois pas qu'un deuxième verre me fasse de tort.

– Sois sans crainte, fleur chérie, je veille sur toi.

Il revient vite s'asseoir près d'elle. Cette fois-ci, Simone lève son verre la première.

– Je porte un toast à ma fille que j'ai vue une seule fois et…

Simone éclate soudainement en sanglots. Jean-Claude dépose aussitôt son verre sur la petite table près de lui et l'enlace amicalement. Simone pleure alors tout son soûl, formulant de temps à autre des phrases entrecoupées. Jean-Claude saisit au vol quelques mots, mais comprend bien rapidement son désarroi. Sa fleur chérie désire ardemment retrouver sa fille.

Celle-ci refoule brusquement cette vague d'émotions.

– Excuse-moi, soupire-t-elle.

Beaucoup plus tard, il ose remettre le sujet sur le tapis.

– La religieuse dont tu m'as déjà parlé pourrait peut-être te renseigner?

– Je ne crois pas. Elle m'aimait bien, mais de là à défier la loi du silence concernant les adoptions… Elle ne dirait rien, j'en suis certaine. Par ailleurs, poursuit-elle en s'essuyant à nouveau les yeux, elle m'a certainement oubliée.

– Impossible! Tu m'entends, personne ne peut t'oublier. Je suis bien placé pour le savoir.

– Oh Jean-Claude! Que ferais-je sans toi? Mon merveilleux ami…

– Je voudrais tellement devenir plus qu'un…

Simone ne le laisse pas terminer. Elle a déjà repris son verre et trinque à nouveau.

– À notre belle amitié!

Elle porte son cognac à ses lèvres et l'avale d'un seul trait. Jean-Claude interprète ce geste aussitôt. Simone essaie d'engourdir sa peine en s'enivrant.

– Tu en as assez pris pour ce soir, soumet-il en lui retirant le verre des mains.

Un peu étourdie par l'alcool, la jeune femme le juge plutôt sérieux cette fois. D'un geste irréfléchi, elle se rapproche de lui langoureusement, telle une chatte en chaleur, lui caresse le visage de ses grands doigts de pianiste et pose délibérément ses lèvres sur sa joue. Jean-Claude sent soudainement monter le désir en lui, mais ne bronche pas, attendant la fin de la tourmente. Tendrement, la bouche de Simone poursuit son chemin et dérive jusqu'à ses lèvres déjà entrouvertes. Incapable de se dominer davantage, il l'attire contre lui et l'embrasse avidement.

– Ce soir, j'ai envie d'une pomme savoureuse et délicieuse, lui murmure-t-elle à l'oreille.

Embrasé par la flamme de désir, il l'entraîne à la hâte vers la chambre à coucher. Leurs corps soudés l'un à l'autre par le même élan de passion complètent leur itinéraire et vacillent jusqu'à la paillasse bien ferme.

Jean-Claude se dégage subitement de ses bras. Assoiffée de caresses, Simone laisse échapper un gémissement avant d'exhaler d'un ton languissant :

– Qu'est-ce qu'il y a, Jean-Claude? Tu ne me désires plus?

L'accent de sa voix aguichante le surprend.

– Oh si! Plus que jamais, la rassure-t-il encore sous la vapeur de sa libido grimpante. Seulement je ne veux pas profiter de toi en état…

Jean-Claude n'achève pas sa phrase, car Simone a déjà les yeux clos et dort à poings fermés. Légèrement soulagé de ne pas avoir à décliner ses avances givrées par l'alcool, il s'allonge près d'elle et contemple son visage angélique avant de s'endormir à son tour.

Les chauds rayons de lumière, qui filtrent à travers le rideau de dentelle réveillent Simone en lui caressant le visage. Malgré un léger mal de tête, la soirée de la veille défile en accéléré dans sa mémoire. Scandalisée par sa conduite inappropriée, elle n'ose détourner son regard de la fenêtre. Une grosse main virile étalée sur son ventre décalant dangereusement vers un sentier censuré depuis des années vient spontanément la perturber. En dépit de sa sobriété de ce matin, elle est harcelée par des papillons secouant ses entrailles. Elle émet alors un léger son de désir inassouvi.

Jean-Claude ouvre les yeux à cet instant.

– Bonjour, fleur chérie. Comment vas-tu, demande-t-il en clignant des yeux.

– J'ai un léger mal de tête, mais rien de dramatique. Je n'aurais pas dû abuser. Merci d'être resté près de moi, Jean-Claude.

– Rien de plus naturel.

L'envie de la faire sienne le tourmente à nouveau lorsqu'il prend conscience de la position de sa main. Craignant d'être rejeté par cette femme, si réservée lorsqu'elle est sobre, il la retire et se lève expressément.

– Où vas-tu, Jean-Claude?

– J'ai besoin d'une bonne douche.

Désappointée pas l'attitude distante de son ami, elle lui indique l'endroit où se trouvent les serviettes de bain. Jean-Claude entre dans la douche à la hâte en espérant que l'eau refroidira ses ardeurs.

Emportée par une frénésie charnelle, Simone saute hors du lit et accourt vers la salle de bain. À l'insu de Jean-Claude, elle se déshabille et ouvre furtivement la porte de la douche.

Voyant Simone surgir près de lui, arborant son corps sublime, son membre chevaleresque se hisse à nouveau.

– Ai-je le droit ce matin de savourer cette délicieuse pomme avant qu'elle ne vieillisse trop? réclame-t-elle en frôlant son corps contre le sien.

Celui-ci l'attire fougueusement contre lui et la couvre de baisers fébriles et enflammés. Envahis d'un lourd nuage de vapeur, leurs corps affamés s'explorent dangereusement. La passion les dévore, mais la buée est de plus en plus difficile à supporter. Les amants se résignent finalement à abandonner ce cocon d'humidité afin d'étancher leur soif dans un endroit plus sec.

Porté par une puissante vague de fond, Jean-Claude nage à nouveau en plein bonheur. Submergée de plaisir par la langue de son partenaire voguant clandestinement à l'angle de son pubis, Simone laisse échapper de petits gémissements. L'organe salivant termine son périple à la source de son sexe, léchant soigneusement le point sensible de l'entrée principale avant de s'y désaltérer. Avec agilité, celle-ci électrise à nouveau le corps affamé de Simone en serpentant jusqu'à la pointe de ses seins, où elle s'attarde longuement avant de venir quérir les lèvres de celle qu'il aime. Empressée d'accueillir en elle le mat viril de son amant, Simone arque le bassin. Ne dominant plus rien, Jean-Claude accède au passage charnel et tous deux se laissent porter par une mer de jouissance avant d'atteindre l'orgasme.

Épuisée par cette merveilleuse fatigue, Simone s'échappe des bras musclés de Jean-Claude. Visiblement heureux de cette communion des corps, celui-ci s'allonge près d'elle.

– C'était presque irréel, Simone, articule-t-il un peu essoufflé.

Simone lui avoue alors que son histoire de pomme l'avait considérablement touchée.

– Tu n'as pas été déçue, j'espère.

– C'est de loin la meilleure pomme que j'ai savourée depuis bien longtemps.

– Je t'aime, Simone. Je t'aime tant.

Prise subitement de panique, celle-ci s'assoie brusquement.

– Ne va pas trop vite, je t'en prie. C'est si récent pour moi! Je ne sais même pas exactement ce que j'éprouve.

– Parfait, fleur chérie. Prends tout le temps qu'il te faut pour m'apprivoiser. Je suis certain qu'un jour tu t'apercevras que je suis le meilleur parti.

– Tu es un ami extraordinaire.

– Si tu veux qu'il en soit ainsi alors je n'en réclamerai pas davantage, pour l'instant du moins, ajoute-t-il en souriant. Cependant, répète-t-il à nouveau, je suis ce qui se fait de mieux.

– Tu es impossible!

– Je t'aime tant, Simone! Je suis persuadé que mes sentiments sont réciproques, mais malheureusement, tu n'en es pas encore consciente.

– Tu crois?

– J'en suis certain, sinon comment expliques-tu la passion qui t'habite?

– Jean-Claude, ne te fais pas d'idées. J'ai besoin de temps. Je suis si mêlée en ce moment.

– Parfait, fleur chérie. Je ne dis plus rien.

La journée avait merveilleusement bien débuté. Simone éprouvait même une certaine paix après l'évasion de ce matin jusqu'à ce qu'elle repense à la confidence qu'elle lui avait faite la veille. Elle l'avait informé de son besoin de savoir ce qu'était devenue sa fille.

Le son d'un klaxon la ramène brusquement au présent. Il lui reste une trentaine de kilomètres à parcourir et elle se retrouvera devant son passé.

« Sœur La Chapelle est-elle toujours la responsable de l'établissement? Elle ne m'a jamais aimée, je me suis toujours demandé pourquoi. Pourtant, je n'étais pas la seule dans cet état. J'espère qu'elle a été transférée. Seigneur… Pourquoi cette peur soudaine? J'ai l'impression de revivre l'angoisse de mes quinze ans. »

Afin de reprendre courage, Simone inspire profondément.

« Allons, Simone, tu n'es plus une gamine. Qu'elle soit encore directrice ou pas, cela ne t'empêchera certainement pas de revoir sœur Miriame. Tu es capable de l'affronter. »

– Ce n'est qu'une frustrée, déclare-t-elle tout haut sans même s'en rendre compte. Je suis déterminée à l'affronter et rien ne m'arrêtera.

Sa belle résolution disparaît en apercevant la Maison Miséricorde. Le cœur battant à tout rompre, elle stationne la voiture face à l'institution.

« Peut-être aurais-je mieux fait d'accepter l'offre de Jean-Claude, songe-t-elle. Je ne serais pas seule en ce moment. Oh mon Dieu! Aide-moi. Je ne peux tout de même pas me présenter devant cette porte tremblante comme une feuille! Je dois respirer… respirer à fond. »

Simone réussit à reprendre le contrôle d'elle-même quelques minutes. Elle en profite pour sortir de l'automobile. Ses jambes deviennent à nouveau molles.

« Seigneur! Je n'y arriverai jamais. Allez, Simone! Un peu de courage! Tu n'as pas fait tout ce trajet pour rebrousser chemin. Dans quelques minutes, tu recevras peut-être des nouvelles de ta fille. C'est bien ce que tu veux? Allez, ne crains rien. Tout se passera bien. Mon Dieu, aide-moi, je t'en prie. Je me sens si nerveuse! »

Le cœur battant la chamade, Simone chemine jusqu'aux portes de l'établissement Quelques secondes s'écoulent avant qu'une religieuse vienne lui ouvrir.

– Bonjour! Que puis-je faire pour vous?

– Bonjour mère. Voilà, j'aimerais revoir…

– Attendez un instant, débite-t-elle expressément, si c'est pour une visite, je dois en informer la mère supérieure.

– Mais…

– Entrez et veuillez attendre un moment, ordonne-t-elle sèchement.

La sœur disparaît aussitôt et revient quelques minutes plus tard.

– Veuillez me suivre.

Longeant les murs du corridor, Simone constate que rien n'a changé. Aussi sombre que jadis, l'endroit est encore empli d'hostilité. Son sang se glace en s'approchant du bureau de la directrice.

– Qui dois-je annoncer?

Simone réintègre spontanément son âge actuel.

– Euh… Simone Lavoie.

– Parfait. Attendez-moi un instant.

La religieuse frappe à la porte, pénètre dans la pièce sans y avoir été invitée et annonce formellement :

– Une certaine Simone Lavoie vous demande.

Déstabilisée, Simone recommence à trembler. Néanmoins, elle réussit à mitrailler du regard cette chipie de religieuse qui ne s'est même pas donné la peine de lui demander le nom de la personne qu'elle désire rencontrer.

Derrière son bureau, la rancœur de sœur La Chapelle l'envahit de nouveau lorsqu'elle saisit d'une oreille distraite le nom annoncé par sa subordonnée.

« Non, c'est impossible. Pas après tout ce temps! Pas après tout le mal que je me suis donné à essayer de l'oublier! Non! Pourquoi revient-elle m'empoisonner la vie? J'avais presque oublié cette fille… le sosie de Monique. Pourquoi cette tourmente après cette douce accalmie? »

Simone pénètre dans la pièce nerveusement. Lorsqu'elle aperçoit sœur La Chapelle, son cœur semble s'arrêter. Le visage de la directrice arbore quelques rides de plus, mais son regard agressif demeure toujours le même.

Prétendant ne pas la reconnaître, sœur La Chapelle entame la conversation.

– Bonjour… madame Lavoie, c'est bien ça?

– Oui.

– Que puis-je faire pour vous?

– Vous ne me reconnaissez sans doute pas, mais j'ai passé quelques mois dans ce lieu, il y a de cela plusieurs années. J'ai accouché d'une fille, précise-t-elle.

– En quoi puis-je vous être utile?

– J'aimerais revoir sœur Miriame. À l'époque, cette religieuse s'est beaucoup occupée de moi.

– Sœur Miriame!

– Oui. Serait-il possible de la rencontrer?

– J'ai bien peur de vous décevoir. Sœur Miriame n'habite plus ici depuis longtemps.

Bouleversée, la visiteuse ravale sa peine avant de poursuivre.

– Savez-vous où je pourrais la joindre?

– Non, désolée. Mais pourquoi au juste vouliez-vous la revoir?

Simone hésite un instant avant de lui répondre, mais risque finalement le tout pour le tout en avouant le motif de sa visite.

– J'avais espéré qu'elle pourrait me renseigner sur mon bébé.

– Je vous arrête immédiatement. L'enfant auquel vous faites allusion n'est pas votre bébé. Et, même si sœur Miriame était encore parmi nous, elle ne pourrait rien vous dire au sujet de cet enfant, ni de ses parents adoptifs.

– Je ne veux que de ses nouvelles. Qu'est devenue ma fille? Si vous saviez comme il m'est pénible de vivre dans l'ignorance.

– Écoutez, madame Lavoie, jadis, personne ne vous a tordu le bras pour la donner. Ceci dit, vous n'avez aucunement le droit de réapparaître dans la vie de cette fille. Vous êtes et demeurerez toujours une étrangère pour elle.

Simone encaisse cette dernière phrase aussi durement qu'un coup de poignard dans le cœur.

– À présent, renchérit-elle sur le même ton, je vous prierais de partir. Je ne peux rien faire pour vous.

Complètement détruite par ce manque de compassion, Simone se dirige vers la sortie lorsqu'elle entend de nouveau la voix de la directrice.

– Attendez un instant, madame Lavoie. Vous devez certainement avoir d'autres enfants aujourd'hui, alors pourquoi diable cherchez-vous à revenir sur le passé?

– Je n'en ai pas d'autre.

Éprouvant une satisfaction personnelle, sœur La Chapelle continue son interrogatoire.

– Vous devez tout de même être mariée?

– Non, je ne le suis pas.

La directrice jubile de soulagement.

« C'était à prévoir. Comment un homme s'éprendrait-il d'une pécheresse? »

L'occasion de la rabaisser était trop belle pour la laisser passer.

– J'imagine également que vous êtes sans travail?

– J'ai un très bon emploi.

– Ah oui! Et que faites-vous? Le trottoir?

Là, elle venait d'aller trop loin. Simone en avait plus qu'assez de toutes ces insinuations déplacées. Bien résolue à lui clouer le bec, elle réplique sur un ton qu'elle ne se connaît pas.

– Non, madame. Je suis institutrice dans une école où j'ai moi-même été étudiante et sachez que les enfants m'adorent.

– Sans blague, vous m'en direz tant.

– Libre à vous de me croire ou non. Pour ma part, j'adore mon travail à l'école Notre Dame de l'Assomption, termine-t-elle en quittant cette pièce infernale.

Furieuse, Simone retrouve le bien-être de sa voiture et se met à pleurer comme une enfant.

Restée seule, sœur La chapelle est sidérée.

« Non, c'est impossible, ça ne se peut pas! Non… C'est impossible, pas elle! »

* * *

Chapitre 18

Bien des calendriers ont été brûlés depuis le premier rendez-vous galant entre le facteur Tremblay et son amie de cœur, Huberte Gravel. À la retraite depuis peu, le célibataire endurci de l'époque vient volontairement d'abolir sa propre ligne de conduite en demandant la main de sa dulcinée.

Le dos courbé, tel un chat reluquant sa proie, Albert, à moitié assis dans son fauteuil, dévisage Huberte et attend sa réaction depuis près d'une demi-heure. Conscient qu'une proposition de ce genre nécessite une certaine réflexion, il demeure néanmoins impatient d'obtenir une réponse.

– Alors Huberte? Que dis-tu de mon offre?

Celle-ci l'observe d'un air interrogateur.

– Que se passe-t-il? Ma demande ne te plaît pas? J'étais pourtant certain de t'émouvoir.

– Si… si… Ta demande en mariage me touche beaucoup, mais…

– Mais quoi? Pourquoi ce regard étrange?

– D'abord je ne m'y attendais plus, à l'âge que nous avons…

– Comment ça? L'âge n'a aucun rapport avec les sentiments!

Huberte lui sourit.

– Oui je sais, mais j'ai tout de même le droit de me questionner, non?

– Te questionner! Mais sur quoi, bon Dieu?

– Sur la raison qui te pousse à me faire une telle proposition aujourd'hui alors qu'on se fréquente depuis si longtemps.

– Écoute, Huberte, souligne-t-il, je suis fatigué de te voir repartir avec ta valise. J'ai le goût de vivre avec toi sur une base régulière, pas seulement une semaine de temps en temps. J'aimerais me réveiller à tes côtés jusqu'à ma mort, comprends-tu? Je t'aime, faut-il qu'il y ait une autre raison?

– Bien sûr que non, mon loup. Celle-ci me suffit amplement.

– Nous n'avons peut-être plus la vigueur de jadis, mais nous sommes encore tous les deux en bonne santé. Nous pourrions faire tant de choses, ensemble.

Après un bref silence, il renchérit sur un ton émouvant :

– Je m'ennuie de toi lorsque tu passes des jours sans venir me voir, Huberte.

– Albert, je ne m'attendais tellement pas à…

– Je ne suis peut-être pas le genre d'homme à parler sans cesse d'amour, ni à formuler des phrases à cent dollars, mais je suis certain d'une chose, je t'aime. Ça, c'est clair dans ma tête. Alors, au risque de radoter, je réitère ma demande. Veux-tu devenir ma femme?

– Avec une telle sincérité, comme pourrais-je refuser? Moi aussi je t'aime.

– Alors! Tu acceptes?

– Oui, mon gros loup. J'accepte.

* * *

Chapitre 19

Dans l'appartement de Simone, le téléphone résonne vers la fin de l'après-midi. Celle-ci, occupée à brasser sa béchamel pour ses coquilles Saint-Jacques, n'y porte pas attention. Le silence revient au bout de plusieurs secondes d'insistance.

L'appareil retentit à nouveau alors qu'elle s'apprête à dresser la table. Elle dépose les ustensiles et se presse d'aller répondre.

– Allô!

– Simone, c'est Jean-Claude. Prépare-toi, car je t'amène souper au restaurant.

– Désolé de te décevoir, mais je ne peux pas.

– Que se passe-t-il, Simone? Tu refuses mes invitations depuis plus d'un mois.

– Je reçois ma mère à souper ce soir.

– Va pour aujourd'hui puisque ta mère a sûrement besoin de se changer les idées depuis le décès de ton père, mais…

– Elle a beaucoup de chagrin. Mon père nous a quittés depuis à peine deux semaines, tu le sais.

– Je sais et je compatis, mais…

– Mais quoi, Jean-Claude? demande-t-elle sur un ton exaspéré.

– J'ai l'impression que tu me fuis depuis ta visite à la Maison Miséricorde.

– Je n'ai pas le goût d'en parler, et d'ailleurs, ajoute-t-elle, je n'en ai pas le temps. Maman doit arriver sous peu.

– Comme tu veux, mais dis-moi, Simone, y a-t-il quelque chose de changé? Aurais-tu oublié ce qui s'est passé entre nous?

– Non, Jean-Claude, je te rassure tout de suite. Je n'ai rien oublié.

– Alors pourquoi ce silence? A-t-il un rapport avec ta visite à Québec? Tu ne m'as rien dit de ce voyage.

– Arrête s'il te plaît, Jean-Claude. Ne me pose plus de questions.

On frappe à la porte.

– Maman arrive. Je dois raccrocher maintenant.

– Promets-moi de me rappeler.

– Si tu veux.

– J'attends ton appel.

– Très bien. Bonsoir, Jean-Claude.

La mère de Simone arrive les bras chargés. Sachant que sa fille adore prendre un verre de vin en mangeant, celle-ci en a apporté une bouteille.

– Bonjour, maman. Entre, l'invite-t-elle aussitôt.

– Bonjour, Simone. Comment vas-tu?

– Ce serait plutôt à moi de te poser la question.

– Pas si mal, cependant, la maison est bien grande depuis le départ de ton père.

– Je n'en doute pas. Viens t'asseoir au salon. Nous allons bavarder un peu avant de passer à table.

Marcelle lui tend la bouteille de vin.

– C'est pour toi. Nous l'ouvrirons ce soir.

– Merci, maman. Je vais même l'ouvrir immédiatement. Nous prendrons un verre en discutant. Qu'en penses-tu?

– Si tu veux.

Assise sur le divan, Simone sirote son vin en écoutant attentivement ce que lui raconte sa mère. Marcelle a commencé à se départir des effets personnels d'Édouard.

– La majorité de ses vêtements ont été expédiés à la Saint-Vincent de Paul et j'ai réparti ses outils entre Carl et mes gendres.

– Tu as bien fait, maman. Si j'ai bien compris, Solaine et Sonia t'ont aidée?

– Oui. Elles sont venues me rendre visite mardi soir et nous avons commencé à faire le tri.

– L'avoir su, je vous aurais volontiers donné un coup de main.

– Nous étions déjà trois, et ton père, souligne-t-elle en s'essuyant les yeux, n'avait pas grand-chose à lui.

– Oui, c'est vrai. Il était plutôt le genre d'homme à ne rien conserver d'inutile.

– Je t'ai quand même apporté un souvenir de ton père.

– Qu'est-ce que c'est, maman?

Marcelle ouvre sa bourse.

– J'ai pensé que ça te ferait plaisir.

En posant les yeux sur la petite rondelle argentée, Simone ne peut retenir ses larmes.

– Maman! Mais c'est la médaille miraculeuse de papa! Il la portait toujours sur lui.

– Oui, c'est elle.

– Et tu me la donnes?

– Si tu la veux, elle est à toi.

La gorge nouée par l'émotion, Simone reste muette.

– Cette médaille t'apportera sérénité, j'en suis certaine.

– Merci beaucoup maman, finit-elle par murmurer. Merci.

Peu de temps après, les deux femmes se retrouvent devant un délicieux repas. Au dessert, plus proche de sa mère qu'elle ne l'a jamais été, Simone entame un sujet bien délicat.

– Tu sais maman, malgré mon silence, je n'ai jamais oublié.

– De quoi parles-tu, Simone?

– De ma condition lorsque j'étais adolescente.

– Simone! Je n'avais pas le choix, tu le sais bien. À l'époque…

– Je sais, maman. Ce n'est pas un reproche, crois-moi. Seulement, aujourd'hui je me rends compte que je n'ai jamais pensé à te remercier.

– Cette histoire est si loin à présent.

– Ce ne devait pas être plus facile pour toi, soupire-t-elle en s'essuyant les yeux.

– Simone! C'est toujours aussi douloureux?

– Si tu savais, maman. Il ne se passe pas un jour sans que j'y pense. Et, à la fin de février, spécifie-t-elle, c'est dix fois plus pénible. J'ai si mal en dedans, maman!

Marcelle l'écoute sans l'interrompe. Elle sait que la meilleure façon d'alléger un chagrin est d'en parler.

– Viens avec moi, maman. J'ai quelque chose à te montrer.

Marcelle accompagne sa fille jusqu'à sa chambre. Sous le regard de sa mère, Simone s'approche du lit et soulève l'oreiller. Marcelle sent son cœur se serrer. Elle connaît déjà le secret de sa fille. Néanmoins, elle garde le silence et laisse Simone se soulager.

– Regarde, maman, cette suce appartient à ma fille, dit-elle en larmoyant. Je la lui ai ravie lorsque sœur Miriame est venue me la montrer.

Bouleversée, Marcelle enlace sa fille.

– J'aimerais tellement la connaître, maman!

– Je te le souhaite... je te le souhaite de tout mon cœur.

Beaucoup plus tard, Simone et sa mère reviennent au salon.

– Je suis retournée à la Maison Miséricorde il y a un mois.

– Pardon?

– Tu as bien compris. J'ai fait l'aller-retour dans la même journée.

– Est-ce que Jean-Claude t'accompagnait?

– Non. Je voulais faire cette démarche seule, sans témoin. C'est mon passé, pas le sien.

– Pourquoi y es-tu retournée?

– Je voulais revoir sœur Miriame afin qu'elle me fournisse des renseignements sur ma fille.

– T'en a-t-elle procuré?

– Je suis revenue bredouille. Sœur Miriame n'habite plus là.

– Où demeure-t-elle maintenant?

– Mère La Chapelle n'a pas voulu me le dire.

– Elle est encore mère supérieure, celle-là?

– Oui, et elle est aussi méchante qu'avant, crois-moi.

– Je n'ai aucun doute là-dessus.

– En attendant, je ne sais toujours rien. J'espérais tant de ce voyage!

– Que pense Jean-Claude de ton initiative?

– Il sait que j'y suis allée, mais rien de plus. Je n'ai pas l'intention de lui en raconter davantage.

– Pourquoi? Jean-Claude t'aime, tu devrais…

– Je ne me décide pas, l'interrompt-elle en baissant les yeux.

– Simone, regarde-moi s'il te plaît.

Sachant fort bien ce qui l'attend, celle-ci hésite à relever la tête. Sa mère ne s'est jamais gênée pour lui dire le fond de sa pensée.

– Quels sont tes véritables sentiments pour lui, Simone?

– Je ne sais pas trop, maman. C'est un ami, enfin plus qu'un ami, mais…

– Simone, je te connais si bien! Dis-moi si j'ai tort, mais je crois sincèrement que tu l'aimes, cependant, à cause de ton passé épineux, tu t'es mise dans la tête que tu n'avais pas droit au bonheur. Tu fais fausse route, Simone. Tout le monde a sa place au soleil, et toi aussi.

Simone baisse à nouveau la tête.

– Tu n'as plus vingt ans, renchérit Marcelle, mais tu n'es pas à bout d'âge non plus. Il te reste de très belles années devant toi. Alors, suis mon conseil et ne gâche pas ton avenir à soupirer sur ton passé. Ne gaspille plus de temps inutilement. L'être humain n'est pas éternel, Simone. Pense à ton père, il n'est plus de ce monde, mais au moins j'ai connu de belles années auprès de lui.

– Mais maman! Je n'ai pas le droit de lui imposer mon passé.

– Allons donc! Tu sembles oublier qu'il t'aime. Il t'appuiera, tout simplement.

– Tu crois?

– J'ignore s'il va pouvoir t'aider concrètement, mais je suis néanmoins certaine d'une chose. Si des embûches se présentent, elles seront moins pénibles à surmonter à deux. Crois-moi.

– Tu as probablement raison.

– Si ma franchise a su t'ouvrir les yeux, alors je suis bien contente d'être venue te rendre visite. Je déplore seulement que cette conversation n'ait pas eu lieu avant. À présent, il se fait tard. Je vais retourner chez moi. Encore une fois merci. Ton repas était délicieux. Ces coquilles Saint-Jacques sont un délice pour les papilles.

– Tu es gentille. Merci, maman. Merci beaucoup de m'avoir écoutée et de m'avoir conseillée. J'en avais besoin.

* * *

Chapitre 20

À quelques pâtés de maison de Simone, la vie quotidienne entre le facteur Tremblay et sa nouvelle épouse ne se vit pas sans anicroche. Fidèle à ses petites manies de vieux garçon, Albert doit maintenant composer avec les requêtes de sa conjointe, et ainsi abolir quelques bonnes vieilles habitudes.

– Albert, ça n'a pas de sens! Pourquoi ne veux-tu pas te débarrasser de tous ces vieux chandails? Tu ne les portes plus, ils accaparent inutilement toute la place de tes tiroirs, et…

– Écoute, Huberte, rouspète-t-il, ces tricots occupent à peine trois tiroirs. Ce n'est pas toute la place! D'ailleurs, je suis incapable de les jeter. Et ne viens surtout pas me dire que tu t'en chargeras toi-même.

– Loin de moi cette idée, mon gros loup.

– Ah! Je croyais que tu voulais les voir à la poubelle.

– Je n'ai rien dit de tel. Tu ne m'as pas laissé le temps de terminer ma phrase. Écoute-moi jusqu'à la fin s'il te plaît.

– C'est bon, marmonne-t-il. Je t'écoute.

– Je désire simplement les donner à des gens dans le besoin.

– À qui?

Huberte prend une bonne inspiration avant de développer sa pensée.

– J'ai été bénévole presque toute ma vie.

– Je le sais, mais je ne vois toujours pas le rapport avec mes gilets.

– Laisse-moi terminer et tu le verras, mon gros loup.

– Excuse-moi. Continue.

– Dans la même bâtisse où j'ai œuvré un certain temps pour la cause des femmes violentées, il y a un organisme portant le nom de Saint-Vincent de Paul. Ça te dit sûrement quelque chose. On voit parfois des bénévoles ramasser des sous aux portes de l'église à la fin de la messe.

– Justement, réplique-t-il, ces gens-là quêtent de l'argent, pas des vêtements.

– C'est là où tu te trompes, mon gros loup. Les gens de l'organisme amassent également des vêtements afin de les distribuer aux plus démunis du village.

– Tu veux que je donne mes beaux pull-overs pour les revoir sur le dos d'inconnus! C'est une blague, j'espère.

– Albert! Tu ne les portes plus! Tes vieux chandails seront beaucoup plus utiles à ces gens qu'à bourrer tes tiroirs! À te voir agir, j'ai l'impression d'avoir marié un vieux grincheux égoïste. Tu n'es pas un sans-cœur, n'est-ce pas, mon gros loup?

– Bien sûr que non. C'est que… Ah… tant pis…! Finit-il par bafouiller. Donne-les alors, si tu crois qu'ils peuvent servir à d'autres. Tu vois, ajoute-t-il avec fierté, je ne suis pas indifférent au malheur des autres.

Satisfaite, Huberte s'approche de son époux et l'embrasse tendrement sur la joue en lui caressant l'oreille.

– Je sais, mon gros loup, je sais.

Le retraité se dirige vers la penderie et y récupère son coupe-vent.

– Je vais faire une promenade. Profites-en pour faire le ménage de mes vêtements, si tu veux.

– C'est ça, mon gros loup. Va prendre l'air. Je m'occupe de tout.

Restée seule, Huberte ouvre hâtivement l'armoire sous l'évier et y recueille quelques sacs verts. Elle accourt ensuite vers la chambre à coucher. Sans prendre le temps de vérifier l'état des gilets, elle enfile le contenu du premier tiroir dans un des sacs sans même s'apercevoir qu'elle y insère par inadvertance une enveloppe blanche. Elle le referme rapidement et le transporte dans le coffre de sa voiture. Elle refait le même geste avec les deux autres tiroirs.

Elle retourne ensuite à la cuisine. Pour éviter toute discussion désagréable au retour de son mari, elle élabore un plan pour lui changer les idées.

« D'abord son repas préféré », planifie-t-elle.

Deux heures plus tard, lorsque Albert rentre finalement chez lui, une odeur de poulet aux amandes aiguise ses narines. Un sourire se dessine alors sur ses lèvres. Une surprise plus grandiose l'attend dans la pièce d'à côté. En apercevant sa femme étendue sur le lit, légèrement vêtue, le facteur retraité n'y voit que du feu et oublie instantanément tous ses nouveaux arguments pour éviter de se départir de ses vieux chandails.

* * *

Chapitre 21

Loin de la ville où elle a passé la majeure partie de sa vie, sœur Miriame transige quotidiennement entre le désir de revendiquer un transfert pour revenir dans sa province natale et sa conscience qui lui rappelle constamment son devoir d'accompagner les jeunes filles en détresse, quel que soit l'endroit imposé par ses supérieurs. En dépit de ce débat perpétuel, elle se permet néanmoins de rêver à la Maison Miséricorde et particulièrement à une jeune fille qui, jadis, a su faire germer en elle un amour maternel. Sa petite protégée lui manque et c'est probablement la principale raison de son désordre émotionnel. Aussi ambigu que cela puisse paraître, sœur Miriame s'ennuie également de mère La Chapelle; cependant, elle n'a jamais compris les raisons qui la motivaient à tant de méchanceté à l'égard de Simone.

Chaque soir, alors qu'elle retrouve l'intimité de sa chambre, sœur Miriame s'agenouille devant le saint-sacrement, ferme les yeux et remet sa destinée entre les mains du Très Haut. Lui seul jugera du meilleur pour elle. Dans son recueillement, elle lui réclame assidûment d'élaborer une rencontre entre Simone et ses deux filles. Elle prie également pour sœur La Chapelle afin que le Seigneur ne la ramène pas vers lui, tant et aussi longtemps qu'elle n'aura pas posé un geste d'amour lui assurant une belle place auprès de lui.

* * *

Chapitre 22

Dans la Beauce, occupée à retirer les mauvaises herbes poussant toujours trop vite, Rita, accroupie au-dessus de son potager, sent soudainement une chaleur humide entre ses jambes. Sans y porter une attention spéciale, elle se demande si ce n'est pas le début de sa délivrance. Cette pensée s'évapore aussitôt puisqu'il est beaucoup trop tôt pour accoucher. Néanmoins incommodée par cette sensation visqueuse, elle ramasse ses ustensiles de jardinage, se lève péniblement et se dirige vers la maison. Après avoir changé de sous-vêtement, elle revient à la cuisine afin de reprendre ses accessoires d'horticulture. Elle ressent soudainement une douleur et son ventre se raffermit. Mains appuyées sur le coin de la table, la jeune femme enceinte respire à fond en attendant que s'estompe le malaise. L'accalmie revient au bout de quelques secondes. Un peu essoufflée, Rita s'assoie sur la chaise près de la fenêtre. Son ventre se contracte de nouveau. Inquiète, elle saisit le téléphone et compose le numéro de son mari au bureau. La secrétaire la reconnaît immédiatement.

– Bureau du docteur Roger Asselin, psychologue.

– Bonjour, Martine.

– Bonjour, madame Asselin. Que puis-je faire pour vous?

– J'aimerais parler à Roger, si c'est possible.

– Il est actuellement en consultation. Dois-je le déranger ou…

– Non, Martine. Seulement, j'aimerais qu'il communique avec moi aussitôt qu'il aura terminé.

– Parfait, madame Asselin. Je lui ferai le message.

– Merci, vous êtes gentille.

Roger n'a toujours pas retourné son appel au bout de vingt minutes. Rita compose de nouveau le numéro.

– Martine, c'est encore moi.

– Oui, madame Asselin.

– Mon mari est-il toujours avec un patient?

– L'entretien devrait se terminer sous peu. Est-ce que ça va, madame Asselin? Vous me semblez nerveuse.

– Je pense que mon temps est venu. Je crois même avoir perdu mon bouchon muqueux.

– Oh! Mais vous auriez dû me le dire plus tôt! J'avertis le docteur immédiatement.

– Attendez. Vous venez de me dire qu'il n'en a plus pour très longtemps. Je vais attendre.

– Il n'en est pas question, tranche la secrétaire. Je vous le passe immédiatement.

Rita se sent soulagée d'entendre la voix de son mari.

– Bonjour, ma chérie!

– Bonjour, Roger. Je m'excuse de te téléphoner en plein milieu de l'après-midi, mais…

– Tu ne me déranges jamais, lui assure-t-il. Que se passe-t-il?

– Je crois que nos petits vont voir le jour un peu plus tôt. Les douleurs ont commencé.

– Depuis combien de temps?

– Une demi-heure, mais les contractions se font de plus en plus rapprochées.

– J'arrive immédiatement.

Un petit cri plaintif se fait entendre.

– Rita! Est-ce que ça va?

– La douleur est passée maintenant, mais ne traîne pas. Je t'attends.

– J'arrive… j'arrive tout de suite. Je t'aime.

Un quart d'heure plus tard, le psychologue rentre chez lui en coup de vent. Il retrouve sa femme en pleurs, assise près de la fenêtre, le récepteur du téléphone sur les genoux.

– Qu'est-ce qu'il y a Rita? lui demande-t-il en s'agenouillant près d'elle.

La jeune femme se jette dans ses bras et lui relate sa conversation avec l'infirmière de garde en obstétrique. Après l'avoir questionnée, celle-ci lui a demandé de ne pas tarder.

– Qu'attendons-nous, alors? Allons-y.

Entre deux contractions, Rita retient son mari.

– Ce n'est pas tout, Roger. L'infirmière semblait inquiète lorsque je l'ai informée de ma grossesse multiple et de ma date d'accouchement.

– Allons donc! Elle n'est pas médecin.

– Si j'accouche aujourd'hui, nos jumeaux seront prématurés de plus d'un mois. Ils seront très fragiles.

– De toute façon, nous n'y pouvons rien. Allons, dépêchons-nous.

À l'hôpital, l'infirmière les accueille avec professionnalisme.

– Bonjour, madame Asselin. Je suis Francine, l'infirmière qui vous a parlé au téléphone.

– Bonjour.

Son regard se pose sur Roger.

– Vous êtes monsieur Asselin, je présume.

– Oui, répond-il anxieux.

– J'ai téléphoné à votre gynécologue après votre appel, madame Asselin. Il devrait arriver sous peu. Pour l'instant, je vais vous examiner. Pendant ce temps, monsieur Asselin, vous devriez descendre au premier étage pour l'admission de votre femme.

Quelques minutes plus tard, celle-ci invite Rita à la suivre dans une des salles appropriées. L'infirmière procède à un examen gynécologique, vérifiant si les membranes sont vraiment rompues. Subséquemment, elle lui fait quelques prises de sang et installe le moniteur cardiaque afin d'entendre les deux petits cœurs. Elle entreprend ensuite de faire plus ample connaissance avec sa patiente.

– Est-ce votre première grossesse, Rita?

– Oui, et puisque l'échographie en a révélé deux, ce sera probablement la seule.

– Vous a-t-on informé du sexe?

– Non. Je ne voulais pas le connaître. Je préfère avoir la surprise.

– Vous avez eu raison.

– Vous trouvez?

– Déballer un cadeau de Noël au mois d'octobre n'est jamais aussi agréable, estime-t-elle.

Cette comparaison métaphorique décroche un sourire chez Rita.

Une autre contraction se fait ressentir.

– C'est bien, prenez une grande respiration. C'est presque terminé.

Rita reprend son souffle.

– Pensez-vous que j'accoucherai bientôt? Ça fait terriblement mal.

– Le travail est différent d'une patiente à l'autre, mais puisque vos membranes sont rompues, vous accoucherez d'ici vingt-quatre heures.

L'infirmière aide Rita à se lever.

– Je vais maintenant vous installer dans une des chambres d'accouchement. Je verrai à ce que votre mari vienne vous rejoindre. Je demeure au poste de garde juste en face, alors, s'il y a quoi que ce soit, n'hésitez pas à venir me chercher.

– Merci, Francine.

Debout près du lit, Roger se sent impuissant devant la douleur de sa femme. Il lui tient néanmoins la main et lui asperge le cou d'un linge humide lorsque celle-ci ressent le besoin de se rafraîchir.

– Roger! émet-elle fatiguée, dis-moi que ce ne sera plus très long.

– Je ne sais pas, ma chérie. Je l'espère.

Le médecin entre dans la chambre à cet instant.

– Bonjour, madame Asselin. Bonjour, monsieur Asselin.

– Bonjour, docteur.

– Il semblerait que vos bébés ont décidé de naître avant terme.

Grimaçant de douleur, Rita garde le silence. Le gynécologue fait son examen de routine et rassure aussitôt sa patiente.

– L'évolution est conforme.

– Docteur! intervient Roger, est-ce normal que ma femme souffre autant?

– Un accouchement ne se fait pas sans douleur, mais si la souffrance devient insupportable, madame Asselin, je vais vous donner une médication.

– Faites donc ça, docteur. Ça me rend malade de voir ma femme endurer cette torture.

Rita est enfin délivrée aux petites heures du matin. En découvrant ses deux adorables petites filles, la nouvelle maman en oublie instantanément le calvaire de cette nuit infernale. En dépit de leur petite taille, les jumelles nées avant terme se portent à merveille.

* * *

Chapitre 23

Au Saguenay, malgré le peu de nuages blanchissant le bleu du ciel, Miriame a l'impression de vivre au milieu d'une tempête, car depuis deux jours elle est inquiète.

Dans la salle d'attente de son médecin de famille, elle attend impatiemment son tour depuis une vingtaine de minutes, en feuilletant négligemment une vieille revue laissée sur une petite table. Le bruit de la trotteuse de l'horloge face à elle et le calme de la secrétaire, en dépit du téléphone qui n'arrête pas de sonner, ont pour effet de l'angoisser davantage.

– Madame Morin, annonce finalement celle-ci, c'est à votre tour.

– Merci.

– Longez le couloir et…

– Je connais le chemin, merci. Je n'en suis pas à ma première visite.

Bien installé dans son gros fauteuil en cuir noir, le médecin salue Miriame dès son entrée.

– Bonjour, Miriame. Entrez et fermez la porte.

– Bonjour, docteur.

– Asseyez-vous.

Il ajuste machinalement ses lunettes avant d'ouvrir la chemise déposée un peu plus tôt sur son bureau par son adjointe. Ses yeux parcourent rapidement les quelques feuilles à l'intérieur. Il oriente ensuite son regard vers sa patiente.

– D'après mon dossier, vous êtes venue me rendre visite la semaine dernière, amorce-t-il.

– C'est exact, docteur. Mon prochain rendez-vous était planifié pour la fin de juillet, mais il m'était impossible d'attendre plus longtemps avant de venir vous consulter.

– Je vous écoute.

– Il y a quelques jours, enfin, plus précisément dans la nuit du 30 juin au premier juillet, il s'est passé quelque chose d'étrange, et je dirais même de très alarmant.

– Expliquez-vous, Miriame.

– J'ai eu des contractions. Vous allez probablement me dire que c'est impossible puisque j'en suis seulement à mon quatrième mois de grossesse, mais je vous assure que c'étaient bel et bien des contractions. Mes douleurs étaient identiques à celles de mon premier accouchement. C'était intolérable.

– Vous avez bien fait de venir me consulter. Un examen de contrôle nous rassurera. Passez dans la salle à côté. Je vous rejoins dans quelques minutes.

* * *

De retour chez elle, Miriame range rapidement son sac à main avant d'embrasser son mari et son fils de huit mois, Dave.

– Alors, Miriame? demande Michel. Que t'a-t-il dit?

– Il ignore ce qui a pu déclencher les contractions. D'après l'examen gynécologique, tout est normal.

– Tes contractions étaient pourtant bien réelles!

– Je sais.

– Il n'avait aucune explication valable à te donner?

– Aucune. Il m'a quand même avisée de me rendre à l'hôpital si j'en avais d'autres. Et maintenant, s'anime-t-elle avec enthousiasme, ne restons pas ici. Il fait un temps magnifique. Ce sera beaucoup plus agréable au chalet.

– Mais…

– Ne t'inquiète pas, Michel. Ma visite chez le médecin m'a rassurée. Et d'ailleurs, renchérit-elle, le Lac-Saint-Jean n'est pas au bout du monde!

– C'est vrai. Faisons nos bagages et quittons la ville pendant quelques jours.

* * *

Chapitre 24

Le sermon de Marcelle a eu pour effet d'inciter sa fille à longuement réfléchir sur sa relation avec Jean-Claude. Ranimée par l'écho de ses émotions, le réveil n'en avait été que plus brutal. Que devait-elle faire à présent? Devait-elle replacer son cœur sur le cardiogramme de l'amour et en assumer les hauts et les bas, au risque de souffrir de nouveau, ou alors l'anesthésier définitivement afin d'éviter toute entaille? Étant à peine remise de la mort de Vincent, ne serait-il pas plus sain de combler son vide affectif par une simple amitié?

Malgré tous les prétextes pour le chasser de son cœur, Jean-Claude occupe constamment ses pensées. Doit-elle alors se laisser valser au rythme du graphique émotif?

Après mûre réflexion, Simone prend finalement une décision. Elle a d'ailleurs assez tardé.

Elle l'invite à souper pour clarifier la situation.

– Bonjour, Jean-Claude.

– Bonjour, fleur chérie, répond-il en l'embrassant sur la joue.

– Entre et viens t'asseoir au salon.

– Attends, Simone. Laisse-moi te regarder. Ça fait si longtemps.

– Je t'ai manqué?

– Toutes ces longues semaines sans te voir m'ont paru une éternité.

Celui-ci la contemple de la tête aux pieds.

– Tu es particulièrement en beauté ce soir. Et ton parfum, renchérit-il en humant son cou, si j'osais, je…

– Jean-Claude! Tu n'es jamais sérieux.

– Je te respirerais toute ma vie si tu m'en donnais la chance.

– Si nous prenions un verre, propose-t-elle.

– Bonne idée.

Assis l'un en face de l'autre à discuter de la pluie et du beau temps, Jean-Claude se demande si elle est au courant de son départ pour la métropole. Apparemment, Simone semble l'ignorer. Pour s'en assurer, il la questionne un peu maladroitement.

– Ce souper m'intrigue un peu, Simone. Tu refuses mes invitations depuis des semaines, tu coupes au plus court nos conversations téléphoniques et ce soir, tu me reçois chez toi comme si nous nous étions vus la veille. Mon intuition me dit qu'il y a une raison.

Prise au dépourvu, Simone ouvre la bouche, mais demeure sans voix. Est-ce le moment idéal pour lui avouer ses sentiments? Et pourquoi pas.

– C'est exact, admet-elle finalement. J'ai à te parler.

– Il était temps, soupire-t-il. Je commençais à croire que Céline ne t'avait rien dit.

– Céline? Je ne comprends pas. Que devait-elle m'apprendre?

– Elle ne t'a pas soufflé mot de mon départ?

– Mais de quel départ parles-tu?

– J'ai accepté un travail à l'extérieur de la région. C'est pour moi une belle occasion. Je croyais que…

– Tu t'en vas?

– Oui. Enfin, quelques mois, spécifie-t-il.

– Tu ne peux pas partir comme ça. Je tiens beaucoup trop à toi!

– Comme ami, je sais.

– Mais Jean-Claude…

– Écoute Simone. Je ne me berce plus d'illusions à notre sujet, or en m'éloignant un certain temps, j'arriverai à me faire une raison.

Simone avale sa salive afin de dissimuler sa déception.

– Cette distance sera bénéfique pour nous deux.

– Pas pour moi, parvient-elle à prononcer.

– Si, car vraisemblablement, ton amitié pour moi s'éteint doucement depuis que tu connais mes véritables sentiments à ton égard.

– Ce n'est pas vrai.

– Tu sembles oublier les nombreuses fois où tu as décliné mes invitations depuis ta visite à la Maison Miséricorde. Avant, tu te serais confiée, ce qui n'est plus le cas aujourd'hui. J'ai bien insisté au début, mais j'ai fini par comprendre. C'est ton passé, pas le mien, et ça ne me regarde pas.

– J'aimerais t'en parler à présent.

– Chut! Ne dis rien que tu pourrais regretter. Tu m'en parleras à mon retour, si tu veux. La distance se chargera sûrement de rétablir le pont d'amitié entre nous.

Celui-ci ajoute après un bref silence :

– Je ne pars pas pour toujours, fleur chérie. Crois-tu vraiment que je pourrais m'éloigner de toi toute ma vie? Je n'en serais jamais capable. Si on mangeait maintenant, j'ai une faim de loup et ça sent tellement bon!

Simone avait le cœur trop lourd pour avaler quoi que ce soit. Pourquoi avait-il fallu qu'elle mette si longtemps avant de se décider à lui avouer son amour? À présent, il était trop tard, car l'annonce de son départ venait d'anéantir tous ses espoirs.

* * *

En ce lundi matin de printemps, Simone sent un frisson glacé l'envahir, car cette nuit, elle a rêvé de Jean-Claude. Malgré les efforts pour chasser ce cauchemar de son esprit, celui-ci lui revient en mémoire à chaque instant. Dans son rêve, Jean-Claude l'ignorait totalement. Il était accompagné d'une jolie fille et n'avait d'yeux que pour cette brunette. Elle en était bouleversée.

En route vers l'école, Simone se fait des reproches. Elle aurait dû lui parler alors qu'il en était encore temps. Il ne serait jamais parti s'il avait connu ses sentiments, mais en avait-t-elle le droit? Ce départ signifiait également une promotion pour Jean-Claude, or pour ne pas lui nuire professionnellement, elle était restée muette, ravalant ses aveux au risque de le perdre à jamais.

Céline ne se gêne pas pour lui faire la morale.

– Pourquoi avoir gardé le silence? Jean-Claude t'attend depuis tellement d'années.

– Je ne voulais pas lui faire perdre une belle promotion en lui révélant mes sentiments.

– Ouvre-toi les yeux, ma pauvre Simone. Il s'en fiche complètement. Sa vie professionnelle est déjà une réussite, alors que sa vie personnelle n'a rien de satisfaisant. Si tu l'aimes, téléphone-lui et dis-le-lui. N'hésite pas.

– J'ai peur.

– De quoi, Simone? Jean-Claude n'espère qu'un seul mot de toi pour revenir. Tu le sais aussi bien que moi. Alors arrête de penser pour une fois et agis selon ton cœur.

– J'ai peur de porter malheur. Lorsque j'étais avec…

– Cesse de te culpabiliser de la mort de Vincent. Tu n'y es pour rien. L'accident aurait eu lieu même si tu ne l'avais pas aimé. Vincent fait partie de ton passé alors que Jean-Claude est bien présent.

– Céline, arrête de me tourmenter.

– Je n'insiste plus alors. Cependant, je te conseille d'y songer sérieusement.

– Tu peux bien me donner un tas de conseils, rouspète-t-elle, offusquée. Tu aurais pu m'informer de son départ.

– J'aurais pu, c'est vrai, mais ce n'était pas à moi de le faire.

– Tu as raison. Excuse-moi. Je ne sais plus ce que je dis.

– Tu t'ennuies de lui, avoue-le donc.

– Oui, je m'ennuie de lui. Oui, je voudrais qu'il revienne. Oui, je l'aime. Oui. Oui. Oui.

– Alors, qu'attends-tu?

* * *

Chapitre 25

L'automne s'est endormi sous une avalanche de flocons. Sous les bourrasques de vent, l'odeur d'un hiver tangible se manifeste, étouffant toute trace de passage de la saison précédente.

À la fenêtre du salon, Miriame observe la rivière Saguenay. Malgré sa largeur, celle-ci se paralyse incontestablement. À présent mère de deux jeunes enfants, elle songe à celle qui l'a mise au monde et cherche à comprendre la raison qui l'a poussée à l'abandonner. Aucun motif valable ne lui vient à l'esprit, non, aucun.

« Une femme sans cœur, voilà ce qu'elle est », juge-t-elle sans ménagement.

Les pleurs de Juliette la ramènent rapidement à la réalité. Sa petite a faim. Instinctivement, elle se rend à sa chambre et la soulève délicatement de son berceau. Michel arrive au même instant.

– Elle s'est réveillée?

– Oui, Michel. C'est l'heure de son biberon.

– Attends, se presse-t-il, je vais t'installer confortablement.

– Tu es gentil, merci. Où est Dave?

– Dans la salle de jeux. Il s'amuse avec son nouveau camion. Tu peux t'asseoir, maintenant, décrète-t-il après avoir déposé un coussin sur le bras de la chaise berçante.

Aisément assise, Miriame détache hâtivement son soutien-gorge d'allaitement afin d'étancher le plus rapidement possible la soif de sa petite. Juliette s'empare aussitôt du sein de sa mère et tète avec assouvissement.

– Elle avait réellement faim!

– Oh oui! Elle…

Miriame laisse échapper un petit cri de douleur.

– Qu'est-ce qu'il y a, Miriame?

– Mon épingle s'est détachée.

– De quelle épingle parles-tu?

– Je porte toujours sur moi la médaille miraculeuse que j'avais lors de mon adoption.

– Miriame! Ça n'a pas de sens! Tu viens tout juste d'affirmer que l'épingle s'est ouverte et qu'elle t'a piquée.

– C'est bien ce qui s'est passé. Regarde.

– Tu ne la porteras plus, j'espère.

– Bien sûr que si. Cette médaille est le seul objet qui me relie à mon passé. Cependant, je la fixerai à ma petite culotte à l'avenir, ainsi il n'y aura aucun danger pour Juliette. Je l'aime tellement! Je ne veux surtout pas prendre le risque de la blesser.

– Ça me rassure. Je retourne à la salle de jeux retrouver notre fils à présent.

Enveloppée d'un nuage maternel, Miriame admire sa fille et se sent à nouveau envahie par cette femme sans visage. Ses yeux s'embrument sans qu'elle s'en rende compte.

« Qui est-elle? Pourquoi m'avoir abandonnée? »

* * *

Chapitre 26

Depuis plus d'une heure, Simone fixe le téléphone en tortillant énergiquement une mèche de ses cheveux. En dépit de sa décision de téléphoner à Jean-Claude, l'anxiété l'habite et sa nervosité s'amplifie.

Instinctivement, elle touche la médaille miraculeuse de son père et saisit le combiné d'une main tremblante. Elle compose rapidement le numéro.

– Allô!

– Bonjour, Jean-Claude.

– Oh! Bonjour ma petite fleur adorée. Je suis si content d'entendre ta voix! Comment vas-tu?

– Bien. Je te remercie, et toi?

– Ça va.

– Il doit faire un temps superbe actuellement dans la métropole!

– C'est vrai, mais je préférerais la chaleur de ton corps à celui du sud du Québec.

– Jean-Claude…

– C'est pourtant la vérité.

– Et ton emploi?

– C'est un plaisir d'animer cette émission. D'autre part, on pourrait retransmettre ce genre de programmation directement du Saguenay. On m'en a d'ailleurs glissé un mot.

– C'est vrai?

– Bien sûr. Tu sais, avec le direct maintenant… Si j'accepte, j'aimerais te recevoir à mon studio en tant qu'invitée.

– Allez, sois sérieux.

– Je suis vraiment content de ton appel. Tu me manques tellement!

– Je m'ennuie également de toi, Jean-Claude.

– Qu'il serait agréable de t'entendre dire que tu te languis de moi par amour!

– Et si je te disais que c'est la raison de mon appel, bégaye-t-elle nerveusement.

Silence…

– Ne me fais pas de fausses joies, Simone.

– Quand reviens-tu?

– D'ici quelques jours, mais ne change pas de sujet. Répète-moi seulement le mobile de ton appel. J'ai dû mal entendre.

– Tu me manques énormément et… je t'aime, Jean-Claude.

– Je dois sûrement rêver ou alors les lignes téléphoniques font défaut.

– Tu ne rêves pas, Jean-Claude. Je t'aime.

– Répète-le encore, s'il te plaît.

– Je t'aime sincèrement, Jean-Claude, et je m'ennuie de toi.

– Fleur chérie! Ces paroles sont si mélodieuses à mon oreille! Fredonne-les encore et encore afin qu'elles m'alimentent jusqu'à mon retour.

– Je t'aime, Jean-Claude. J'ai mis beaucoup trop de temps avant de m'en apercevoir.

– Simone! Je désespérais de te l'entendre dire un jour. Je t'aime tant, fleur chérie, et j'ai si hâte de te serrer dans mes bras!

– Reviens vite, alors.

– D'ici quelques jours et je ne te quitterai plus.

* * *

Quelques mois ont passé depuis le retour de Jean-Claude au Saguenay. Aujourd'hui, Simone nage en pleine béatitude. Facile à vivre, son amoureux s'avère très attentionné. Ses taquineries la font sourire et pour rien au monde elle ne voudrait le voir changer. N'est-ce pas d'ailleurs ce qui lui a toujours plu chez cet homme? Pour être complètement heureuse, il ne lui manque que des nouvelles de sa fille. N'ignorant plus les détails de sa visite à la Maison Miséricorde, Jean-Claude fait l'impossible pour retracer sœur Miriame.

L'union libre de Simone et de Jean-Claude ne semble aucunement déranger les habitants du village, sauf Anna Larouche, évidemment. Considérant ce concubinage comme un outrage à sa religion, elle prend un malin plaisir à dénigrer leur façon de vivre. Ayant eu vent de ces médisances, Marcelle, au tempérament plutôt pacifique, préfère changer de trottoir lorsqu'elle l'aperçoit au loin afin d'éviter toute confrontation. Malheureusement, en dépit des mesures adoptées pour empêcher une rencontre désagréable, elle se heurte à cette commère en sortant de chez la coiffeuse.

– Bonjour, madame Lavoie.

– Bonjour.

– Comment allez-vous? Ça fait une éternité que nous n'avons pas eu l'occasion de bavarder toutes les deux.

– Bien, je vous remercie.

– Et la famille?

– Très bien également.

– Vos filles?

– Les jumelles se portent à merveille.

– Je suis bien heureuse de le savoir.

– Alors si vous voulez bien m'excuser, je dois y aller.

– Et Simone?

– Simone!

– Vous n'êtes pas sans savoir qu'elle ne vit pas seule.

– Évidemment, je le sais. Ça vous dérange, madame Larouche?

– Ne me dites pas que vous approuvez cette relation dépravée de tout sens moral.

– Pardon!

– Votre fille vit avec un homme sans avoir reçu le sacrement du mariage, je vous le rappelle.

– Et en quoi cela vous concerne-t-il?

– C'est inconvenant, voire même impudique pour une maîtresse d'école de vivre avec son amant. Elle devrait avoir la décence de ne pas s'afficher avec lui devant les enfants, et surtout, ajoute-t-elle avec arrogance, il me paraît immoral de se présenter à l'église avec son concubin. Ma fille ne s'exhiberait pas ainsi, elle. Je le dis comme je le pense, madame Lavoie, Simone n'est pas digne de sa profession.

– Vous avez fini, madame Larouche?

– De plus, je pense…

– Je me fiche de ce que vous pensez, madame Larouche. Depuis que je vous connais, vous commérez sans relâche sur tous et chacun. Vous n'avez rien d'autre à faire?

– Je vous trouve bien tolérante, chère madame Lavoie.

– À quoi vous attendiez-vous au juste? Je ne suis pas comme vous, moi. J'ai bien d'autres chats à fouetter que de parler pour ne rien dire, juger et salir tout le monde autour de moi. Maintenant, allez au diable! termine-t-elle en la contournant.

De retour à la maison, Anna Larouche relate à sa façon le dialogue qu'elle a eu avec Mme Lavoie. Habitué à l'entendre jacasser de tout et de rien, son mari l'écoute distraitement en feuilletant son journal.

* * *

Chapitre 27

Dans un autre décor du village, comme chaque mardi de la semaine, Louisette, bénévole à la Saint-Vincent de Paul, s'apprête à se rendre au travail. Depuis cinq ans, elle et quelques femmes du quartier déballent des sacs de vêtements abandonnés à la porte du local par bon nombre de citoyens. Les vêtements recueillis seront distribués aux plus démunis. Veuve et mère d'un garçon de onze ans mentalement handicapé, elle tient beaucoup à cette œuvre de bienfaisance, car cela lui permet de se sentir utile et aussi de s'évader du quotidien. En dépit des nombreuses heures passées à trier du linge, les sacs s'accumulent et s'empilent de jour en jour. Les gens sont généreux, mais peu d'entre eux sont disposés à donner de leur temps.

Habituellement, Louisette compte sur sa voisine Brigitte pour prendre soin de son fils Éric pendant son absence, mais aujourd'hui, elle devra se passer du renfort de son amie, car celle-ci est alitée en raison d'une mauvaise grippe. Louisette ne voit alors qu'une solution; amener son fils avec elle et lui allouer de petites tâches à accomplir.

Ravi d'accompagner sa mère au travail, le jeune garçon se hâte de prendre place dans la voiture. Sa mère l'observe et se réjouit de sa décision.

Pendant toute la matinée, le garçonnet démontre un grand intérêt pour son ouvrage et ne sollicite aucune aide. Heureux de rendre service, il plie et replie des vêtements sans montrer le moindre signe de fatigue. Par sa vaillance et sa sollicitude, il veut ainsi démontrer à sa mère qu'il est un garçon responsable et ainsi la convaincre de l'amener plus souvent. En conséquence, il ne la dérange pas lorsqu'il repère, parmi une pile de gilets multicolores, une enveloppe blanche timbrée. Il se propose plutôt de la mettre à la poste lui-même. Il chiffonne innocemment la lettre et l'insère dans sa poche.

De retour à la maison, Éric demande à sa mère la permission d'aller jouer dehors.

– Oui, mon homme, mais ne va pas trop loin.

À l'extérieur, celui-ci s'empresse de défroisser l'enveloppe. Naïvement, il chemine vers la boîte à lettres bien en vue au coin de la rue. Arrivé à son but, il tire sur le panneau et y insère l'enveloppe. Celle-ci disparaît aussitôt dans le fond du gros bac rouge. Satisfait, le jeune handicapé revient chez lui en courant, fier de révéler à sa mère son geste vénérable.

* * *

Chapitre 28

L'été a expiré ses dernières heures de chaleur, cédant la place au vent glacial de l'arrière-saison. Ce matin, Marcelle tire fortement sur sa corde à linge, cette longue corde qui semble être fixée au bout de l'éternité. Ses mains vieilles et fragiles ne supportent plus les grands froids. D'un geste las, elle attire près d'elle les dernières serviettes ballottant au vent. Après les avoir décrochées, la veuve dépose son panier près de la porte avant de lever les yeux. D'un regard voilé, elle fixe le ciel afin de se rapprocher de son défunt mari. Elle lui promet d'abord de ne jamais l'oublier, et dans un même souffle, lui réclame son pardon.

« Pardonne-moi, Édouard. Pardonne-moi de t'avoir caché la grossesse de Simone, mais que pouvais-je faire d'autre? J'avais promis. Si tu savais comme je m'en veux. Fais-moi un signe qui me permettra de croire que tu ne m'en veux pas. Je pourrai alors libérer mon cœur de ce fardeau. Je n'ai pas été loyale envers toi et je m'en excuse. Pardonne-moi, je t'en prie Édouard. »

– Tu commences à te faire vieille, Marcelle. Tu en es rendue à causer avec les morts maintenant.

Elle ramasse rapidement son panier sans remarquer le facteur venant vers elle.

– Madame Lavoie! Madame Lavoie!

Au son de sa voix, elle tourne la tête et l'aperçoit. Main levée, celui-ci lui fait de grands signes. Marcelle abandonne de nouveau sa lessive et vient à sa rencontre.

– Bonjour, monsieur Savard.

– Bonjour, madame Lavoie. J'ai du courrier pour vous et pour Simone.

– Pour Simone? Mais elle ne demeure plus ici depuis longtemps!

– Pourtant, insiste-t-il, c'est bien l'adresse de retour inscrite sur l'enveloppe. Cette lettre n'a pas été suffisamment affranchie. Votre fille devait être dans la lune au moment de la poster.

– C'est presque impossible.

– Voyez par vous-même.

– Oh mon Dieu! s'exclame-t-elle en découvrant le nom du destinataire.

– Ça ne va pas, madame Lavoie? Vous êtes toute pâle.

– Ce n'est rien. Avez-vous autre chose pour moi?

– Les factures habituelles.

– Bien. Je vous remercie.

– Vous êtes certaine que ça va?

– Oui. Ne vous en faites pas pour moi. Merci encore, monsieur Savard. Je rentre à présent. Mes vieux os ne supportent plus le froid bien longtemps.

– Alors bonne journée, madame Lavoie, et portez-vous bien.

– Bonne journée à vous aussi et merci encore.

Tremblante d'émotion, Marcelle réintègre sa demeure. Ses jambes ne la supportent plus. Elle s'assoit rapidement sur la chaise berçante près de la fenêtre avant d'examiner attentivement l'enveloppe un peu jaunie.

« Mon Dieu! Est-ce possible? Cette lettre serait-elle un signe d'Édouard? »

– Que dois-je faire à présent?

Son regard se pose spontanément sur le téléphone.

« Dois-je la remettre à Simone? Cette lettre risque largement de la perturber, juge-t-elle. Le mieux serait sans doute de la mettre à la poubelle et ainsi ne pas déterrer le passé. Par ailleurs, cette missive ne m'appartient pas. Il serait déloyal de la faire disparaître. Mon Dieu, que dois-je faire? »

* * *

La saison des caprices prend finalement siège pour de bon dans la région. La pluie attaque furieusement les vitres des maisons du village et le vent se débat dans toutes les cheminées. Par ce samedi sanglotant et lamentable de septembre, Simone, cachée sous une couverture de laine, fait la grasse matinée. La sonnerie stridente du téléphone déchire subitement son sommeil. À demi-consciente, elle s'étire le bras et saisit le combiné.

– Allô!

– Bonjour Simone, c'est maman. Je ne te réveille pas, j'espère.

– Non, non, dit-elle spontanément en s'étirant.

– Comment vas-tu ma grande?

– Bien et toi?

– Je tiens le coup. Ce n'est pas tous les jours faciles, mais j'apprivoise tout doucement ma solitude.

– Papa me manque, moi aussi.

– Je n'en doute pas. Écoute, Simone, j'avais l'intention de te rendre visite ce matin.

– Tu es toujours la bienvenue chez moi, maman.

– Ça ne gênera pas Jean-Claude de me voir arriver si tôt?

– Il est parti pour la fin de semaine à Montréal, alors nous aurons tout le loisir de bavarder entre femmes.

– J'arriverai vers dix heures, alors.

– C'est parfait. À bientôt, maman.

Après avoir raccroché, Simone se lève hâtivement. Il ne lui reste qu'une heure pour se doucher et déjeuner avant l'arrivée de sa mère. À dix heures précises, on frappe à la porte. Simone s'empresse d'aller ouvrir.

– Bonjour, maman.

– Bonjour, Simone

– Entre vite. Prendrais-tu un café? Je viens tout juste de le faire.

– Je veux bien.

Marcelle la suit jusqu'à la cuisine. Après avoir enlevé son coupe-vent, elle s'installe confortablement à la table.

– Que me vaut l'honneur de ta visite, ce matin? demande Simone en s'assoyant près d'elle.

– J'avais besoin de te voir.

– Que se passe-t-il, maman? Je te sens nerveuse. Est-il arrivé malheur aux jumelles? À Carl?

– Rassure-toi. Il n'est rien arrivé à personne.

– Alors, pourquoi cet air étrange? Es-tu malade?

– Non. J'ai encore la santé, Dieu merci. Évidemment, je ne rajeunis pas, mais... enfin, c'est la vie.

– Tu as pourtant l'air encore si jeune.

– Merci Simone, mais tu changerais probablement d'avis en me voyant à mon réveil. Je n'ai plus vingt ans et je le sais, seulement j'essaie de prendre soin de ma personne.

– Tu y arrives à merveille, maman.

– Tu es gentille.

– Alors! De quoi voulais-tu me parler?

– Je voulais prendre de tes nouvelles et j'avais aussi quelque chose à te remettre.

– Un autre souvenir de papa?

– Non, Simone, répond-elle avant de fouiller dans son sac à main. Le facteur m'a remis une lettre.

– Tes mains tremblent, maman. As-tu reçu de mauvaises nouvelles?

– Cette lettre n'est pas à moi, Simone. Elle t'appartient.

– Qui peut bien m'écrire à ton adresse? Je suis pourtant partie depuis bien longtemps!

– Personne ne t'a écrit, ma grande.

– Je ne comprends pas. Tu viens à peine de me dire...

– C'est toi qui l'as écrite, probablement en 1959.

À ces mots, Simone blêmit. Elle devine à présent de quelle missive il s'agit.

– Elle est revenue cette semaine, poursuit Marcelle en déposant l'enveloppe près de sa fille.

Sous le choc, rien ne sort de la bouche de Simone. Constatant la portée de son geste, Marcelle se lève et s'agenouille près de sa fille. Elle lui prend la main. À son contact, Simone revient à elle.

– Je ne sais ni comment, ni pourquoi cette correspondance revient après tant d'années, Simone.

– Maman, arrive-t-elle à dire finalement, dans cette lettre, j'annonce à Vincent mon état.

– Je m'en doutais un peu, ma grande.

– Il n'a jamais su que j'étais enceinte…

– Je sais.

Au bout d'un moment, Simone demande à sa mère :

– Peux-tu me laisser seule, maman?

– Bien sûr. Je retourne chez moi. N'hésite pas à m'appeler si tu en ressens le besoin.

– Merci, maman. Ne t'inquiète pas pour moi. J'ai juste besoin de…

– Ne dis rien, ma grande. Je comprends.

– Merci.

Les yeux rivés sur le nom de Vincent Simard écrit de sa main, Simone remonte le temps et se retrouve au bal de fin d'année, dansant amoureusement contre lui. Une larme s'évade malgré elle. Perdue dans ses plus douces nostalgies, elle ferme les yeux. L'image d'un gros peuplier prend forme sous ses paupières. Au pied de l'arbre, deux jeunes adolescents s'enivrent de désir.

« Vincent, je t'ai tellement aimé! » soupire-t-elle en ramassant la lettre près d'elle avant de se diriger vers la chambre à coucher. Arrivée près du lit, elle soulève l'oreiller et s'empare affectueusement de la suce.

– Nous avons eu une fille, Vincent, sanglote-t-elle brusquement. Tu n'es plus de ce monde, mais par cet enfant, je continue de croire que tu vis toujours. Malheureusement, j'ai dû l'abandonner à sa naissance. Je veux la retrouver, Vincent. Je veux la retrouver. Aide-moi.

Emportée par l'amour de ses quinze ans, elle ouvre subitement la lettre. Des larmes apparaissent en parcourant les lignes.

Juillet 1959

Mon Amour,

Je t'écris quelques lignes rapidement avant d'aller à la célébration de dimanche. Tu dois revenir le plus tôt possible, car si j'avais des doutes depuis quelques jours, aujourd'hui je n'en ai plus. J'ai maintenant la certitude d'être enceinte. Je pleure comme une Madeleine en t'écrivant ces mots, mais mon bonheur est si grand!

Je t'aime plus que tout, Vincent, et avec cette vie qui germe en moi, tes parents accepteront d'avancer ton retour, j'en suis certaine. Une vie merveilleuse nous attend, mon amour. Je me demande si ce sera une fille ou un garçon. Enfin, peu importe, car nous l'aimerons infiniment, j'en suis sûre. Moi je l'aime déjà, puisque ce bébé est le fruit de notre amour. Je t'aime, Vincent. Je t'aime du plus profond de mon être! Reviens-vite mon amour, je t'en prie, reviens-vite.

Je ne peux pas t'écrire plus longuement, car maman et mes sœurs sont à la cuisine et m'attendent pour partir à l'église. Aujourd'hui, je prierai pour nous, pour notre enfant, pour notre famille, oui pour notre famille, car elle est déjà en route, mon amour. À présent, nous formons une vraie famille, et personne ne pourra nous séparer. Personne... Tu entends?

Je t'aime, mon amour, et je t'attends. Nous t'attendons.

Je t'aime... Je t'aime... Je t'aime... Je t'aime... Je t'aime... Je t'aime... Je t'aime...

Simone

* * *

À son retour le lendemain soir, Jean-Claude ne reçoit pas l'accueil habituel.

– Ça ne va pas, fleur chérie?

– Si, Jean-Claude.

– Je te sens pourtant si loin!

Le moment présent prend soudainement plus d'importance que son passé.

– Excuse-moi, dit-elle en l'embrassant. Comment s'est passé ton voyage?

– Bien, mais je te le raconterai plus tard. Pour l'instant, j'aimerais savoir ce qui ne va pas. Et que tiens-tu si fort, demande-t-il en posant son regard sur ses mains.

– C'est la suce de ma fille et une lettre, hésite-t-elle.

– Des mauvaises nouvelles?

– Non. J'ai écrit ces mots il y a plus de vingt-cinq ans.

– D'où sors-tu cette antiquité?

– Maman m'a rapporté cette lettre hier. Elle se trouvait parmi son courrier.

– Je ne comprends pas. Comment une lettre peut-elle se perdre pendant si longtemps?

– Je n'en sais rien.

– À qui était-elle adressée?

– À Vincent. Cette lettre était pleine d'espoir, épilogue-t-elle en reniflant. Je lui annonçais mon état. C'était un dimanche, se souvient-elle. Je me préparais pour la messe. Maman et les jumelles m'attendaient à la cuisine. L'éminent retard de mes règles me certifiait que j'étais bel et bien enceinte. Vincent devait le savoir rapidement. Je portais désormais sa progéniture, alors à quoi bon attendre pour nous marier? Je lui ai hâtivement griffonné quelques mots avant de me rendre à l'église.

Simone inspire profondément avant de poursuivre.

– J'entends encore la chorale, évoque-t-elle. Le répertoire musical était différent des semaines précédentes. Les chants étaient tristes. Après avoir fait son entrée, le curé nous informa immédiatement du tragique accident.

– Pauvre Simone! Je connaissais déjà les circonstances du décès de Vincent, mais j'étais loin de m'imaginer la façon dont tu l'avais appris.

– Cette journée a été la plus pénible de toute ma vie, enfin presque, car celle où sœur Miriame m'a appris qu'on venait de trouver un foyer pour ma petite fille a été insupportable.

– Pauvre Simone!

– J'ai souhaité mourir à cette époque, avoue-t-elle. Cependant, je n'en avais pas le droit.

Simone baisse la tête et pose ses mains sur son ventre.

– Un enfant prenait vie en moi. Pour lui, je devais vivre, malgré ma peine. J'aimerais tant connaître ma fille, soupire-t-elle. Si tu savais…

– Je sais, fleur chérie, et je fais tout mon possible pour retracer sœur Miriame.

– Je t'en remercie.

– Il y a peut-être une autre façon de retrouver ta fille.

– Que veux-tu dire?

– Je préférerais qu'on en discute devant un bon repas. Je n'ai rien avalé depuis près de sept heures. J'ai l'estomac dans les talons.

– Excuse-moi, Jean-Claude. Avec cette histoire, j'ai complètement oublié de te préparer à manger.

– Ça ne fait rien.

– Que dirais-tu d'une omelette au jambon?

– Ce sera parfait. Je vais rapidement me doucher et ensuite nous discuterons. Mais avant, viens m'embrasser. Je me suis tellement ennuyé! Ces deux jours m'ont paru interminables. Je t'aime tant, Simone.

– Je t'aime aussi, Jean-Claude. Je me demande parfois comment j'ai pu vivre sans toi si longtemps.

Souriant d'un air moqueur, celui-ci lui répond :

– Je me le demande aussi. Allez maintenant, ordonne-t-il en lui tapant une fesse, va cuisiner, femme de ma vie.

– Jean-Claude! Tu exagères!

– Je ne peux m'empêcher de te taquiner, toi, soleil de mes jours, lune de mes nuits et cuisinière de mon souper. Ah! Ah! Ah!

* * *

Visiblement fatigué par le voyage malgré sa faim, le journaliste baille entre chaque bouchée. Assise en face de lui, Simone l'observe quelques minutes en silence avant de le questionner.

– Maintenant, Jean-Claude, parle-moi. Quelle serait, selon toi, l'autre façon de retrouver ma fille?

– Pendant mon séjour à Montréal, j'ai appris qu'un groupe de gens avait fondé un organisme appelé Mouvement Retrouvailles.

– Et alors? réclame-t-elle, impatiente d'en savoir davantage.

Celui-ci avale sa dernière bouchée avant de poursuivre.

– Ces personnes peuvent peut-être nous aider.

– Comment?

– Je n'en suis pas certain, mais d'après ce que j'ai su, ils possèdent des renseignements confidentiels concernant les adoptions antérieures.

– C'est merveilleux!

– Ne t'emballe pas trop vite, Simone. Je vais d'abord me renseigner sur ce mouvement.

– Quand?

– Demain.

– Pourquoi pas tout de suite?

– Ça m'étonnerait beaucoup que leur bureau soit ouvert un dimanche soir.

– Je suis si impatiente!

– À présent, dit-il en se levant de table, allons relaxer au salon.

– Jean-Claude!

– Oui, fleur chérie.

– Merci. Merci de vouloir m'aider. C'est mon passé et…

– Ton passé se tresse irrévocablement à mon présent et à mon avenir puisque tu es la femme de ma vie. Je t'aime.

* * *

Le lendemain, Simone ne démontre pas le même intérêt pour son travail. Sans même s'en rendre compte, elle regarde sa montre toutes les cinq minutes, ce qui n'échappe pas aux élèves les plus vigilants. Sa hâte de rejoindre Jean-Claude et d'en connaître un peu plus sur le Mouvement Retrouvailles s'intensifie d'heure en heure. Lorsque la cloche annonçant la fin des classes résonne enfin, Simone s'empresse de saluer ses élèves sans prendre le temps de leur distribuer leur devoir. Elle récupère promptement son sac à main dans l'armoire et quitte l'école d'un pas rapide sans faire halte à la salle des professeurs.

Sitôt arrivée chez elle, l'enseignante s'oriente vers sa chambre, enlève sa robe et revêt un vêtement plus décontracté. Elle revient ensuite à la cuisine et prépare le repas du soir. Au moment où elle s'apprête à mettre la table, Jean-Claude pénètre dans la maison en s'exclamant :

– Que ça sent bon!

– Enfin, te voilà!

Simone dépose les assiettes sur la table et vient à sa rencontre.

– Bonjour, fleur chérie.

– Bonjour, Jean-Claude. Tu as passé une bonne journée?

– Oui et toi?

– En toute honnêteté, je dois avouer ne pas avoir été une maîtresse d'école bien dévouée pour ses élèves aujourd'hui. Je n'ai pas cessé de réfléchir à notre conversation d'hier. As-tu des nouvelles concernant le Mouvement Retrouvailles? s'empresse-t-elle de lui demander.

– J'en sais maintenant un peu plus.

– Alors?

– Laisse-moi le temps d'enlever mon manteau et…

– Excuse-moi, Jean-Claude, mais je suis si impatiente.

– Que dirais-tu d'en discuter en mangeant? propose-t-il. Ça sent tellement bon! Que nous as-tu préparé?

– Une fricassée au bœuf.

– Ça sera parfait avec un bon petit bordeaux rouge. Qu'en dis-tu?

– Si tu veux.

Assis l'un en face de l'autre, la conversation s'anime aussitôt. Jean-Claude décrit en détail les renseignements qu'il possède.

– Le Mouvement Retrouvailles est un organisme sans but lucratif. Il existe depuis peu. D'autre part, il est reconnu et appuyé par plusieurs membres. Trois personnes font partie du conseil d'administration. D'abord sa fondatrice, madame Reine Landry, une certaine infirmière auxiliaire de Charlesbourg du nom de Gisèle Falardeau et un certain Gilles Bertrand, de Montréal-Nord.

– C'est bien beau tout ça, mais que peuvent-ils faire pour moi?

– J'y arrive. L'organisme siège dans toutes les régions du Québec, ce qui permet à des milliers de personnes de se retrouver.

– Jean-Claude, je ne sais pas où tu veux en venir, mais arrête de jouer au journaliste avec moi. Je t'en prie, viens-en aux faits.

– D'accord. Le Mouvement offre à ses membres son expérience, son savoir et son soutien. Il sert également d'intermédiaire entre les deux parties, dans le cas où la personne recherchée serait également inscrite au Mouvement Retrouvailles.

– Pardon?

– Tu as très bien compris, Simone. La mère et l'enfant doivent être inscrites au Mouvement Retrouvailles pour qu'il puisse y avoir rencontre.

– J'ai peu de chance, alors.

– Le Mouvement Retrouvailles est de plus en plus connu. Je te le répète, il étend ses actions dans toutes les régions. Si ta fille ne s'est pas encore inscrite, elle ne devrait pas tarder à le faire. Sois optimiste, fleur chérie.

– Tu as raison. Il faut mettre toutes les chances de mon côté. Je finirai bien par retrouver ma fille, affirme-t-elle.

– C'est le meilleur comportement à adopter.

– S'il est vrai que ce sont nos attitudes et non nos aptitudes qui déterminent notre altitude, alors je garderai cette assurance, ajoute-t-elle spontanément.

– Je suis fière de toi et un jour, renchérit-il, ta fille le sera elle aussi.

Cette évocation la fait soupirer d'espoir.

* * *

Debout derrière le comptoir à préparer la salade pour le souper, Céline écoute attentivement son amie l'informer de ses dernières démarches.

– C'est une véritable chance pour moi, Céline. Grâce à ce mouvement, je vais finalement la retrouver.

– Je te le souhaite de tout cœur, Simone. Seulement, en tant qu'amie, je dois te mettre en garde.

– Mais contre quoi, Grand Dieu?

– D'après ce que j'ai pu comprendre, cet organisme est encore bien jeune. À ta place, je ne fonderais pas trop d'espoirs.

– Tu n'es pas à ma place, Céline. Si je ne risque rien, jamais je ne la reverrai, répond-elle offusquée.

– Je ne te reproche rien, Simone, sinon de trop attendre de ce mouvement. J'ai peur de te voir souffrir à nouveau.

– Cette fois-ci, Céline, je suis certaine d'obtenir des résultats.

– J'aimerais tant que ce soit vrai. Seulement, poursuit-elle, tes dernières tentatives n'ont pas été très fructueuses.

– Tu parles de ma visite à la Maison Miséricorde?

– Entre autres choses.

– Sœur Miriame n'habite plus là, alors...

– Tu es revenue de ce voyage très déçue, n'est-ce pas?

– Oui, mais...

– Ensuite, si mes souvenirs sont bons, tu t'es persuadée que Jean-Claude, étant journaliste, pouvait la retracer. Vrai ou pas?

– C'est vrai, en convient-elle.

– Comprends-tu la raison pour laquelle je m'inquiète pour toi? Il est fort probable que tu n'obtiendras pas de ses nouvelles aussi rapidement que tu sembles le croire.

– Écoute, intervient Jean-Claude, qui jusqu'ici écoutait sans intervenir, c'est très noble de ta part de vouloir protéger Simone, mais n'exagère pas. Elle est assez mûre pour agir à sa guise et se débrouiller avec ce qui viendra.

Céline ignore ses paroles et continue sa réflexion.

– Et si par hasard ta fille...

– Continue.

– Ta fille ne sait peut-être pas qu'elle a été adoptée.

Un frisson glacé parcourt instantanément le dos de Simone. Dans son emballement, elle n'a jamais envisagé cette hypothèse. Désarmée, elle implore Jean-Claude du regard.

– Pour ma part, expose-t-il au bout d'un bref silence, j'estime que ce mouvement est prometteur. Par contre, il ne faut pas s'attendre à des miracles puisque l'organisme est encore bien jeune.

Il tourne la tête vers son collègue.

– Qu'en penses-tu, Pierre? Tu es muet depuis l'annonce de Simone.

– Je n'en sais trop rien, commente-t-il avec embarras.

Son regard se tourne vers Simone.

– Je te souhaite vraiment de la retrouver, et si le Mouvement Retrouvailles peut t'y aider, alors je suis derrière toi.

– Merci, Pierre, répond-elle les yeux pleins d'espoir.

Céline reprend de plus belle.

– Tu es mon amie, Simone, et moi aussi je te le souhaite sincèrement. Seulement, j'ai peur d'une nouvelle déception. Si jamais cet enfant ne voulait pas connaître ses origines. Y as-tu…

Elle s'interrompt brusquement. Voyant son amie affligée par ses dernières paroles, elle se reproche aussitôt de trop analyser.

– Quoi qu'il arrive, ajoute-t-elle, je serai là pour t'épauler et te soutenir. À trop vouloir te protéger, je donne l'impression d'être défaitiste, alors que c'est tout le contraire.

Simone s'abstient de tout commentaire.

– À présent, installons-nous autour de la table. Le souper est prêt.

– C'est une excellente idée. J'ai l'estomac dans les talons, réplique Pierre.

Pierre et Jean-Claude sont les premiers à s'asseoir autour de la table. Derrière son comptoir, Céline en profite pour dire un dernier mot à Simone.

– Je m'excuse, Simone.

– Je ne t'en veux pas, Céline, bien au contraire. J'étais beaucoup trop emballée. Tu as su me ramener sur terre, peut-être un peu trop brusquement, mais tu as bien fait.

– Je ne veux surtout pas te décourager. Je ferais probablement la même chose à ta place.

– C'est vrai? Ton opinion compte beaucoup pour moi, tu sais. On se connaît depuis tellement d'années!

– Absolument, Simone, toutefois, ne pense pas décrocher la lune avec ce mouvement.

– Il n'y a aucun danger, dit-elle en souriant. Avec toi comme amie, je n'y songe même pas.

Les deux consœurs se mettent à rire de bon cœur.

– Allez maintenant, aide-moi à servir la salade et la tourtière, car nos hommes ont l'air de deux misérables affamés.

* * *

Une longue attente débuta alors pour Simone, car les semaines et les mois défilèrent sans aucun appel du mouvement. Malgré la mise en garde de Céline, Simone commençait à céder au découragement.

Cet automne-là, le froid assiégea très tôt la région. Les riches couleurs de l'arrière-saison s'effacèrent rapidement et le soleil disparut fréquemment derrière de gros nuages chargés de pluie. Les plaintes déchirantes du vent polaire retentirent sur tout le territoire du Saguenay-Lac-Saint-Jean. Dès le début d'octobre, le frimas argenta champs et prairies noircis, et le ciel caverneux fit planer une menace de neige. Elle tomba en abondance avant la fin de novembre, adoucissant ainsi la tristesse de la terre gelée.

Beau temps mauvais temps, Simone prit l'habitude d'orienter ses pas vers le ruisseau Tremblay après sa journée de travail. Arrivée près du gros peuplier, elle sortait affectueusement de sa poche la suce ayant appartenu à sa fille et la médaille miraculeuse de son père. Ces deux objets avaient la capacité d'alimenter à nouveau son cœur d'espoir. Pendant de longues minutes, l'institutrice priait, serrant très fort dans sa main la petite rondelle de métal. Si le Mouvement Retrouvailles ne pouvait lui donner de résultats positifs, alors ce symbole religieux en aurait sûrement la capacité, soutenait-elle.

Après avoir invoqué le Très Haut, elle retournait chez elle avant le retour de Jean-Claude.

* * *

En ce samedi après-midi, Simone et son conjoint profitent de leur journée de congé pour faire quelques courses. Jean-Claude l'entraîne adroitement dans une petite bijouterie.

– Regarde, Simone, s'exclame-t-il en pointant une bague au comptoir d'alliances, celle-ci t'irait à merveille.

– Jean-Claude, réplique-t-elle un peu ennuyée, nous en avons déjà discuté. Je n'ai pas besoin d'être officiellement ta femme pour savoir que tu m'aimes.

– Je sais, fleur chérie, mais n'aurais-tu pas envie d'un beau diamant à ton doigt?

– Cette bague est ravissante, mais…

– Mais quoi?

– Je t'aime profondément, Jean-Claude, mais je ne peux pas me marier, pas sans…

– Pas sans moi évidemment, lance-t-il subtilement.

– Si un jour je me marie, ce sera avec toi, mais…

– Mais, mais… Tu ne peux pas savoir combien de fois j'ai prié le ciel afin que ce mot disparaisse du dictionnaire.

– Arrête, Jean-Claude. Tu me fais rire et ce n'est vraiment pas le moment. Je dois me rendre aux toilettes.

– Si je peux enfin te faire sourire, je me fous complètement que tu fasses dans ta culotte. Ces belles dents blanches sont restées trop longtemps hors de ma vue.

– Ce ne sont pas des blagues, Jean-Claude, j'ai vraiment besoin d'aller au petit coin et si tu continues…

– Parfait, j'ai compris.

Il fait aussitôt un signe à la vendeuse.

– Que puis-je faire pour vous? demande-t-elle empressée.

– Pourriez-vous m'indiquer où se trouve le comptoir des couches?

– Pardon! lance-t-elle stupéfaite.

– Le comptoir des couches, répète-t-il sans gêne.

– Mais monsieur, vous n'êtes pas dans une pharmacie! Vous êtes dans une bijouterie.

Simone n'en croit pas ses oreilles. La main sur la bouche pour ne pas pouffer de rire, elle croise prestement les jambes pour ne pas se laisser aller.

– Vous n'avez pas de couches à vendre! Pourtant, réplique-t-il sur un ton ironique, si je me réfère à votre slogan gravé sur la vitrine, vous devriez en avoir.

– Je ne saisis pas, s'excuse la vendeuse déconcertée.

– L'énoncé sur la devanture de votre bijouterie affirme qu'ici je peux acheter des couches.

– Mais…

– « L'endroit est petit, mais nous pouvons combler tous vos besoins! » cite-t-il en prenant soin de bien articuler chaque mot. Voilà votre devise. Je l'ai lue avant d'entrer.

– C'est exact, monsieur, mais…

– Il se trouve, chère madame, que ma femme a un urgent besoin de couches.

Mal à l'aise devant ce client malcommode, la vendeuse médusée n'ose le contredire. Simone intervient rapidement avant d'être incapable de se retenir et avant que la situation n'aille trop loin.

– Ne soyez pas embarrassée, madame, mon mari adore plaisanter. Partons d'ici maintenant, Jean-Claude.

Comblé d'avoir entendu le mot « mari », celui-ci s'excuse auprès de la vendeuse de l'avoir ainsi mise dans l'embarras. Il escorte ensuite Simone jusqu'aux toilettes.

Un peu plus tard, Jean-Claude revient sur le sujet.

– Ta conscience ou ton inconscience te prescrit de faire le grand saut, fleur chérie.

– Que veux-tu dire?

– Tu me définis déjà en tant que mari.

– Ce mot m'a échappé. Excuse-moi.

– Te pardonner de m'avoir considéré comme ton conjoint officiel! Jamais de la vie! s'exclame-t-il fortement. C'était beaucoup trop agréable à entendre. Était-ce ta façon d'accepter la bague que je t'ai montrée au comptoir d'alliances?

– Non, Jean-Claude. Je peux te l'assurer.

– Pourtant, fleur chérie, tu sembles mûre pour le mariage.

– Sois sérieux, Jean-Claude.

– Je n'ai jamais été aussi sérieux de ma vie. Je t'aime, Simone. Que dois-je faire pour te convaincre de te lier à moi pour la vie? Dois-je le crier au monde entier? Je peux commencer immédiatement si tu veux.

– Ce ne sera pas nécessaire. Je sais que tu en es bien capable.

– Alors laisse-toi charmer par ma proposition et épouse-moi.

– Je voudrais vraiment être officiellement ta femme, mais…

– Encore un mais…

– Si un jour je retrouve ma fille, je te promets que tu n'auras pas à réitérer ta demande. Je te la ferai moi-même officiellement.

– Tu me le jures?

– Jean-Claude, je suis incapable de blaguer sur un sujet d'une aussi grande importance. Je t'aime moi aussi, mais pour que mon mariage soit le plus beau moment de ma vie, ma fille doit être à mes côtés. Ce n'est pas un caprice.

Attentif aux arguments de Simone, Jean-Claude comprend maintenant la vraie raison de tous ces refus. Par amour pour elle, il est prêt à l'attendre toute une vie s'il le faut.

– Je ne t'en reparlerai plus, petite fleur, je te le promets. Je conçois mieux la cause de ton refus à présent. J'attendrai. Cependant, ajoute-t-il au bout de quelques secondes, j'ai une demande spéciale à te faire.

– Une demande spéciale, répète-t-elle intriguée.

– Le jour où tu me demanderas de t'épouser, peux-tu le faire à genoux comme il m'est arrivé de le faire pour toi? Moi, précise-t-il, je ne refuserai pas.

Sur un ton aussi narquois, Simone lui répond :

– Je mettrai même des gants blancs, mon amour.

– Je n'en demande pas tant.

La conversation prend fin sur une note de gaieté et la promenade se poursuit dans la joie. Comme de coutume, Jean-Claude ne manque pas une occasion de la faire rire. Malgré ses extravagances, Simone l'admire, car elle l'aime vraiment.

* * *

Les mois d'attente se succèdent les uns après les autres et deviennent des saisons et puis des années. En ce matin de fin de septembre, les teintes chaudes des arbres à peine dénudés accordent au village une apparence de plénitude. La clémence de ce paysage coloré procure à Simone une sensation de bien-être et lui donne l'envie d'aller marcher et de se rendre chez sa mère. Elle s'habille rapidement et descend l'escalier à la hâte, prend son pardessus au passage et quitte la maison.

À deux rues de chez elle, elle regrette déjà sa décision impulsive. Un soudain accès de mélancolie assombrit son regard.

« J'aurais dû lui téléphoner avant de partir. Elle est peut-être chez Solaine. »

Avançant à pas plus lent, elle décide néanmoins de poursuivre son trajet, admirant la merveilleuse palette de couleurs de l'automne.

« Si maman n'est pas chez elle, je me rendrai chez ma sœur. »

À quelques mètres de la maison familiale, Simone aperçoit sa mère sur la galerie. Celle-ci étend sa lessive. Ravie de ne pas avoir fait tout ce chemin pour rien, elle presse le pas.

– Maman!

Marcelle reconnaît instinctivement la voix de sa fille et se tourne aussitôt vers elle.

– Bonjour, Simone. Tu parles d'une belle surprise! Veux-tu me dire quel bon vent t'amène chez moi de si bonne heure?

Marcelle ne lui laisse pas le temps de répondre. Elle reprend de plus belle.

– Entre vite. Viens te réchauffer. Je viens de faire du café. Nous allons pouvoir mettre notre bavardage à date devant une bonne tasse bien chaude.

– Tes expressions me feront toujours sourire, maman.

– Ah!

– Sans vouloir te vexer, le mot bavardage me fait automatiquement penser à Mme Larouche.

– Ce parallèle ne me plaît aucunement, je vais reformuler ma phrase. Je ne veux plus jamais être comparée à cette commère du village.

Marcelle dépose son panier et fait une nouvelle invitation en prenant soin de bien articuler chaque mot.

– Viens donc faire un brin de causette devant un bon café chaud. Est-ce mieux ainsi?

– Maman! Tu es incroyable!

– Maintenant, dis-moi comment tu vas, reprend-elle un peu plus sérieusement.

– Je vais bien, enfin assez bien.

– Comment se fait-il que Jean-Claude ne t'accompagne pas?

– Il est de nouveau parti à Montréal pour son travail.

– Encore!

– Il est en pourparlers pour une nouvelle émission. Si le projet est accepté, celle-ci sera télédiffusée en direct de notre région dès septembre 1988.

– De quoi s'agit-il?

– Apparemment, Jean-Claude recevrait des gens et les interrogerait sur des sujets assez spéciaux.

– Que veux-tu dire au juste?

– Je ne suis pas vraiment au courant, mais d'après ce que j'en sais, l'émission devrait toucher l'auditoire. Mais toi, maman, comment se fait-il que tu ne sois pas chez Solaine ce matin? Tu n'es pas supposée garder sa petite dernière?

– Si, mais Solaine a dû retourner chez le médecin avec Jasmine. Elle a de nouveau mal aux oreilles.

– Pauvre petite! Ça fait si mal, des otites!

– C'est ce que je présume aussi. Enfin, on verra bien, dit-elle en pénétrant dans la maison. Tu as l'air triste, constate Marcelle en observant les yeux de sa fille. Quelque chose ne va pas?

– Ce n'est rien, maman.

– Allons, Simone. Je t'ai tricotée, réplique-t-elle. Je te connais mieux que personne. Tu n'as pas le regard d'une personne parfaitement heureuse. Qu'est-ce qu'il y a?

– J'aimerais avoir ton avis.

– À quel sujet?

– Ma fille.

– Le mouvement l'a retrouvée!

– Non, justement et ça m'inquiète. Je suis inscrite au Mouvement Retrouvailles depuis près de deux ans et je n'ai toujours pas d'information sur elle. Je misais tellement sur…

Les lèvres de Simone se mettent à trembler et des larmes apparaissent dans le coin de ses yeux.

– J'étais pourtant certaine de la retracer grâce à cet organisme, parvient-elle à dire en reniflant. Pourquoi n'appelle-t-elle pas, maman? Le mouvement se fait pourtant connaître! J'ai vu sa publicité dans les journaux, alors pourquoi? Crois-tu qu'elle ignore qu'elle a été adoptée? Elle ne veut peut-être rien savoir de moi après tout. J'imagine qu'à ses yeux je demeure une étrangère. Maman, que dois-je penser? Je n'en peux plus de cette attente. Ce silence me tue. Je n'ose même plus en discuter avec Céline, ni avec Jean-Claude. J'ai peur de les ennuyer avec mon passé et pourtant, je n'arrête pas d'y songer. C'est devenu une obsession.

Simone pleure à présent à chaudes larmes.

– Je la cherche constamment, maman. Que ce soit dans les magasins, au restaurant, à l'église, au cinéma, je la cherche partout. J'en suis même rendue à dévisager les comédiennes à la télévision. dans l'espoir d'y reconnaître ma fille. Chaque fois que…

– Arrête Simone, je t'en prie. Ça n'a pas de sens de se faire du mal comme tu le fais.

– Mais, maman…

– Je sais, cette attente est interminable, mais…

– Infernale, maman.

– Tu dois malgré tout garder espoir. Le Mouvement Retrouvailles est âgé d'à peine quatre ans. Laisse agir le temps. Un jour peut-être…

– Mais maman… Je suis lasse de patienter. Si tu savais combien de fois j'ai rêvé de la serrer dans mes bras et de lui dire que je l'aime. Son visage est imprégné dans ma mémoire. Ma petite fille, souffle-t-elle en considérant ses bras vides. Elle a déjà vingt-sept ans et pourtant, lorsque je ferme les yeux, c'est un visage de bébé que j'aperçois. Je ne l'ai même pas vue grandir. Maman, se lamente-t-elle, ça n'a pas de sens!

Atterrée, Simone se révolte.

– Je prie tous les jours, et pourtant il ne m'exauce pas. Est-il sourd? Ne voit-il pas mon désespoir? Pourquoi le bon Dieu n'intervient-il pas? N'ai-je pas déjà eu ma part de souffrance? Évidemment, souffle-t-elle, il doit complètement s'en moquer.

– Ça ne sert à rien de blasphémer, Simone.

– Je suis si malheureuse!

– Un jour, tu la retrouveras. J'en suis certaine. Si le bon Dieu existe, il ne viendra pas me chercher sans que je puisse admirer ma petite-fille au moins une fois avant de mourir. J'ai bien confiance.

– Si tu pouvais dire vrai, maman.

– Le Seigneur est bon, Simone. Ne l'oublie pas. Garde confiance. Un jour, tu reverras ta fille.

– Tu le penses vraiment?

– Oui. Je le pense vraiment.

Simone renifle à nouveau et s'essuie les yeux.

– Merci de m'avoir écoutée, maman. J'en avais besoin.

– Je serai toujours là, Simone, enfin, tant que le bon Dieu ne voudra pas de moi. À présent, prenons un bon café et après, si tu veux, nous irons respirer l'odeur de l'automne. Qu'en penses-tu?

– C'est une bonne idée.

* * *

À la lueur chaude et dansante des flammes de la cheminée, Simone, bien emmitouflée sous une couverture de laine, fixe le feu du foyer depuis bientôt une heure. Par la fenêtre, on distingue clairement les gros flocons de neige accélérant leur course folle jusqu'au sol déjà blanchi. Malgré la tempête naissante, Simone se sent bien. Depuis sa conversation avec sa mère, son cœur s'est apaisé. Elle espère toujours obtenir des nouvelles de sa fille, mais sa colère a disparu.

– Voilà, fleur chérie, énonce Jean-Claude en pénétrant dans le salon avec deux tasses dans les mains, cette boisson te réchauffera.

– Merci. C'est gentil.

Celui-ci dépose rapidement son thé bien chaud sur la table avant de s'agenouiller près d'elle. Un peu surprise, quoique de sa part elle peut s'attendre à tout, elle lui demande :

– Que fais-tu, Jean-Claude?

– Écoute ma belle et ne dis rien, somme-t-il.

Sans plus attendre, il lui exprime son amour sous forme de poésie.

– Comme tombe la neige,
À tes pieds je suis tombé
Pour mieux t'aimer
Mon amour pour toi est telle une tempête
Qui t'emportera avec moi
Et sur un lit de neige
Nous vivrons notre rêve.

Simone demeure ébahie par un tel lyrisme. Ses yeux s'embrument aussitôt.

– Eh! Pourquoi ces larmes? Je ne t'ai pas composé ce poème pour te faire pleurer!

– Je sais, mais ces vers sont si…

– Hivernaux, soumet-il en plaisantant.

Simone se met à rire.

– Tu ne cesseras jamais de me surprendre, Jean-Claude, et c'est également une des raisons pour lesquelles je t'aime tant!

– Pour voir s'épanouir la plus belle fleur de la terre, je déplacerais des montagnes.

– Tu n'en as pas besoin. Ta présence me suffit et d'ailleurs, ricane-t-elle, avec cette neige qui tombe, il te faudrait une énorme pelle.

– En tant que journaliste, je préfère les déplacer avec des mots. C'est beaucoup plus romantique.

– À propos, qu'en est-il de ton projet?

– Je voulais justement t'en parler. C'est confirmé depuis hier. La programmation sera télédiffusée dès l'automne. Elle aura pour titre : « Vos histoires touchantes et invraisemblables ». J'en serai l'animateur une fois par mois.

Jean-Claude enchaîne rapidement.

– L'émission sera retransmise toutes les semaines des studios de Montréal, mais, puisque c'est mon projet et que je n'avais nullement l'intention de me séparer de toi à nouveau, j'ai réussi à faire accepter le concept de la diffuser en direct de notre région une fois par mois. Ma recherchiste fait des pieds et des mains afin de trouver des gens prêts à venir raconter leur histoire devant des milliers de téléspectateurs.

– Des milliers!

– Oui, puisque l'émission sera diffusée d'un océan à l'autre.

– C'est énorme! Il te faudra de très bons sujets.

– Évidemment. Les premiers thèmes sont déjà approuvés.

– Quels sont-ils?

– Te souviens-tu du glissement de terrain de Saint-Jean-Vianney en 1971?

– Si je me rappelle! Personne ne peut oublier une pareille tragédie.

– Un ancien habitant du village a accepté de venir partager ses heures de terreur. Son récit est vraiment touchant. En dépit du risque énorme, cet homme s'est précipité dans le gouffre afin de sauver sa voisine qui glissait dans cette mare de boue.

– Tu veux vraiment faire pleurer toute la région.

– Il est évident qu'à faire renaître ce drame je ferai rejaillir bien des souvenirs.

– Quel est le deuxième chapitre?

– L'alcoolisme. Un homme a tout perdu à cause de la bouteille; son emploi, sa maison, ses amis, sa femme et même ses enfants.

– Pauvre homme!

– Il a cessé de boire depuis, mais c'est pour lui un combat perpétuel.

– Les téléspectateurs apprécieront. J'en suis certaine.

– Je l'espère, car je veux que l'émission demeure à l'antenne très longtemps.

* * *

Trois années se sont écoulées depuis l'inscription de Simone au Mouvement Retrouvailles et pourtant, rien ne laisse percevoir de lumière au bout du tunnel. Aux yeux de Céline, son amie semble en avoir fait son deuil puisqu'elle n'en parle presque plus, et pourtant…

L'été tire à sa fin. Malgré le fond de l'air un peu froid, Simone compte bien profiter au maximum de ses dernières journées de congé avant la rentrée scolaire. Attirée par les rayons dansant sur le rebord de la fenêtre, elle se couvre les épaules d'un chandail de laine et s'installe sur le patio afin de déguster son premier café de la journée.

– Bonjour, Simone.

La maîtresse d'école se tourne aussitôt en percevant la voix de Céline. Celle-ci a pris l'habitude de lui rendre une petite visite chaque matin, cependant son amie arrive chez elle beaucoup plus tôt que de coutume.

– Bonjour, Céline. T'es-tu réveillée au chant du coq?

– Ne te moque pas, je t'en prie. Je me suis levée très tôt pour aller reconduire Pierre à l'aéroport. Il prenait l'avion à sept heures pour Montréal.

– Encore pour le travail?

– Toujours pour le travail, ma chère. Vivre avec un journaliste n'est pas de tout repos. D'ailleurs, continue-t-elle, tu en sais quelque chose puisque Jean-Claude est appelé à partir régulièrement lui aussi.

– C'est vrai, mais dès septembre il ne partira plus aussi souvent.

– C'est pourtant vrai! Son émission débute bientôt. J'ai d'ailleurs aperçu la publicité à la télévision hier.

– Ce sera une grosse réalisation.

– J'en ai entendu parler. Ce qui me fascine, c'est que l'émission sera télédiffusée partout au Canada.

– Je suis bien contente pour Jean-Claude. Il a tellement travaillé pour réaliser ce projet!

– Je n'en doute pas.

– Il est comme une queue de veau dans la maison. Il ne reste pas en place une minute.

– Seigneur! Comment agira-t-il lorsqu'il ne restera que deux jours avant la première?

– Je n'ose même pas y penser. Enfin, on traversera le pont lorsqu'on sera rendu à la rivière, termine-t-elle. Prendrais-tu un bon café? Je viens tout juste d'en faire.

– Je veux bien.

Tasse à la main, les deux amies savourent leur café sous le soleil.

– Il fait un temps magnifique, remarque Céline en levant les yeux vers le ciel. Aucun nuage n'assombrit cette belle journée naissante.

Simone reste silencieuse à cette observation, cherchant plutôt à dissimuler ses émotions en avalant une gorgée. Céline s'en rend compte.

– Que se passe-t-il, Simone?

– Rien, je t'assure.

– Allons Simone, insiste-t-elle. Je te connais. Je sais quand tu me mens.

– J'ai l'impression d'être en plein brouillard.

– Tu fais allusion à ta fille?

– Je n'en parle presque plus, mais j'y pense constamment.

– Pauvre Simone!

– Je commence à croire que je ne la retrouverai jamais.

– Ne dis pas ça. L'avenir nous réserve parfois bien des surprises.

– J'en suis rendue à me demander si je n'ai pas rêvé d'avoir mis un enfant au monde.

– Tu ne parles pas sérieusement?

– Je ne sais plus que penser. Elle est peut-être morte après tout, c'est une possibilité.

– Que disent les gens du Mouvement Retrouvailles lorsque tu appelles?

– Toujours la même chose. Tant et aussi longtemps qu'elle ne se manifeste pas, mon dossier n'avance pas.

– C'est le néant total, alors.

– Je sais juste qu'elle a été adoptée par une bonne famille.

– Eh! C'est déjà ça!

– Ils doivent donner ce genre d'information à toutes les femmes qui téléphonent trop souvent, histoire de les calmer un peu.

– Que tu es pessimiste ce matin! Que dirais-tu d'aller faire un tour au lac Saint-Jean? Il fait si beau! On pourrait même se rendre au zoo de Saint-Félicien ou alors à Val-Jalbert. Je n'ai pas mis les pieds au village fantôme depuis une éternité.

Simone réfléchit quelques minutes.

– Ton programme me plaît. Laisse-moi le temps de me changer et on disparaît pour la journée. Ça me changera les idées.

– J'en suis certaine.

– Je devrais peut-être téléphoner à Jean-Claude afin de l'avertir, pense-t-elle tout haut en se levant.

– C'est une bonne idée. Dis-lui d'avertir Pierre s'il téléphone au bureau.

– Parfait.

* * *

Chapitre 29

Dans une chambre d'hôpital du sud de l'Ontario, sœur Miriame, alitée depuis une semaine, écoute à la radio une vieille chanson du temps de sa jeunesse. Perdue dans ses souvenirs, elle se revoit enfant, alors qu'elle était envoûtée par ce mystérieux appel, celui de servir le Christ. Dès lors, accomplir les ordres du ciel s'était vite transformé en obsession. Prendre le voile devenait la seule issue possible. Elle n'avait jamais regretté sa décision d'entrer en communauté à l'âge de dix-sept ans. Elle avait évidemment dû renoncer à fonder une famille, mais combien de grâces avait-elle récoltées en échange? Combien de brebis égarées avait-elle réconfortées durant leur pénible épreuve? Pendant leur bref séjour, chacune d'elles avait su l'émouvoir, mais une seule avait su remuer son cœur au point de l'aimer comme si c'était sa propre fille. L'adolescente aux cheveux d'or lui manquait terriblement. Qu'était devenue sa petite protégée? Le Seigneur avait-il entendu ses nombreuses prières? Avait-il permis à Simone, Miriame et Viviane de se retrouver?

Alertée par le crissement de la porte, sœur Miriame sèche expressément ses larmes et tourne la tête vers l'homme au sarrau blanc.

– Bonjour, sœur Miriame, dit le médecin en entrant dans la chambre.

– Bonjour, docteur.

– Comment vous sentez-vous ce matin?

– Encore un peu faible, mais ça va.

– C'est normal. Vos forces reviendront doucement.

Le médecin examine rapidement le dossier entre ses mains. Il relève la tête aussitôt.

– Vous n'ignorez pas que ce petit infarctus est un avertissement, clarifie-t-il dès le début.

– Je sais, docteur.

– Tout est sous contrôle à présent, cependant vous devrez vous ménager. Votre cœur reste fragile, sœur Miriame, alors il faudra en délaisser. Vous devez également éviter les trop grandes émotions. Avant de vous donner la permission de sortir, j'attends de vous la promesse de faire attention. Que des travaux légers à l'avenir, ma sœur, ordonne-t-il, sans quoi vous réintégrerez certainement notre département.

– Si je n'ai pas le choix, soupire-t-elle.

– Je suis désolée, mais si vous tenez à la vie, vous n'avez pas d'autre option.

– Je comprends, docteur. Quand puis-je quitter l'hôpital?

– Dans quatre ou cinq jours. Maintenant je poursuis ma tournée. Bonne journée.

* * *

Chapitre 30

Les enfants de Michel et de Miriame sont très excités à l'idée de passer deux semaines à Old Orchard Beach aux États-Unis au lieu de s'enraciner à leur chalet du lac Saint-Jean pendant toute la saison estivale. Depuis l'annonce de ce voyage, Miriame a beau essayer de les calmer, rien de ce qu'elle peut dire ou faire ne les tranquillise. Épuisée par cette journée turbulente, celle-ci remet le drapeau disciplinaire à son mari dès son retour du bureau.

– Michel, tu t'en occupes! Dave et Juliette vont me faire mourir.

Le ton autoritaire de Michel ne tarde pas à se faire entendre.

– Un peu de calme, les enfants.

Les deux jeunes modèrent rapidement leur activité et baissent subitement le ton.

– Veux-tu bien me dire quelle mouche les a piqués pour qu'ils s'énervent autant?

– Je n'en sais rien, mais je n'en peux plus. Ils ont été agités toute la journée.

– Je saisis mieux maintenant ton air exaspéré.

– Il y a autre chose.

– Tu ne regrettes tout de même pas notre décision de partir en vacances?

– Non, bien au contraire. J'ai même hâte de partir, seulement maman m'inquiète. Elle m'a téléphoné au début de l'après-midi. Son médecin veut la rencontrer. Ce n'est pas bon signe. J'ai peur, Michel. Il a sûrement reçu les résultats des examens qu'elle a passés la semaine dernière.

– Ce n'est peut-être rien de grave.

– Je l'espère de tout cœur. S'il fallait…

– Allons, Miriame. Il n'y a certainement pas matière à s'inquiéter. Ta mère a toujours pris soin d'elle.

– C'est vrai, mais cela m'angoisse, malgré tout.

– Tu devrais attendre d'en savoir un peu plus avant de te tracasser.

– Tu as sans doute raison. Il n'y a pas que ça, renchérit-elle après une brève pause. Je me réjouis de partir en vacances, mais paradoxalement, j'appréhende ce voyage. Je ne sais pas pourquoi. Pourtant, ajoute-t-elle, ce n'est pas notre premier séjour au bord de la mer!

– C'est le premier en famille. Habituellement, nous faisons garder les enfants par ta mère lorsque nous voyageons.

– C'est juste, mais je me sens bizarre, comme si je pressentais quelque chose.

– C'est probablement du surmenage. Tu verras, une fois rendue là-bas, tu te sentiras beaucoup mieux. Pour ce qui est de ta mère, ne t'en fais pas trop. C'est sans doute un manque de fer ou quelque chose dans le genre.

– J'aurais envie d'aller marcher avant le souper.

– C'est une excellente idée. Avec le bruit qui régnait dans la maison aujourd'hui, cela te fera le plus grand bien. Je vais préparer le souper. Tout sera prêt à ton retour.

– Tu es un amour, Michel, rajoute-t-elle avant de passer le seuil de la porte.

Déambulant dans les rues du quartier, Miriame ne retrouve pourtant pas la sérénité attendue. Sans savoir pourquoi, son cœur bat rapidement, ses jambes semblent vouloir aller trop vite et elle ressent une nervosité inhabituelle. Au bout d'une heure, elle regagne finalement la maison après avoir retrouvé son calme.

* * *

Chapitre 31

À Saint-Georges de Beauce, la famille Asselin se prépare en vue des vacances estivales. Roger, heureux de décrocher de son bureau pendant une quinzaine de jours, aménage la roulotte pendant que sa femme est allée faire quelques emplettes.

Occupé à ranger les effets indispensables pour leur séjour de deux semaines à Old Orchard Beach, il tourne rapidement la tête en entendant une dispute de ses jumelles, Julie et Juliette.

– Arrête.

– Donne-la moi et tout de suite. Papa!

– Papa! Papa! Julie ne veut pas descendre de ma bicyclette. Dis-lui de prendre la sienne. S'il te plaît, papa, dis-lui, implore Juliette.

Julie réplique en même temps.

– Elle m'a dit qu'elle me la passait, alors qu'elle me laisse tranquille.

– Un instant vous deux, intervient Roger mécontent. D'abord, je ne comprends absolument rien puisque vous hurlez toutes les deux en même temps. Parlez une à la fois. Juste une, répète-t-il.

Les deux fillettes se regardent une seconde et reprennent de plus belle, toujours ensemble.

– Papa…

– Papa…

– Assez! J'ai dit une à la fois, avertit le psychologue de nouveau.

– Je commence, précise Julie.

– Non, c'est moi, souligne sa sœur.

– C'est toujours toi.

– Ce n'est pas vrai. Tu commences toujours la première.

– Assez! Je ne veux plus rien entendre pour l'instant, réclame Roger agacé par tout ce remue-ménage. À présent, ordonne-t-il, vous allez me faire le plaisir d'entrer dans la maison et de résoudre votre problème en jeunes filles civilisées. Me suis-je bien fait comprendre?

– Mais papa, protestent les jumelles en même temps.

– Vous reviendrez à l'extérieur lorsque votre litige sera réglé, couronne-t-il.

Cette fois-ci, Julie et Juliette obéissent sans rouspéter. Roger reprend alors son travail interrompu. Quelques minutes plus tard, il est attiré par le bruit d'une voiture. Son regard se dirige spontanément vers la rue. Rita arrive.

– Bonjour, Roger.

– Bonjour.

– Où sont les filles?

– À l'intérieur.

– Par un si beau temps, s'exclame-t-elle en levant les yeux vers le ciel.

Celui-ci se gratte la nuque avant d'éclaircir la situation.

– Elles se disputaient, alors je n'ai pas eu d'autre choix que de les punir. Elles vont sûrement finir par trouver un terrain d'entente. Enfin je l'espère, rajoute-t-il.

– Tu as bien fait. Elles sont trop souvent en désaccord ces temps-ci, dit-elle en ouvrant le coffre de l'auto. Viendrais-tu m'aider s'il te plaît? J'ai plusieurs sacs.

– J'arrive.

Au même instant, sur la route Kennedy, à une soixantaine de kilomètres des douanes entre le Canada et les États-Unis, Michel, au volant de sa voiture, chante en chœur avec Miriame. Sur le siège arrière, le nez collé aux vitres, Dave et Juliette regardent défiler le paysage.

– Voici Saint-Georges, les enfants, s'exclame Michel. Cette ville est la dernière de la Beauce. Dans peu de temps nous roulerons sur le sol américain.

– Enfin! s'écrie Dave.

Michel reprend son concert en solo. À la hauteur de la dernière ville canadienne, le cœur de Miriame accélère à un rythme fou. Des sueurs froides perlent sur son front, ses mains se mettent à trembler et elle respire difficilement. En discernant l'état agité de son épouse, il interrompt brusquement son récital.

– Ça ne va pas?

– Arrête la voiture Michel, clame-t-elle, s'il te plaît, arrête.

Michel s'empresse de stationner la fourgonnette sur l'accotement. Sa femme ouvre aussitôt la portière et sort rapidement. Inquiet, il ordonne aux enfants de demeurer à l'intérieur avant de sortir à son tour. Il rejoint Miriame à la hâte. Celle-ci est de plus en plus agitée.

– Qu'est-ce qui se passe?

– Je n'en sais rien. Je me sens bizarre. J'ai froid, je respire mal, je tremble comme une feuille et mon cœur bat très vite. Je me sens terriblement nerveuse, mais je ne sais pas pourquoi. C'est une drôle de sensation.

– Est-ce la première fois que cela t'arrive?

– J'ai eu les mêmes symptômes lorsque j'ai annoncé notre voyage aux enfants, mais aujourd'hui, spécifie-t-elle, c'est dix fois pire.

Elle prend une bonne bouffée d'air avant d'ajouter :

– C'est aussi intense que lorsque j'étais enfant.

– Lorsque tu étais enfant, répète-t-il.

– J'avais six ou sept ans. C'était le soir de Noël. Nous étions à la messe de minuit. Ma mère a cru que mes spasmes étaient liés à la fatigue et à l'excitation du réveillon.

Miriame arque subitement les sourcils.

– C'est sûrement maman. Je dois pressentir un malheur. J'ai peur pour elle, Michel. Le médecin lui fait repasser des tests.

– Je comprends parfaitement ton inquiétude, mais ton trouble n'a sûrement aucun rapport avec elle. Comment te sens-tu à présent, lui demande-t-il au bout d'un moment.

– Un peu mieux.

– En es-tu certaine?

– Oui, Michel. Ne t'inquiète plus pour moi. C'est presque passé.

– Je vais voir les enfants, dit-il en tournant les talons.

– Je te rejoins dans quelques minutes.

Demeurée seule, la jeune femme observe la municipalité du haut de la route provinciale. Son regard est attiré par un couple occupé à trimballer des sacs d'épicerie. L'image d'une petite fille au manteau rouge se dessine instantanément dans sa mémoire, mais le cri de Dave l'efface aussitôt.

– Tu viens, maman?

– J'arrive, répond-elle encore troublée par ce cliché dissous.

De retour dans la voiture, Miriame doit répondre à une multitude de questions afin de rassurer les enfants. Quant à son époux, celui-ci demeure inquiet.

– Préfères-tu qu'on rebrousse chemin?

– Non. Je vais beaucoup mieux maintenant, affirme-t-elle. Continuons comme s'il ne s'était rien passé.

– Tu en es sûre?

– Crois-moi, Michel. Je vais très bien, soutient-elle. Poursuivons nos vacances.

* * *

Depuis leur arrivée au camping municipal d'Old Orchard Beach, Maine, Miriame a l'impression de revivre. Le soleil, la mer et la vitalité régnant au sein de cette petite municipalité ont pour effet d'éponger ses angoisses face à sa mère. Dès l'aube, elle et sa petite famille se lèvent, déjeunent et partent au bord de la mer. Sitôt sur la plage, Dave et Juliette accourent vers l'océan et passent de longues heures à sauter dans les grosses vagues. En bon père de famille, Michel s'installe sur une chaise et fait le guet. Quant à Miriame, elle s'allonge sur une serviette et lézarde au soleil. Vers midi, lorsque la faim chatouille l'estomac des enfants, la famille fait relâche de son paradis terrestre. Ils vont alors prendre une bouchée dans un des nombreux restaurants de la rue Principale, où l'air climatisé est le bienvenu. Après s'être régalés de pizzas, ils reprennent aussitôt le chemin de la mer. En passant près du cirque, Juliette et Dave insistent pour s'y rendre, mais Michel refuse catégoriquement.

– Pas par cette chaleur. Nous irons ce soir, promet-il. Il fera plus frais.

– C'est vrai!

– Tout à fait, et demain, poursuit-il, nous ferons les boutiques sur le quai.

De retour sur la plage, Miriame remet son chapeau de paille et s'empresse d'enduire le corps des enfants d'une lotion solaire avant de les voir à nouveau déguerpir vers le bord de l'eau.

* * *

Chapitre 32

Assises autour du feu, Julie et Juliette trouvent une autre raison de s'obstiner.

– C'est moi qui fais griller les guimauves sur le feu ce soir.

– Non, c'est moi. Tu veux toujours commencer.

– Je suis la plus vieille, réplique Julie.

– C'est faux. Nous avons le même âge.

– Je suis née avant, n'est-ce pas maman?

Perdue dans ses pensées, Rita revient vite sur terre en entendant le mot « maman ».

– Pardon!

– Maman, ordonne Julie, dis-lui que je suis née avant elle.

– C'est vrai, Juliette. Julie est venue au monde quelques minutes avant toi.

Satisfaite, la fillette se tourne vers sa jumelle et lui crie :

– Tu vois! Je ne t'ai pas menti. Alors, puisque je suis la plus vieille, c'est moi qui ferai cuire les guimauves sur le feu.

Devinant le conflit entre ses deux filles, Rita intervient immédiatement.

– Crois-tu réellement qu'étant la première à avoir vu le jour cela te donne le droit de décider?

– Exactement, soutient Julie.

– Ce n'est pas une raison, riposte Roger apparaissant près du feu les bras chargés de bois.

– Bien sûr que c'est une raison, papa.

– Non, ma fille. De toute façon, vous avez le même âge puisque vous êtes nées le même jour. Je crois qu'il serait plus juste de tirer à pile ou face afin de régler votre discorde. Qu'en dites-vous?

Soudain, Rita s'exclame :

– Seigneur! J'ai complètement oublié d'apporter des guimauves.

– Je peux aller en acheter au dépanneur du camping, offre Juliette.

– J'y vais. Ce sera plus rapide, soumet Julie en se levant.

– Écoutez, les enfants, que diriez-vous d'y aller ensemble? Ça me donnera le temps d'improviser une longue tige afin que vous puissiez faire cuire des guimauves toutes les deux, propose Roger.

Les jumelles adoptent l'idée de leur père et disparaissent ensemble au grand soulagement de leur mère.

– Explique-moi comment faire pour qu'elles cessent de se disputer, Roger. Elles m'épuisent à la fin.

– Je n'ai malheureusement pas de remède miracle. Des litiges et des obstinations, il y en a dans chaque famille et la nôtre n'y fait pas exception.

Il ajoute rapidement :

– Ne t'en fais pas trop, Rita. Nos filles finiront bien par vieillir.

En passant devant l'aire de jeux du camping municipal, Julie est attirée comme un aimant vers les balançoires.

– Viens, Juliette.

– Non. Maman et papa vont s'inquiéter si nous tardons.

– Allez, juste quelques minutes. Viens.

– Non.

Sans même tourner la tête, Juliette poursuit son chemin jusqu'au dépanneur. Julie demeure néanmoins au parc en criant à pleins poumons :

– Juliette! Juliette! Viens Juliette!

Accroupie dans le carré de sable, une petite fille aux cheveux blonds se lève et accourt près d'elle.

– Pourquoi m'appelles-tu?

– Je ne t'ai pas appelée.

– Tu as crié Juliette.

– C'est vrai, mais Juliette, ce n'est pas toi.

– Je m'appelle Juliette. Et toi?

– Julie et ma sœur, c'est Juliette.

– Elle a le même prénom que moi?

– Oui. C'est ma jumelle mais je suis plus vieille qu'elle, clarifie-t-elle. Je suis née avant.

Juliette ignore cette dernière remarque.

– Fais-tu du camping ici?

– Oui, et toi?

– Nous sommes arrivés il y a deux jours. C'est la première fois que je viens aux États-Unis. Et toi?

– Nous venons chaque année depuis... depuis bien longtemps.

– Où demeures-tu?

– Pas très loin. Dans la Beauce, à Saint-Georges plus précisément. C'est au Canada.

– Je sais. Nous nous sommes arrêtés. Maman ne se sentait pas très bien. Moi je demeure au Saguenay. Sais-tu où c'est?

– Non. Est-ce que c'est loin de la Beauce?

– Très loin. Nous avons traversé un très long parc et nous n'étions pas encore arrivés.

– Il doit y avoir beaucoup de balançoires dans ce parc.

– Il n'y en a pas. C'est un parc d'arbres. Juste des arbres, précise-t-elle.

– Menteuse. Il y a des balançoires dans tous les parcs.

– Pas lui.

– J'en doute.

– Si tu ne me crois pas, demande à mon frère.

– Tu as un frère?

– Oui. Il s'appelle Dave. Il est un peu plus vieux que moi.

– Moi j'ai juste une sœur et c'est assez.

– Pourquoi dis-tu ça?

– Parce que… Bon la voilà, dit-elle en apercevant Juliette au loin. Je dois y aller. Elle est bien capable de dire à papa que je l'ai laissée seule alors que c'est elle qui m'a abandonnée au parc comme un chien. Bye!

– Quoi?

– J'ai dit Bye. Tu ne réponds pas?

– Tu parles tellement drôle.

– C'est toi qui parles bizarre.

– À cause?

– Parce que… parce que… Bon, il faut que je parte. Bye.

– Euh… Salut.

Juliette regarde sa nouvelle amie rejoindre sa sœur. Celle-ci passe devant le terrain de jeux sans se retourner. Julie se met à courir afin de la rattraper, mais Juliette presse le pas.

– Juliette! Juliette! Attends-moi.

– Tu as préféré t'amuser au parc, alors retournes-y.

– Ce n'est pas vrai.

Et voilà! Les jumelles recommencent à se quereller.

* * *

Dès l'aurore, Rita ouvre les yeux et tend l'oreille afin d'écouter le piaillement des oiseaux. Elle constate en s'étirant que l'humidité et la chaleur ont déjà envahi la roulotte. À ses côtés, Roger ronronne comme un gros chat. Sans faire de mouvements brusques, elle se glisse hors de la couchette et sort sur la pointe des pieds. Dehors, l'air salin de la mer surcharge l'atmosphère. Rita s'étire à nouveau avant de s'allonger sur une chaise. L'aube, à présent translucide, lui apporte le merveilleux spectacle d'un troupeau de nuages blancs la saluant avant de parcourir son chemin. Charmée par cet agréable tableau, elle prend alors conscience de son bonheur présent. La vie lui a toujours été facile. Guidée par des parents merveilleux, elle a grandi dans une famille entourée d'amour. Elle a fait des études en soins infirmiers, sans même avoir à travailler à temps partiel pour défrayer les coûts de ses cours. Son père était derrière elle et assumait toutes les dépenses. Elle a rapidement déniché un travail dans un hôpital de la région et s'est mariée un peu plus tard avec un homme extraordinaire. Aucun problème d'argent n'assombrit sa vie familiale. Elle et Roger ont également la joie d'être parents de deux petites filles en santé et adorables… enfin, lorsqu'elles ne se disputent pas.

« Je suis comblée », murmure-t-elle en soupirant.

– Maman! Que fais-tu couchée dehors?

Rita tourne la tête vers sa fille. Celle-ci est immobile devant la porte de la caravane.

– Bonjour, Julie. Viens t'asseoir près de moi.

Les yeux mi-clos, la fillette avance à pas de souris vers sa mère.

– J'ai chaud, se plaint-elle.

– Je sais, Julie. Le soleil vient à peine de surgir et l'air est déjà étouffant.

– Quand partons-nous pour la mer?

– Nous allons d'abord déjeuner.

– Va réveiller papa, somme-t-elle. Moi je m'occupe de Juliette.

– Laissons-les dormir encore un peu. Nous n'avons pas souvent l'occasion de bavarder, alors profitons-en.

– De quoi veux-tu parler?

– Je ne sais pas. De toi et de tes amies, suggère-t-elle.

– Eh! Parlant d'amie, je m'en suis faite une nouvelle, hier. Elle a le même prénom que ma sœur.

– Où l'as-tu connue cette Juliette?

– En allant acheter des guimauves, répond-elle effrontément. Elle vient du Saguenay. Tu sais, elle a traversé un très grand parc avant de venir ici. Cependant, elle m'a dit qu'il n'y avait pas de balançoires dans ce parc, juste des arbres. Est-ce vrai, maman?

– Oui. Ce dont ta nouvelle amie t'a parlé est une réserve faunique qu'on appelle le parc des Laurentides. Il relie la région du Saguenay à la région de Québec. Et effectivement, ajoute-t-elle au bout d'un moment, il n'y a que des arbres dans ce parc.

– Alors c'est vrai?

– Tout ce qu'il y a de plus vrai. Il y a très longtemps, je l'ai traversé avec mes parents. C'était en hiver. Les sapins étaient de toute beauté. J'y suis retournée avec ton père un an après votre naissance. Nous voulions visiter cette belle région.

– Est-elle plus belle que la nôtre?

– Différente serait plus juste, mais ce coin de pays a plusieurs attraits touristiques à considérer.

– Qu'avez-vous visité?

– Ton père et moi avons pu observer des baleines de près.

– Vous avez vu des baleines! s'exclame aussitôt la fillette.

– À Tadoussac, un petit village pittoresque situé à l'embouchure de la rivière, nous avons pris un bateau-croisière et nous sommes allés admirer ces gros mammifères.

– Qu'est-ce qu'il y a d'autre au Saguenay?

– La région a pour nom le Saguenay-Lac-Saint-Jean, précise-t-elle.

– C'est long comme nom.

– Peut-être, mais c'est le nom de deux grandes étendues d'eau : Saguenay pour la rivière, et Lac Saint-Jean pour l'immense mer intérieure.

– Qu'as-tu visité après, maman?

– J'ai visité un village.

– Il y a des villages partout maman. Ce n'est rien d'extraordinaire.

– Celui-ci était très spécial, car c'était un village fantôme.

– Tu veux me faire peur. Dis-moi la vérité.

– Son vrai nom est Val-Jalbert, mais on le surnomme ainsi car l'endroit est inoccupé.

– Comment ça?

– Les habitants ont déménagé à la suite de la fermeture de l'usine de pâte à papier en 1927.

– Ensuite maman? Qu'est-ce qu'il y a dans cette région?

– Il y a un très gros jardin zoologique.

– Un zoo!

– Oui, et il est immense.

– Il y a beaucoup d'animaux?

– Oui. Nous pouvons même les observer dans leur état naturel. Les animaux sont en liberté alors que les humains sont en cage.

Un grincement interrompt leur conversation. Juliette apparaît en bâillant.

– J'ai faim.

– Bonjour, Juliette. As-tu bien dormi?

– Oui, mais j'ai faim.

– Je vais préparer le déjeuner. Est-ce que ton père dort encore?

– Il se réveille, je pense.

– Tu n'as pas terminé de me raconter ton voyage, lui rappelle Julie.

– Je finirai un peu plus tard. Pour l'instant, viens m'aider à mettre la table.

Après s'être régalés de bacon, d'œufs et de fromage, tous les membres de la famille se préparent en vue d'une journée au bord de la mer. Fière d'enfiler son nouveau maillot, Rita se prélasse devant son mari en tournoyant.

– Comment me trouves-tu, Roger?

– Très jolie. Il est nouveau?

– Oui. Je l'ai acheté avant de partir. J'ai fini par craquer malgré son prix élevé.

– Tu as bien fait. Ce maillot de bain te va à merveille.

– Merci.

* * *

Allongée sur une chaise longue, Miriame observe l'horizon derrière ses verres fumés. Un large sourire se dessine sur ses lèvres lorsqu'elle distingue au loin son mari sauter la houle de la marée montante. Michel a toujours aimé la mer. Près d'elle, Dave et Juliette construisent un château de sable, s'arrêtant parfois pour regarder leur père plonger entre les moutons blancs. Depuis hier soir, Miriame jouit intensément de ses vacances familiales. L'appel téléphonique passé à sa mère l'a rassurée. Celle-ci lui a affirmé que tout allait bien et de ne pas s'en faire pour elle. Plus rien ne devrait la stresser, et pourtant elle ressent subitement un malaise, une sorte d'agitation. Angoissée, elle fait immédiatement signe à Michel. Celui-ci accourt aussitôt.

– Que se passe-t-il, ma belle?

– Ça me reprend, répond-elle déconcertée.

– Encore envie de moi comme cette nuit, lui murmure-t-il discrètement.

– Je ne te parle pas de ma libido, Michel. Je me sens à nouveau agitée intérieurement.

– Tu devrais consulter, Miriame. Ce n'est pas normal.

– Je sais et cela m'inquiète aussi. Sans raison apparente, mon cœur se met à battre rapidement, comme si quelque chose d'incroyable allait survenir. C'est une sensation tellement bizarre, un genre de pressentiment.

Au même instant, Rita et sa famille arrivent à la plage. Marchant en sautillant sur le sable cuisant, Julie prend les devants. Elle se dirige à l'endroit habituel. Derrière elle, Juliette et Roger suivent de près. Quant à Rita, celle-ci s'immobilise un moment et scrute l'horizon.

– Julie.

La fillette s'arrête et tourne aussitôt la tête en percevant la voix de sa mère.

– Installons-nous du côté droit aujourd'hui.

– Pourquoi? Nous nous plaçons toujours du côté gauche!

– Ce matin, c'est différent. Allez! Fais ce que je te demande.

En repérant sa copine Juliette au loin, l'enfant essaie de dissuader sa mère d'aller vers la droite.

– Regarde maman, dit-elle en pointant son doigt, ma nouvelle amie est là-bas. Allons-y, s'il te plaît.

– Non, Julie, et ne discute pas mes directives.

Roger ne saisit pas le caprice de sa femme. Il s'approche subtilement près d'elle et lui demande :

– Quelle est la raison de ce changement?

– Tu n'as pas remarqué?

– Remarqué quoi?

– Regarde, chuchote-t-elle en dirigeant ses yeux vers la gauche. Observe cette femme, celle au chapeau de paille.

– Qu'a-t-elle de spécial, cette femme?

– Tu ne vois donc rien! Elle a un maillot identique au mien. J'étais pourtant certaine d'avoir l'exclusivité. La vendeuse me l'avait presque affirmé. Et voilà qu'une autre se pavane avec le même. Je me suis bien fait avoir.

– Voyons Rita, ce n'est pas très grave.

– Je n'irai sûrement pas parader près de cette femme. Je peux te l'assurer. C'est du pur plagiat, s'exclame-t-elle offusquée.

– Rita! Tu exagères.

– Ouvre tes yeux, Roger. La seule différence entre nous, affirme-t-elle, c'est son ridicule chapeau de paille.

– Tu détestes les chapeaux, mais…

– Je suis scandalisée. Avoir su, jamais je ne l'aurais acheté.

– Si c'est pour gâcher ta journée alors installons-nous ailleurs.

– Merci, Roger. Je n'en attendais pas moins de toi.

– Allons les enfants, allons encore plus loin, ordonne-t-il.

– Mais papa, s'écrie Juliette, le sable me brûle les pieds.

– Pour une fois que j'aurais pu m'amuser sans ma sœur, marmonne Julie.

– Julie, réplique son père, ce n'est pas tellement gentil pour Juliette.

– Mais papa! J'aurais tant voulu jouer avec ma nouvelle amie.

– Ce sera pour une autre fois.

– C'est toujours comme ça, déplore la fillette déçue.

Couchée sur le ventre à se laisser caresser par le soleil, Rita ne cesse de lorgner vers la gauche. Trop loin pour discerner le visage de cette touriste au maillot de bain identique au sien, elle est néanmoins assez proche pour éprouver de l'irritation.

– Rita.

– Oui, Roger.

– À quoi penses-tu? Tu es muette depuis notre arrivée.

– J'ai seulement apporté deux maillots.

– Et alors?

– Je ne vais pas porter le même pendant deux semaines consécutives!

– Tu fais une montagne avec un grain de sable.

– Tu appelles ça un grain de sable?

– Il n'y a vraiment pas matière à dramatiser.

– Je n'amplifie pas la situation, s'énerve-t-elle. Crois-tu sincèrement que je vais revêtir à nouveau ce maillot pour venir à la plage?

– Pourquoi pas?

– Tu es un excellent psychologue, Roger, mais aujourd'hui ta réaction est typique à ta nature. Tu réagis comme un homme et non comme un professionnel de la santé mentale. Tu ne me comprends pas.

– J'essaie, Rita, je t'assure. Seulement, la fierté féminine demeure pour moi un mystère absolu. Cependant, j'ai peut-être une solution à ton problème.

– Ah oui! Quelle est-elle?

– Va sur la rue Principale et achètes-en un autre.

– Tu n'es pas sérieux! Toutes les boutiques d'Old Orchard Beach possèdent les mêmes bidules.

– Alors nous irons dans une autre ville. En attendant, viens te baigner. La chaleur est suffocante.

– Je n'en ai pas tellement envie.

– Arrête de faire l'enfant et viens, Rita. Les enfants sont déjà à l'eau et ils nous attendent. Tu n'es pas pour rester couchée sur ta serviette toute la journée.

– C'est bon. J'y vais, consent-elle à contrecœur.

* * *

Le désordre émotif qu'éprouve Miriame perdure toute la journée ou presque. Il disparaît comme par magie à l'heure du dîner alors qu'elle et les membres de sa famille se retrouvent dans un restaurant de la rue Principale. L'étrange sentiment réintègre son corps au moment de regagner la plage. Afin de ne pas alarmer son mari, elle lui cache la vérité. À leur retour au camping, elle se sent toujours aussi nerveuse. Pour recouvrer son calme, elle feint un mal de tête et s'allonge sur sa couchette. Michel s'éclipse alors au parc avec les enfants. Les yeux fermés, Miriame cherche à percer le mystère de tant d'agitation. Malheureusement, même en analysant ces curieuses sensations sous tous les aspects, elle ne décèle aucun lien entre son bouleversement d'aujourd'hui, son trouble de la Beauce et l'excitation excessive survenue jadis un soir de Noël.

– Maman! Maman!

Le cri de Dave la fait sursauter.

– Je suis dans la roulotte, précise-t-elle.
– Qu'est-ce qu'on mange? J'ai faim.
– Je n'en sais rien. Où est ton père?
– Il s'en vient avec Juliette. J'ai faim, répète-t-il.
– Aurais-tu le goût de manger des hot dogs?
– Oui.
– Alors nous irons en chercher au restaurant du camping.
– Quand?
– Lorsque ton père et Juliette seront arrivés.

* * *

Chapitre 33

À Québec, le soleil et l'humidité persévèrent depuis déjà une semaine. Dans le confort et la fraîcheur de sa chambre, sœur La Chapelle, assise à son bureau, ouvre le premier tiroir après avoir longuement hésité. Elle s'approvisionne de quelques feuilles. La religieuse prend ensuite une longue inspiration, se lève et se dirige vers la fenêtre entrouverte. Voilée derrière le rideau de dentelle, elle épie avec amertume les couples entrelacés défilant devant le couvent. En dépit du nombre considérable d'années passées entre ces murs, elle n'en demeure pas moins émotive à la vue de telles marques d'affection. Elle soupire et revient s'asseoir aisément à son pupitre. Elle saisit ensuite son stylo.

– Il est temps, murmure-t-elle. J'ai déjà trop longtemps remis cette mission. Si je tarde encore, il sera trop tard.

La tête penchée au-dessus de son pupitre, elle entame sa lettre en écrivant la date d'aujourd'hui

Le 15 juillet 1989

Chère Simone,

Cette lettre va probablement te surprendre et certainement te bouleverser, mais ma démarche d'aujourd'hui a pour but de t'informer de certains détails dissimulés lors de ta grossesse à la Maison Miséricorde. Nonobstant ton droit de connaître la vérité, j'ai abusé de mon autorité envers les gens de mon entourage afin que tu demeures entièrement dans l'ignorance.

Sœur La Chapelle s'adosse un moment et examine les quelques lignes déjà écrites. Jugeant sa démarche trop austère, elle transforme le caractère de son écrit.

Ma cruauté de l'époque est impardonnable, je l'admets, mais, au soir de ma vie, je tiens à me décharger du lourd poids qui noircit ma conscience. Il me sera excessivement pénible de raviver certains passages de mon existence, mais en ai-je le choix si j'aspire à recevoir l'absolution? Me mettre à nu m'apparaît comme la seule solution possible.

Je n'ai pas toujours été humectée de cette méchanceté, crois-moi, mais une blessure engendrée par la trahison et le rejet d'un homme m'a rendue si odieuse et détestable que j'ai voulu me venger, et malheureusement, c'est toi qui en as fait les frais. Je serai donc complètement transparente dans ma confession. Tu seras alors en mesure d'évaluer mon calvaire d'antan, et ainsi, peut-être m'accorderas-tu ton pardon, ne serait-ce que par une larme versée.

La directrice fait une pause de quelques minutes et reprend de plus belle en soupirant.

D'abord, je n'ai pas toujours été religieuse. En 1950, j'étais maîtresse d'école et j'enseignais à des élèves de première année à l'école Notre-Dame-de-l'Assomption, au Saguenay. Si tu creuses dans ta mémoire, tu te rappelleras certainement de cette éducatrice resplendissant de joie à l'annonce de son mariage prochain. Eh bien cette institutrice... c'était moi.

Cette année-là, mon bonheur effleurait l'extase. Même si je devais quitter l'enseignement pour me marier, j'étais heureuse. Paul m'aimait et rien d'autre ne comptait. Mon amoureux et moi avions de grands projets. La vie nous souriait.

Puis, un jour, le ciel m'est tombé sur la tête. Paul m'a quittée pour en épouser une autre, ma propre cousine. Le cœur meurtri par le chagrin, j'ai quand même abandonné mon emploi, laissant croire à tous mes collègues et à mes élèves que je partais m'unir à l'homme que j'aimais dans une autre région. La vérité m'était insupportable. Je devais fuir, vivre mon deuil loin de ce nouveau couple qui aménageait dans une ville voisine. Plus rien ne pouvait me retenir. Quelques semaines plus tard, je faisais mon entrée au couvent comme novice chez les religieuses. Je préférais vivre en retrait plutôt que d'avoir constamment sous les yeux le bonheur de l'homme qui m'avait trahie, car c'était bel et bien une tromperie. Sept mois plus tard, j'apprenais la naissance de leur fille. Cette gifle a été la plus cinglante de toute ma vie. Non seulement Paul avait eu l'audace de me laisser pour convoler en justes noces avec ma cousine Monique, mais il avait osé lui faire un enfant alors qu'il me courtisait et disait m'aimer. J'en ai voulu à tous les hommes de la terre. J'entretenais également une immense rancune envers ma cousine. Je la tenais responsable d'avoir volontairement évincé mon bonheur pour une partie de jambes en l'air. L'humiliation et la peine étaient trop fortes. Je me suis alors précipitée chez ma supérieure pour lui annoncer que j'étais enfin prête à prononcer mes vœux. Cette naissance venait de tracer la route de mon avenir. Désormais, ma vie serait consacrée à Dieu.

Aveuglée par les larmes survenant au fil de son récit, la religieuse s'arrête un moment avant de poursuivre sa missive avec le même abandon.

Au fil du temps, ce traumatisme s'est transformé en désir de revanche. Ainsi, lorsque j'ai croisé ton regard dans mon bureau de la Maison Miséricorde, toi qui étais le sosie parfait de ma cousine, j'ai ressenti une vigoureuse soif de vengeance à l'intérieur de moi. Je te condamnais avant même de te connaître. Sous mes yeux, je revoyais cette courtisane à l'apparence d'un ange qui, pourtant, n'avait pas hésité à me voler mon amoureux. L'enfant germant en toi ressuscitait mes cauchemars. J'étais littéralement obsédée. Quelqu'un devait me rembourser ma vie d'épouse et probablement celle de mère, et ce quelqu'un, c'était toi.

J'ai tout fait pour te rendre la vie impossible pendant ton séjour à notre établissement. En dépit de ta grossesse difficile, je me suis toujours opposée à abolir tes heures de travail à la cuisine, malgré les fréquentes requêtes de sœur Miriame. J'ai dû m'y résigner à la demande formelle du docteur Martin. À ce stade, ton état de santé se détériorait.

Mon animosité à ton égard n'avait plus aucune limite. Le jour où le médecin m'a annoncé que tu portais… des jumeaux, je lui ai immédiatement ordonné de ne rien te dévoiler. Il prévoyait déjà te faire subir une césarienne alors… J'ai appliqué la même consigne à sœur Miriame. J'étais la supérieure, donc on me devait obéissance. Je tenais enfin ma revanche. J'étais enfiévrée à l'idée de pouvoir te dérober ce savoir, ce lien privilégié entre une mère et son enfant. Rien ne m'attendrissait, pas même les implorations soutenues de sœur Miriame.

Après ton accouchement, j'ai volontairement caché ton état de santé à ta mère. Je n'en suis pas très fière aujourd'hui, mais à cette époque, j'en voulais au monde entier.

Le jour où tu as quitté l'établissement, j'ai cru que mon enfer prendrait fin. J'allais désormais pouvoir conjuguer mon existence au futur et non plus au passé. Malheureusement, tu es revenue me hanter quelques années plus tard. En t'apercevant sur le seuil de la porte de mon bureau, j'ai voulu te crier de déguerpir, de ne plus débarquer dans ma vie, mais au lieu de cela, j'ai fait semblant de ne pas te reconnaître. N'étant pas complètement cicatrisée, ma blessure s'est réouverte et j'ai récidivé. Chaque fois que j'ouvrais la bouche, c'était pour te mépriser, pour t'humilier. Je t'ai même menti au sujet de sœur Miriame en t'affirmant ne pas connaître son lieu de résidence. À ce moment-là, elle se trouvait en Ontario, dans le même genre d'établissement. Je lui avais ordonné un transfert plusieurs années après ton départ. Je ne supportais plus de la voir aux petits soins avec nos pensionnaires. Sa sollicitude envers ces filles de passage me faisait inévitablement penser à toi et mon conte de fées anéanti refaisait indubitablement surface. Pour ne pas tolérer cette souffrance davantage, j'ai dû la mandater hors de la province. Ce départ l'a beaucoup affligée, mais puisqu'elle était bilingue, j'avais une excellente raison pour me débarrasser d'elle sans éveiller le moindre soupçon. Aujourd'hui, par contre, j'ai complètement perdu sa trace.

Pendant notre bref entretien, je t'ai posé maintes questions sur ta vie. Je jubilais de joie à chacune de tes réponses, car ton existence équivalait à la mienne : célibataire et sans enfant. Envahie de nouveau par la rancune, j'ai poursuivi mon interrogatoire afin de te rabaisser et t'entailler davantage. Ta solitude me procurait une jouissance dépourvue de tout sens. J'évacuais le reste de ma déchéance.

Mon euphorie s'est rapidement transformée en furie lorsque tu m'as révélé ta profession. Comment pouvait-on confier l'éducation de nos enfants à une pécheresse? C'était immoral. D'apprendre que tu professais à l'école où j'avais jadis moi-même enseigné me répugnait. Mais le pire restait à venir. Dans ton emportement à mes sarcasmes, tu as mentionné avoir fait ton primaire à ce collège. C'est alors que je me suis brusquement souvenue de toi. Comment avais-je pu oublier cette petite fille aux cheveux d'or, ce visage angélique, mon élève favorite?

Complètement vidée d'avoir rédigé ce texte sans prendre de véritable pause, sœur La Chapelle s'adosse et ferme les yeux pendant de longues minutes. Affaiblie par la maladie, la directrice est tentée de s'arrêter et de s'allonger un moment. Néanmoins, elle juge ses aveux primordiaux et incline à nouveau la tête malgré sa fatigue.

J'ai longuement réfléchi aux dommages causés par ma fierté et mon désir de vengeance, et sincèrement, je n'en suis pas très fière. J'ai réalisé trop tard que j'étais responsable de ma propre destinée. Paul et Monique n'ont pas brisé ma vie, je l'ai détruite moi-même. L'ignorant à l'époque, mon venin s'est répandu sur toi. Tu ressemblais tant à ma cousine! Aujourd'hui je suis accablée de remords. Je tiens à réparer ma faute avant de quitter ce monde terrestre.

Tu as mis au monde deux petites filles, Simone, toutes les deux en excellente santé. J'avais fait le serment de t'aider à les retrouver bien avant, mais je n'ai disposé d'aucun moment pour t'écrire, car un cancer est venu m'empoisonner la vie et j'ai dû suivre plusieurs traitements afin de l'enrayer de mon corps. J'ai réussi à obtenir une rémission de quelques années, mais...

Sœur La Chapelle s'accorde un moment de repos. Il lui est infiniment difficile d'admettre la réalité.

Au seuil de la vie éternelle je te demande pardon. Mon orgueil a détruit ma vie, mais a inévitablement affecté la tienne. J'annexe à ma lettre une photo de tes jumelles. À l'insu de tous, sœur Miriame les avait photographiées. Je l'ai appris par hasard quelques jours avant son transfert en Ontario et je lui en ai dérobé une. Je tenais à te la faire parvenir avant mon départ pour l'au-delà. J'ai inscrit à l'endos l'adresse des parents adoptifs de Viviane. À l'époque, je lui ai donné ce prénom fictif à la demande de sœur Miriame. Ta fille porte aujourd'hui le nom de Rita Dumas. Elle a été adoptée par un couple sans enfant qui habitait dans la Beauce. Par contre, je n'ai plus les coordonnées des gens qui ont élevé Miriame, car malheureusement, plusieurs dossiers ont été égarés au cours des années. Je me souviens toutefois de la région où ils demeuraient. C'était au Saguenay-Lac-Saint-Jean. Eux non plus n'avaient pas encore la joie d'être parents.

Je te demande de ne pas en vouloir à sœur Miriame. Elle a gardé le secret par obéissance. S'il y a quelqu'un à blâmer dans cette histoire, ce n'est pas elle, mais moi. Cette religieuse t'aimait profondément, Simone.

Je clôture ici ma lettre. J'ignore si le Seigneur voudra me pardonner ces années de silence et de cruauté, mais j'espère de tout cœur que ces renseignements pourront t'aider à retrouver tes filles et à augmenter ton compte d'épargne affectif.

Pardon
Viviane Gauthier
Alias sœur La Chapelle

Exténuée, la religieuse fait un dernier effort. Elle inscrit le nom et l'adresse connue de Simone sur une enveloppe et y insère sa lettre. Après avoir appliqué un timbre, elle regagne son lit douillet et s'endort aussitôt.

* * *

Chapitre 34

En route vers le mini-restaurant du camping, le corps de Miriame est à nouveau monopolisé par une sensation étrange. Sa première réaction est de faire demi-tour et d'envoyer Michel chercher le souper, mais au prix d'un effort incroyable, elle poursuit son chemin afin de ne pas décevoir ses enfants ayant déjà une bonne avance sur elle. Arrivée à son but, elle oriente ses pas vers une des files d'attente. Dave et Juliette poursuivent leur course vers le carré de sable où deux petites jumelles s'amusent.

À quelques pas d'elle, Rita attend patiemment sa commande de hot dogs. Les serveuses sont débordées et plusieurs clients sont mécontents.

Brouillée par cette émotion bizarre et l'ambiance bruyante régnant dans la pièce, la mémoire de Miriame fait défaut. Avant d'accéder au comptoir, elle cherche du regard sa fille Juliette. L'apercevant près du restaurant, elle s'avance près de la fenêtre entrouverte.

– Juliette! Juliette! Rappelle-moi les condiments à mettre dans ton hot dog. Je ne m'en souviens plus.

Deux réponses différentes parviennent à ses oreilles.

– De la moutarde et du chou.

– Juste du ketchup maman.

Ayant identifié la voix de sa fille au loin, Rita se tourne vers Juliette. Elle l'aperçoit en train de s'obstiner.

– Pourquoi réponds-tu à ma mère?

– C'était la voix de ma mère, pas la tienne.

– Tu te trompes. C'était maman.

– Allons voir.

Abandonnant Dave et Julie, les deux amies arrivent rapidement sur les lieux. Devant deux visages identiques, Juliette et Juliette demeurent stupéfaites. Le regard fixe et la bouche entrouverte, la fille de Miriame semble clouée sur place. Sa copine se frotte incessamment les yeux, cherchant par ce geste à se réveiller.

– Que se passe-t-il, Juliette, demande aussitôt Miriame en découvrant le visage sidéré de sa fille.

Dans un même temps, Rita s'adresse à sa fille.

– As-tu mal aux yeux Juliette?

Troublée par une voix similaire à la sienne, Rita tourne aussitôt la tête. Miriame en fait autant. Repérant sa copie, l'épouse de Michel sent soudainement ses jambes ramollir. Rita a plutôt l'impression de s'observer dans un miroir. Un accessoire les différencie cependant. Son sosie porte un chapeau alors qu'elle n'en a jamais supporté. En dépit de cette découverte ahurissante, Rita se ressaisit vite en voyant sa réplique perdre conscience. Infirmière de profession, elle accourt aussitôt vers cette femme inerte afin de lui procurer les premiers soins. Elle demande ensuite à sa fille d'aller chercher Roger. Juliette décampe rapidement et revient avec son père au bout de quelques minutes. D'abord surpris de voir sa femme à genoux, il est estomaqué en découvrant le visage de cette inconnue allongée.

– J'ai besoin de ton aide, Roger. Amenons cette femme à la roulotte.

Roger soulève délicatement le corps de l'étrangère et se précipite vers la sortie. Paralysée sur place depuis son entrée au restaurant, la fille de Miriame se laisse néanmoins guider à l'extérieur par Rita.

– Je suis infirmière, la rassure-t-elle. Mon mari amène ta maman à ma roulotte afin que je puisse la soigner. Ne t'inquiète pas.

Dehors, Dave et Julie s'amusent toujours. Apparemment, ils ne se sont rendu compte de rien.

– Est-ce ton frère? demande Rita en pointant le garçonnet.

– Oui.

– Où est ton père?

– À notre terrain.

– Demande à ton frère d'aller le chercher. Qu'il vienne nous rejoindre à cette roulotte, précise-t-elle en montrant la sienne, et ensuite reviens. Nous allons prendre soin de ta maman.

– Elle ne va pas mourir? implore subitement la fillette en larmes.

– Non. Rassure-toi. Ta maman a été secouée en me voyant, mais...

– Vous avez le même visage et la même voix, l'interrompt-elle.

– Je sais. Allez maintenant, ne traîne plus. Va vite aviser ton frère et rejoins-moi.

Rita s'approche de sa fille désemparée.

– Juliette! Juliette!

– Maman, c'est toi?

– Bien sûr, chérie.

– Mais... Cette madame... Elle a un visage pareil au tien.

– Je sais, mais nous en reparlerons plus tard. Allons, viens maintenant.

Ayant été avisé par Dave du malaise de sa femme, Michel accourt aussitôt vers elle. Dans un temps record, il arrive au terrain désigné par son fils. L'apercevant par la fenêtre, Roger sort de sa roulotte suivi de sa fille et de sa copine.

– Papa! s'écrie Juliette en bondissant vers son père, maman vient de se réveiller.

– Qu'est-il arrivé? Dave m'a dit que ma femme était tombée dans les pommes.

– Votre femme a perdu conscience en apercevant la mienne, explique Roger.

– Quoi? Je ne comprends pas. Où est-elle?

– À l'intérieur. Mon épouse est auprès d'elle.

– Je veux la voir, réclame-t-il.

– Je dois d'abord vous prévenir de quelque chose, spécifie Roger.

– De quoi?

– De leur physique.

– Pardon!

– Nos deux conjointes sont pratiquement identiques.

– Vous vous moquez de moi!

– Je vous jure que non. Leur ressemblance est stupéfiante.

Muet depuis son arrivée, Dave s'exclame aussitôt :

– Maman s'est-elle trouvé une jumelle?

Sa question demeure sans réponse. Son père se précipite déjà à l'intérieur. Michel fige en découvrant le sosie de sa femme. Il devine à présent la consternation de Miriame face à cette similitude.

– Votre femme est par ici, souligne Rita. Venez.

Michel s'accroupit auprès de sa femme alitée.

– Je suis là, Miriame.

– Michel! L'as-tu vue?

– Oui, ma belle. Comment te sens-tu à présent?

– Je n'en sais rien. Je suis tellement surprise!

– Cette découverte est ahurissante, je sais.

En retrait, Rita et Roger les observent en silence. Michel se redresse.

– Je la ramène chez nous.

– Nos femmes viennent de recevoir un choc, soumet Roger. Elles voudront sans doute élucider cette coïncidence.

– Probablement, mais pour l'instant Miriame a besoin de repos.

– Oui, Michel. Ramène-moi. J'ai besoin de me retrouver. Je suis si confuse.

Après avoir remercié le couple, Michel entraîne sa femme à l'extérieur.

– Attends, Michel, décrète-t-elle en s'immobilisant brusquement.

– Ça ne va pas?

– Si.

Celle-ci abandonne le bras de son époux et retourne sur ses pas.

– Dites-moi au moins votre nom.

– Je m'appelle Rita. Rita Dumas. Et vous?

– Miriame Fortin. Êtes-vous déjà venue au Saguenay?

– Oui, deux fois. Pourquoi?

– À quel âge?

– La première fois c'était en 1966, je crois. C'était dans le temps des Fêtes, et la deuxième fois…

Renversée par cette précision, Miriame n'entend pas la suite. Elle sent soudainement une chaleur l'envahir. Michel s'aperçoit rapidement de son trouble.

– Allons-y maintenant, insiste-t-il en lui prenant le bras.

Appuyée à la table de camping, Rita les regarde s'éloigner. Roger s'approche d'elle.

– Tout un choc, n'est-ce pas?

– Et comment!

* * *

Cette nuit-là, aucune des deux femmes ne trouve le sommeil. Tournant sans cesse dans son lit, Rita décide de se lever. Tiré des bras de Morphée par le froissement du sac de couchage, Roger regarde sa montre.

– Où vas-tu? Il est une heure du matin.

– Je n'ai pas sommeil. Je vais prendre l'air.

– Attends-moi. Je t'accompagne.

Dehors, Roger allume un feu. Assise devant les flammes, Rita garde le silence.

– Tu songes encore à cette femme?

– Comment pourrais-je l'oublier? C'est mon portait.

– C'est assez surprenant, en effet.

– Notre ressemblance n'est pas l'unique cause de ma tourmente, Roger.

À ces mots, il arque les sourcils.

– J'ai fait une découverte étonnante cet après-midi et j'en suis encore bouleversée.

– De quoi s'agit-il?

– En lui aspergeant le cou, j'ai aperçu une médaille épinglée à sa bretelle de sous-vêtement.

– Ça prouve seulement qu'elle est catholique.

– Sans doute, mais c'est beaucoup plus. Sa médaille était identique à la mienne.

– En es-tu certaine?

– Oui, Roger.

– Ça alors! C'est renversant.

– Comprends-tu à présent la raison de ma stupéfaction? Je portais cette médaille lors de mon adoption. Et si c'était ma sœur! Que dis-je? Ma jumelle, elle me ressemble tellement.

– Je ne vois qu'une façon d'éclaircir ce mystère. Tu dois lui parler.

– Je sais.

Rita se lève subitement.

– Où vas-tu?

– Il faut que je sache.

– Rita! Tu n'y penses pas sérieusement? Nous sommes en pleine nuit.

– Elle est peut-être encore éveillée.

– Attends quand même à demain, veux-tu?

* * *

À l'autre bout du camping, Miriame, toujours sous le choc des événements de la journée, observe les étoiles en cherchant à comprendre.

La voix de son mari la fait sursauter.

– Miriame! Ça ne va pas?

– Michel, si tu savais, murmure-t-elle en soupirant.

– Viens te coucher et cesse d'y penser.

– Je ne peux pas. Cette femme est probablement ma jumelle, Michel.

– Elle te ressemble beaucoup, c'est vrai, néanmoins je trouve tes spéculations un peu prématurées.

– Alors comment expliques-tu toutes mes agitations spontanées?

– Je n'en sais rien.

– Elle a déclaré être allée au Saguenay en 1966. Mes troubles ont commencé à cette époque, précise-t-elle.

– D'après toi, tu aurais ressenti sa présence?

– J'en suis presque certaine. Rita devait se trouver à l'église Sainte-Thérèse en même temps que moi. J'ai éprouvé la même chose lors de notre passage dans la Beauce. Sais-tu qu'elle demeure à Saint-Georges? lance-t-elle convaincue.

– D'où tires-tu cette information?

– De Juliette.

Michel se gratte le menton.

– J'ai été adoptée, Michel, lui rappelle-t-elle.

– Toutes ces coïncidences portent à réfléchir, je l'admets, mais…

– Ce n'est pas tout. Je mettrais ma main au feu qu'elle se trouvait sur la plage aujourd'hui.

– Attends un peu, Miriame. Tu vas beaucoup trop vite pour moi. Je te suggère d'abord de lui parler.

– C'est ce que je vais faire demain matin.

– Tu dois connaître sa date de naissance avant tout.

– C'est pourtant vrai! Je suis née un 29 février. Cette date ne revient que tous les quatre ans.

– Exactement. Commence par lui poser cette question avant de poursuivre ton enquête. Ce sera un bon début. Il faut savoir également si cette femme a été adoptée.

– J'en suis presque sûre. Je la sens tellement proche.

– Si tu le dis. Néanmoins, nous ne passerons pas la nuit à parler d'elle. Nous en avons déjà discuté toute la soirée et j'ai sommeil. Viens te coucher maintenant. Il est près de deux heures.

* * *

Après une longue nuit agitée, Rita soulève la couverture et quitte furtivement le lit. Attrapant son fourre-tout au passage, elle sort de la caravane sans faire de bruit et s'oriente vers les douches du camping. L'eau tiède jaillissant sur son corps lui prodigue le calme espéré. Habituellement sereine, Rita a l'impression d'être bousculée par le hasard et de perdre le contrôle. D'abord, songe-t-elle, il y a eu cette femme sur la plage au costume de bain identique au mien. Inopinément, son regard se tourne vers son sac.

– Avec tout ce remue-ménage, j'ai complètement oublié d'apporter l'autre maillot.

Elle s'essuie et enfile le même que la veille. Elle sort ensuite de son refuge. En chemin, elle croit rêver en apercevant Miriame venir à sa rencontre, vêtue de la même manière. Ses jambes se mettent à trembler malgré elle.

– Bonjour, formule Miriame en arrivant près d'elle.

Sous le choc, Rita lui répond en bégayant.

– Bon… Bonjour. Excuse-moi, mais…

– Saisissant, n'est-ce pas?

– Incroyable. C'était donc toi?

– Pardon!

– Aucune importance, répond-elle machinalement. Mais, tu me ressembles tellement! Tu as également les mêmes goûts vestimentaires. C'est invraisemblable.

– Je n'en reviens pas non plus, réplique Miriame en la tutoyant à son tour.

– Il me paraît essentiel d'avoir une conversation, suggère Rita après un bref silence. Que dirais-tu d'aller prendre un café au restaurant du camping? Il est déjà ouvert à cette heure.

Miriame acquiesce d'un signe de tête.

– Je n'ai presque pas dormi de la nuit, lui confesse-t-elle.

– Moi non plus, avoue Rita.

Assises l'une en face de l'autre, les deux femmes s'examinent sans trop savoir par où commencer. Pressée d'élucider ses hypothèses, Miriame engage la conversation la première.

– J'ai beaucoup réfléchi et j'aimerais te poser quelques questions.

– Bien sûr. Ne sommes-nous pas ici pour éclaircir ce mystère?

– Si.

Miriame prend une bonne inspiration.

– Quel âge as-tu?

– 29 ans.

– J'ai le même âge. C'est incroyable. Quelle est ta date de naissance? poursuit-elle avec nervosité.

– Le 29 février 1960.

Le cœur de Miriame semble s'arrêter.

– Quelle est la tienne, demande à son tour Rita en retenant son souffle.

– Le 29 février 1960.

À cet instant, une dame vêtue d'un tablier blanc et munie d'un carnet surgit près d'elles.

– Alors? Les jumelles vont-elle déjeuner ou préfèrent-elles seulement faire réchauffer leur café?

Gênées, les deux femmes n'osent la contredire.

– Nous allons déjeuner, répondent-elles simultanément.

La serveuse prend rapidement leurs commandes et disparaît. Miriame et Rita reviennent vite au sujet qui les préoccupe.

– C'est ahurissant! Nous sommes nées le même jour, s'exclame Rita.

– Alarmant serait plus juste, corrige Miriame d'un rire nerveux. Une question me brûle la langue.

– Elle est sûrement pertinente et d'une grande importance. Je t'écoute, Miriame.

La bouche de celle-ci semble paralysée.

– Ça ne va pas, Miriame?

– Si, Rita. Je suis néanmoins très nerveuse.

– Je le suis également, la rassure-t-elle.

– As-tu été adoptée? réclame-t-elle vivement.

Les mains de Rita se mettent subitement à trembler. Miriame s'en aperçoit.

– Excuse-moi, Rita. C'est indiscret de ma part.

– Pas du tout, réplique-t-elle. C'est que… j'ai effectivement été adoptée. Et toi?

– Moi aussi.

– C'est vrai?

– Tout ce qu'il y a de plus vrai.

– Je suis estomaquée. Serions-nous jumelles?

– Je n'en sais rien, mais ne sautons pas trop vite aux conclusions.

– Tu as raison. Cependant, lorsque tu as perdu conscience hier, je t'ai aspergé le cou d'eau froide.

– Et alors?

– J'ai découvert bien involontairement une médaille miraculeuse épinglée à ta bretelle.

– Je l'ai depuis mon tout jeune âge.

– D'où te vient cette médaille?

Miriame saisit vite le mobile de sa question.

– Ne me dis pas que tu portes la même. Ça alors!

– Elle était agrafée à mes vêtements lorsque mes parents sont venus me chercher à la Maison Miséricorde.

– La Maison Misé... La Maison Miséricorde, parvient-elle à prononcer. C'est l'endroit même où j'ai été adoptée.

De plus en plus excitée, Miriame cherche à en savoir davantage.

– Tu m'as dit hier être allée au Saguenay pour le temps des Fêtes en 1966.

– C'est exact, mais où veux-tu en venir?

– La veille de Noël, étais-tu présente à la messe de minuit à l'église Sainte-Thérèse?

– Je suis incapable de te répondre, Miriame. J'étais bien trop jeune à cette époque. Tout ce dont je me souviens de ce voyage, c'est du carrefour giratoire face à l'église et de mon affreux chapeau rouge qu'on m'obligeait à porter. Mon manteau rouge était beau, mais si tu avais vu le chapeau? Il était affreux. Mais de là à affirmer qu'il s'agissait de l'église Sainte-Thérèse, je ne le peux pas. Mais pourquoi cette question?

– Je t'ai vue, Rita, enfin entrevue, corrige-t-elle, je sentais ta présence.

– Pardon!

– J'en suis de plus en plus certaine. Es-tu allée faire l'épicerie il y a quatre jours?

– Oui.

– Quelqu'un t'a-t-il aidée à entrer les sacs dans la maison?

– Roger m'a aidé, mais pourquoi cette question? Tu m'as vue?

– Je t'ai vue, mais avant je t'ai ressentie, Rita.

Devant toutes ces coïncidences et leurs témoignages respectifs, les deux femmes en viennent à la même conclusion. Elles sont jumelles. Envahies par le désir de se connaître, ni l'une ni l'autre ne voit le temps passer.

À la recherche de sa femme depuis une bonne demi-heure, Michel arrive finalement au restaurant. Lorsqu'il repère les deux femmes assises au fond du *snack-bar* en grande conversation, il hésite. Se sentant observée, Miriame tourne la tête. Elle distingue rapidement son époux et lui fait signe d'approcher. Michel lui sourit et s'avance.

– Je te cherchais, entame-t-il un peu maladroitement.

– Pauvre Michel! Je suis partie depuis…

Miriame regarde sa montre.

– … depuis déjà trois heures. Tu devais sûrement être inquiet.

– Un peu, avoue-t-il.

– Tu connais déjà Rita.

– Oui, bien sûr. Bonjour, Rita.

– Bonjour, Michel.

L'homme lance un regard interrogateur à sa femme. Celle-ci répond à sa question demeurée silencieuse.

– Rita et moi avons fait plus ample connaissance. Nous avons longuement bavardé et…

Encore sous l'effet de l'émotion, Miriame tend la main à Rita avant de terminer sa phrase.

– Rita est ma jumelle, Michel. Elle est née le même jour que moi, elle a été adoptée en 1960 à la Maison Miséricorde elle aussi et elle porte la même médaille miraculeuse. C'est invraisemblable, et pourtant c'est l'évidence.

– J'en suis renversé, s'exclame Michel. J'étais loin de m'imaginer faire la connaissance d'une nouvelle belle-sœur en vacances.

Les jumelles se mettent à rire.

– Et nous alors?

– Que diriez-vous d'aller annoncer cette nouvelle à nos enfants et à ton mari, Rita. Ils seront certainement ravis.

– C'est une excellente idée.

Rita se rend compte qu'elle n'a pas un sou pour payer son déjeuner.

– Je n'ai pas d'argent sur moi.

– Moi non plus, émet Miriame.

– J'ai amplement de quoi payer votre premier tête-à-tête.

– Merci Michel.

– Ça me fait plaisir. Prenez de l'avance, je vous rejoins tout de suite.

À l'extérieur, les jumelles s'orientent vers le terrain de Rita. Lorsque Roger repère sa femme et Miriame, il sourit.

– Eh bien! expose-t-il à son épouse d'un air moqueur, j'étais loin de m'imaginer un tel spectacle! Ma femme se pavanant en compagnie d'une personne portant un maillot identique au sien, ricane-t-il. Mais où vais-je mettre la croix?

– Ça n'a plus d'importance aujourd'hui, Roger. Miriame et moi avons longuement discuté ce matin et…

– Non!

– Si Roger. Nous sommes jumelles. C'est une grande découverte.

– Entrez à l'intérieur. Je suis impatient de connaître le déroulement de cette conclusion.

– Où sont nos filles?

– Elles sont au parc avec tes enfants, Miriame. D'ailleurs les voilà, dit-il en pointant le doigt. Ton mari est avec eux.

– Maman! Maman, s'écrit Dave essoufflé d'avoir couru. Est-ce que c'est vrai? Cette dame est-elle vraiment ta jumelle?

Michel les rejoint.

– J'ai rencontré toute la marmaille en revenant, annonce-t-il en souriant. Je n'ai pas pu résister. Je le leur ai dit.

– Est-ce que c'est vrai, maman? demande à nouveau Dave.

– Oui. C'est ma jumelle, donc votre tante.

– Venez les enfants, invite Roger. Je vais vous préparer un bon verre de jus et ensuite, Rita et Miriame vont se faire un plaisir de tout nous raconter.

* * *

La théorie de Miriame s'avère juste. C'était bel et bien de l'intuition qu'elle ressentait, car depuis sa rencontre hasardeuse avec Rita, plus aucun remous intérieur ne vient troubler sa paix.

Au cours des jours suivants, les jumelles apprennent davantage à se connaître et à s'apprécier. Ainsi, au fil de leur rendez-vous quotidien, chacune d'elles décèle chez l'autre des traits de sa propre personnalité.

– J'ai l'impression de te côtoyer depuis toujours, Miriame. Je suis capable de prévoir tes réactions et je devine très souvent tes pensées. C'est inouï.

– Ça m'arrive aussi et ça me fait presque peur. En autant que je ne tousse pas si tu es grippée, ricane-t-elle.

– Tu peux bien rire, mais ça s'est déjà vu entre jumelles.

Miriame devient soudainement très sérieuse.

– Je ne veux pas rester des lunes sans te revoir, Rita. Les vacances vont bientôt se terminer et Dieu seul sait quand nous nous reverrons.

– Eh! La Beauce n'est pas au bout du monde.

– C'est vrai, mais malgré tout, je ne pourrai plus te voir tous les jours.

– Le téléphone n'existe pas pour rien.

Enlacées par la taille, les deux sœurs poursuivent en silence leur promenade sur la plage. Au bout d'un quart d'heure, Rita s'immobilise et fixe les vagues gémissant sur la grève.

– T'arrive-t-il de penser à notre mère naturelle?

– Je me doutais bien qu'un jour tu me poserais cette question. J'y ai déjà songé, mais c'est si loin maintenant. Et toi?

– Davantage depuis quelques jours. J'aimerais bien la connaître.

– Pas moi, réplique spontanément Miriame. Cette femme n'a aucune importance à mes yeux.

– C'est quand même notre mère biologique. Elle détient les premières pages de notre vie.

– Que ce soient quelques pages ou un chapitre au grand complet, je ne suis pas intéressée, clarifie-t-elle. Changeons de sujet, veux-tu, Rita? Profitons plutôt de cette belle journée ensoleillée sans la ternir en parlant de cette étrangère. Discutons plutôt de notre prochaine rencontre. Ce sera beaucoup plus intéressant. Que dirais-tu de la fin de semaine du travail?

* * *

Chapitre 35

En ce début de septembre, Simone reprend le chemin du collège. En dépit des vives couleurs de feu ornant les forêts avoisinantes, le cœur de l'enseignante est enveloppé d'une lourde tristesse. Sa fille n'est toujours pas inscrite au Mouvement Retrouvailles.

Quant à Jean-Claude, à la suite du succès de l'an dernier, son émission « Vos histoires touchantes et invraisemblables » reprend l'antenne cet automne.

– Que dirais-tu de m'accompagner sur le plateau d'enregistrement, Simone? demande Jean-Claude en ce samedi matin. Ça me ferait réellement plaisir. Tu n'es pas encore venue une seule fois depuis le début.

– Je ne sais pas, hésite-t-elle. Qui est l'invité?

– Kevin, un jeune garçon d'une dizaine d'années, et sa mère, Hélène. Le petit a subi une greffe du foie à sa naissance, car il avait une maladie régionale très rare portant le nom de « tyrosinémie ».

– Pauvre petit!

– Kevin était le premier bébé à subir une telle greffe à l'époque et ce fut une réussite. Son opération a nécessité l'assistance d'une dizaine de spécialistes de différents pays.

– Y a-t-il eu des rejets?

– Oui, et même plusieurs. Le petit a failli mourir à plusieurs reprises.

– Comment se porte-t-il maintenant?

– Avec une médication appropriée et un contrôle mensuel, ce petit bonhomme vit comme tous les autres gamins. Hélène nous parlera davantage de cette période difficile.

– J'imagine facilement la tourmente de cette femme.

– Ça devait être aussi pénible pour le père.

– C'est vrai, mais pour une mère, c'est différent. C'est elle qui porte l'enfant dans son sein pendant neuf mois. Elle le chérit et l'espère jusqu'à sa délivrance. Et lorsqu'elle le tient finalement dans ses bras, l'amour maternel prend alors tout son sens. À chaque rejet, cette femme devait probablement se sentir amputée. Perdre un enfant est la pire chose qui puisse arriver. Je sais de quoi je parle, soupire-t-elle les yeux brumeux.

Jean-Claude s'approche d'elle après l'avoir écoutée religieusement.

– Je m'excuse. J'aurais dû prévoir que cette histoire t'affecterait.

– J'irai te voir en studio une autre fois, Jean-Claude, si ça ne te fait rien.

– Bien sûr, ma chérie. Ça peut attendre.

– Je ne suis pas très facile à vivre, n'est-ce pas? Tu mériterais sûrement mieux que moi.

– Je ne veux plus t'entendre dire de pareilles sottises, Simone. Tu es ce qui m'est arrivé de plus beau dans la vie. Je t'aime tant!

* * *

Octobre renaît sous un ciel boudeur et monotone. Une épaisse masse de nuages semble immobile en altitude, et pourtant un vent agressif dénude sans gêne les arbres des forêts.

Cette déchéance automnale ne détourne cependant pas Simone de son rituel quotidien. Sous son imperméable, l'enseignante brave le vent et se dirige à la hâte vers le ruisseau Tremblay. Comme tous les autres jours, elle s'immobilise près du gros peuplier. Machinalement, elle saisit au fond de sa poche sa médaille miraculeuse et la suce de sa fille. Elle s'agenouille ensuite et ferme les yeux. Sa prière diffère néanmoins de son oraison traditionnelle.

« Seigneur! Je me recueille aujourd'hui auprès de cet arbre pour la dernière fois. »

Avant de poursuivre, elle cherche un mouchoir dans son sac à main, car des larmes perlent sur ses joues.

« Toi seul connaîs ma douleur. Depuis des années, j'espère un mot, un appel, un signe de mon enfant, mais en dépit de mes espérances, le temps file sans que je perçoive la moindre lueur au bout du tunnel. Je ne peux plus continuer ainsi, c'est trop souffrant. Comme une âme en peine, j'erre sans but. Je ne savoure plus les beaux moments qui me sont offerts, je n'ai aucune envie de faire de projets à court ou à long terme et, le plus atroce, c'est de me rendre compte que je néglige les gens autour de moi. »

Simone s'essuie à nouveaux les yeux.

« Jean-Claude m'aime et je l'aime profondément. Cependant, mon amour pour lui est retenu par mon obsession de retrouver ma fille. »

L'enseignante soupire en levant les yeux au ciel.

« Ce brouillard m'assaille depuis trop longtemps. Aujourd'hui je te cède le gouvernail, car je n'en peux plus. Si tes plans sont de ne jamais la mettre sur mon chemin, alors je me plie à ta sainte volonté, même si cette pensée me déchire le cœur. Oriente ma vie selon tes désirs, Seigneur. Maintes fois j'ai récité le Notre Père et pourtant je n'ai encore jamais prononcé… que ta volonté soit faite avec autant d'abandon. Je te demande juste de veiller sur elle afin qu'elle soit heureuse. Aide-moi également à poursuivre mon chemin en acceptant son absence. Amen. »

* * *

Chapitre 36

Ce matin, après de longues heures d'hésitation, le ciel sombre de novembre se décide à poudrer de gros flocons de neige. Cette première danse hivernale remue incessamment le cœur de Marcelle, qui, le nez collé à la fenêtre de sa cuisine, contemple cette valse passagère avec autant d'intérêt qu'à l'époque de son enfance. La magie de ce spectacle ne l'incite évidemment plus à sortir de la maison et à construire un bonhomme de neige, néanmoins, il la stimule à cuisiner pour le temps des Fêtes et à fredonner des cantiques de Noël.

La vieille dame se tait brusquement, saisie par la sonnerie du téléphone. Elle presse aussitôt le pas afin d'aller répondre.

– Allô!

– Bonjour, maman. Je ne te dérange pas, j'espère.

– Non, non, ma grande. Comment vas-tu?

– Bien merci. Je ne peux pas te parler très longtemps, car je suis à l'école, entre deux cours.

– Je comprends.

– Aimerais-tu avoir de la compagnie pour dîner aujourd'hui?

– Bien sûr! À quelle heure comptes-tu arriver?

– Entre onze heures trente et midi.

– Parfait. Ça me donnera le temps de nous cuisiner un bon petit pâté aux légumes.

– J'avais prévu m'arrêter chez le traiteur avant de me rendre chez toi.

– Il n'en est pas question, Simone. Tu viens si peu souvent à la maison. D'ailleurs, j'étais déjà en train de cuisiner. Je viens tout juste de mettre au four des bonnes brioches aux raisins et à la cannelle.

– Tu me mets l'eau à la bouche.

– J'espère.

– Je dois raccrocher maintenant. Les cours vont reprendre dans quelques minutes. À bientôt maman.

– À tout à l'heure. Sois prudente en voiture. Il neige à plein ciel et les routes sont probablement glissantes.

– Ne t'en fais pas pour moi.

Après avoir raccroché, Marcelle se remet à l'œuvre. Reprenant son cylindre, elle roule avec force un amas de pâte badigeonnée de farine naturelle. Toujours aussi alerte en dépit de sa soixantaine avancée, elle tournoie sur elle-même, attrape en passant la spatule et façonne une torsade qu'elle dépose délicatement dans une lèchefrite. Elle y introduit ensuite les légumes blanchis. Elle recouvre le tout d'un papier d'aluminium et met le plat au four. Après avoir terminé de tout ranger, elle s'installe dans la chaise berçante et surveille le facteur par la fenêtre. Réglé comme les aiguilles d'une montre, celui-ci ne devrait plus tarder à se pointer. « Enfin, le voilà », dit-elle tout haut en distinguant son manteau bleu parmi la poudrerie naissante. La vieille dame se lève promptement et lui ouvre la porte avant même qu'il pose un pied sur la galerie enneigée.

– Bonjour, monsieur Savard.

– Bonjour, madame Lavoie.

– Entrez donc vous réchauffer une minute. On gèle dehors.

– J'accepte volontiers votre invitation. La température commence d'ailleurs à basculer. Dire qu'il faisait si beau au début de la matinée.

– Voulez-vous boire un bon café?

– C'est très gentil de me l'offrir, madame Lavoie, mais je dois terminer ma tournée avant midi. Tenez, c'est pour vous, dit-il en lui remettant trois enveloppes.

– Merci.

Marcelle les dépose sur la table sans les examiner.

– Je vais reprendre la route maintenant. Je vous souhaite une bonne journée.

– À vous aussi, monsieur Savard, et merci.

L'arôme de la cannelle embaume à présent toute la maisonnée. Marcelle s'empresse de retirer du fourneau sa douzaine de brioches dorées à point. Quant au pâté aux légumes, il doit rissoler encore une quinzaine de minutes. Avant de dresser la table, elle saisit la pile d'enveloppes. Le téléphone retentit de nouveau. Sans même y jeter un coup d'œil, elle dépose son courrier sur le buffet et décroche le combiné.

– Allô!

– Bonjour, maman. C'est Sonia.

– Bonjour. Comment vas-tu, ma fille?

– Bien maman et toi?

– Assez bien, je te remercie.

– Fais-tu quelque chose de spécial aujourd'hui?

– Simone vient dîner à la maison, mais ensuite je suis libre. Pourquoi?

– Je ne travaille pas cet après-midi. Aimerais-tu m'accompagner dans les magasins?

– Par cette température!

– Maman! Je ne t'offre pas une balade dans le parc des Laurentides, je te propose simplement de passer un après-midi au chaud dans les magasins. Alors? Est-ce que l'idée te plaît?

– Assez, oui. Je vais même commencer mes achats des Fêtes, soumet-elle en fixant son pâté aux légumes par la vitre du fourneau.

– C'est ce que je compte faire moi aussi.

– Pourquoi ne viendrais-tu pas manger avec nous, Sonia? Simone serait tellement contente de te voir.

– Je ne peux pas. Les enfants vont bientôt arriver de l'école.

– J'avais oublié. À quelle heure comptes-tu venir me chercher?

– Vers une heure.
– Parfait. Je serai prête.
– À bientôt.
– À tout à l'heure, ma fille. Soit prudente en conduisant.
– Maman! Tu ne cesses de me le répéter.
– Que veux-tu? Une mère s'inquiète de ses enfants jusqu'à son dernier souffle, même s'ils ont l'âge de voler de leurs propres ailes.

Après avoir raccroché, Marcelle retourne à la cuisine. Son pâté aux légumes est prêt. Elle le retire rapidement du four. Lorsqu'elle discerne le ronronnement d'une voiture, elle se pointe à la fenêtre. Dehors, Simone lui fait de grands signes. Marcelle lui ouvre hâtivement la porte.

– Bonjour! Entre vite.
– Bonjour, maman. Que ça sent bon chez toi!
– Mon pâté sera délicieux, tu verras.
– Je n'en ai jamais douté.

Simone enlève son manteau et le dépose sur la patère de bois fabriquée jadis par son père. Ensuite, elle embrasse sa mère.

– Qu'est-ce que c'est? s'écrit Marcelle en voyant sa fille lui tendre une boîte recouverte d'un joli papier coloré.
– C'est pour toi. Ce n'est rien d'extravagant, mais je crois que ça te plaira.
– Mais, ce n'est pas mon anniversaire!
– Ai-je besoin d'une occasion spéciale pour te gâter?

Embarrassée, la sexagénaire enlève le ruban ornant l'emballage en répétant sans cesse :

– Ça n'a pas de sens! Ça n'a tout simplement pas de sens.
– Ce n'est presque rien. Allez, ouvre vite.
– Ça me gêne de recevoir des cadeaux. Tu le sais.

Lorsqu'elle découvre le foulard de soie, Marcelle s'exclame aussitôt :

– Qu'il est beau!
– Il te plaît?

– Et comment! Cependant, je continue d'affirmer que tu n'aurais pas dû.

Dépourvue de mots, elle retire le présent de sa boîte et l'enroule à son cou. Elle presse ensuite le pas jusqu'au miroir pour mieux s'admirer.

– Je ne sais comment te remercier. Je vais le porter aujourd'hui même.

– Il conviendra parfaitement avec ton manteau bleu.

– Il est ravissant. Merci encore, Simone.

– Si on mangeait maintenant. Je n'ai qu'une heure pour dîner.

– Bien sûr. D'ailleurs tout est prêt. Il ne reste qu'à dresser la table. Je n'en ai pas eu le temps.

– Je vais le faire, maman.

Simone retire la nappe de dentelle ainsi que la gerbe de fleurs séchées qui orne le centre de la table.

– Où dois-je déposer ton bouquet?

– Mets-le sur le buffet.

– Où sont les napperons maintenant?

– Dans le tiroir du buffet.

Après avoir déposé napperons, ustensiles, salière et poivrière sur la table, Simone s'oriente vers la cuisinière afin de servir. Marcelle s'y oppose.

– Va t'asseoir. Tu en as déjà assez fait. Je suis parfaitement capable de faire le service.

Assises l'une en face de l'autre, mère et fille discutent de tout et de rien.

– C'est délicieux.

– Merci beaucoup.

– As-tu des nouvelles de Sonia et de Solaine?

– Solaine vient faire son tour de temps en temps avec son mari. Elle va bien.

– Et Sonia?

– Elle est en congé aujourd'hui. Elle m'a téléphoné pour m'inviter à faire les magasins cet après-midi.

– As-tu accepté?

– Oui. Je vais en profiter pour commencer mes achats de Noël.

– Je devrais commencer sous peu, moi aussi. Par contre, je n'ai aucune idée de ce que je pourrais offrir à mon filleul.

La conversation entre les deux femmes se poursuit avec entrain jusqu'à la fin du repas. Vers midi et demi, Simone aide sa mère à tout ranger. En reprenant le bouquet de fleurs séchées sur le buffet, l'institutrice aperçoit le courrier de sa mère. Son regard s'arrête cependant sur une des enveloppes, car son nom y est griffonné.

– Maman?

– Oui, Simone.

– Quand ai-je reçu cette lettre?

– De quoi parles-tu? demande-t-elle en tournant la tête vers sa fille.

– Cette lettre m'est adressée, dit-elle en prenant l'enveloppe dans ses mains.

– Je n'en savais rien. J'ai déposé le courrier sur le buffet ce matin sans même le regarder. Le téléphone a sonné et ensuite je l'ai complètement oublié. Mais qui peut bien t'écrire à mon adresse?

– Je n'en sais rien. Enfin, je l'ouvrirai ce soir. Pour l'instant je dois partir, car je vais être en retard.

Simone met son manteau et remercie sa mère une dernière fois avant de prendre congé

Le soir venu, en attendant le retour de Jean-Claude, Simone déguste un verre de vin en épluchant son courrier. Ses yeux s'immobilisent sur la lettre parvenue chez sa mère. N'ayant aucune adresse de retour, celle-ci aiguise davantage sa curiosité. Sans aucune délicatesse, elle saisit le coupe-papier et l'ouvre grossièrement. À l'intérieur, un court message est relié à une enveloppe par un trombone. L'institutrice parcourt ce mot abrégé sans vraiment comprendre.

Le 15 novembre 1989

Chère madame,

Ma démarche d'aujourd'hui a pour but de vous faire parvenir une lettre vous étant adressée. Celle-ci se trouvait sur le bureau de ma sœur lors de son décès au mois d'août dernier. Trop malade pour la poster, elle a sans doute oublié de déléguer quelqu'un pour l'expédier à sa place. J'espère que cette missive n'a pas trop d'importance, car elle vous parvient avec trois mois de retard et peut-être même davantage.

Francine Gauthier

Simone dégage à la hâte la dizaine de feuilles repliées et commence à lire. À la fin du premier paragraphe, celle-ci n'a toujours pas idée de l'auteur de la lettre. Ses yeux cherchent la signature à la dernière page. En apercevant le nom de Viviane Gauthier alias sœur La Chapelle, ses mains se mettent à trembler et une vague de mauvais souvenirs la submerge aussitôt. Cherchant à dissiper de son esprit le visage de la directrice, Simone se lève brusquement et saisit le téléphone sur la petite table près d'elle. Elle compose rapidement un numéro et attend quelques secondes avant d'entendre une voix rassurante.

– Allô!

– Bonjour, Jean-Claude.

– Bonjour, fleur chérie.

– À quelle heure comptes-tu arriver ce soir?

– J'achève de rédiger un communiqué et j'arrive. Pourquoi?

– Juste pour savoir. Je m'ennuie de toi, dit-elle d'une voix émotive.

– Moi aussi, fleur chérie.
– Alors ne tarde pas trop.
– Simone!
– Oui, Jean-Claude?
– Ça va?
– Oui.
– Tu en es certaine?
– Oui, ne t'inquiète pas. À bientôt.

Ce téléphone le laisse cependant perplexe. Après avoir raccroché, le journaliste abandonne son pupitre et se dirige vers la fenêtre. Dehors, l'ombre mauve a déjà enveloppé le paysage laiteux de ce matin. Il saisit son paquet de cigarettes dans la poche de sa chemise et s'en allume une. Simone ne quitte toujours pas son esprit. Après avoir écrasé son mégot, il quitte le bureau à la hâte.

Arrivé chez lui, il l'aperçoit assise sur le divan. Son menton est accoté sur ses genoux repliés et son regard semble ailleurs.

– Simone!

Elle tourne la tête délicatement.

– Que se passe-t-il?

Comme une automate, celle-ci lui tend la lettre. Jean-Claude la saisit sans détourner son regard.

– Qu'est-ce que c'est?
– J'ai reçu cette lettre aujourd'hui. Elle est arrivée chez ma mère.
– Qui t'a écrit? demande-t-il en posant son regard sur le bout de papier.
– Une certaine Francine Gauthier.
– Que veut-elle?

Simone ne répond pas. Après avoir parcouru rapidement le billet, il l'interroge à nouveau.

– As-tu lu la lettre de sa sœur?
– Le début seulement. Ensuite je suis allée voir la signature.
– Qui est-ce?

– Viviane Gauthier, alias sœur La Chapelle.

– Quoi! Cette religieuse qui ne t'aimait pas!

– Exactement. Je ne savais même pas qu'elle était malade, alors imagine ma surprise en apprenant son décès.

– De plus en plus intrigant, lance-t-il spontanément. Je gagerais ma chemise que cette bonne sœur avait mauvaise conscience et c'est la raison pour laquelle elle t'a écrit avant de mourir.

– Sans doute, mais je suis incapable de la terminer, Jean-Claude. Mes mains tremblent chaque fois que je touche le papier. Veux-tu la lire pour moi, s'il te plaît?

– Bien sûr, fleur chérie.

– Merci.

Jean-Claude la serre contre lui.

– Je commence, annonce-t-il en élevant les feuilles de quelques centimètres.

Le journaliste entame sa lecture tranquillement. Il s'arrête après le premier paragraphe et consulte Simone.

– Te sens-tu capable d'écouter le reste?

– Elle dit m'avoir caché des renseignements.

– C'est bien ce qui est écrit.

– Continue.

Jean-Claude penche à nouveau la tête et poursuit.

– Qu'est-ce que ça veut dire, s'exclame-t-il à la fin de la première page. Cette religieuse t'a déjà fait l'école?

Sous le choc, la gorge de Simone semble nouée. Le souvenir de la petite école remonte bien vite à la surface, laissant place à une ravissante jeune femme debout devant le tableau noir de la classe. Rayonnante de bonheur, celle-ci vient d'informer ses élèves qu'elle quitte l'enseignement pour se marier. Simone se revoit assise à son pupitre, versant des larmes à l'annonce de son départ.

Le sourire éclatant de sa maîtresse d'école se métamorphose brusquement en un bec pincé.

– Simone!

Elle sursaute en entendant son nom.

– Est-ce que ça va?

En guise de réponse, elle lui fait signe de poursuivre sa lecture.

... le jour où le médecin m'a annoncé que tu portais... des jumeaux.

À ces mots, Simone sent ses veines se gonfler. Deux, elle en a eu deux et jamais personne ne lui en a soufflé mot. Pourquoi? Pas même sœur Miriame, qui, pourtant, était si proche d'elle. Une douleur de trahison lui transperce le cœur, mais se cicatrise aussitôt en entendant la suite.

...je lui ai immédiatement ordonné de ne rien te divulguer. Il prévoyait déjà te faire subir une césarienne, alors... J'ai appliqué la même consigne à sœur Miriame. J'étais la supérieure donc on me devait obéissance. Je tenais enfin ma revanche. J'étais enfiévrée à l'idée de pouvoir te dérober ce savoir, ce lien privilégié entre une mère et son enfant. Rien ne m'attendrissait, pas même les implorations soutenues de sœur Miriame.

Jean-Claude hésite à poursuivre sa lecture.

– Simone! Tiens-tu à entendre la suite?

Au prix d'un nouvel effort, elle lui demande de continuer. Cette lettre a désormais trop d'importance. Elle prête soigneusement l'oreille à chaque mot. Au fil des phrases, une vague de souvenirs lancinants l'assaillent. Sous ses paupières closes, le visage de sœur La Chapelle prend forme. Simone ne lui distingue aucune compassion au moment de signer le formulaire d'abandon, au contraire. Son regard n'affiche que du dégoût et du mépris à son endroit.

J'annexe à ma lettre une photo de tes jumelles. À l'insu de tous, sœur Miriame les avait photographiées. Je l'ai appris par hasard quelques jours avant son transfert en Ontario et je lui en ai dérobé une. Je tenais à te la faire parvenir avant mon départ pour l'au-delà. J'ai inscrit à l'endos l'adresse des parents adoptifs de Viviane. À l'époque, je lui ai donné ce prénom fictif à la demande de sœur Miriame. Ta fille porte aujourd'hui le nom de Rita Dumas.

Simone ouvre les yeux instantanément. Une photo! Une adresse! Dieu aurait-il enfin exaucé ses prières? Frissonnante d'émotion, elle enfonce rapidement ses doigts dans l'enveloppe blanche et y retire la dite photo. À la vue des deux bébés allongés côte à côte dans une couchette, son cœur fait un soubresaut et ses lèvres se mettent à trembler. Témoin de cette scène bouleversante, Jean-Claude ne peut retenir ses larmes en voyant sa femme caresser le visage de ses deux petits anges, de son index.

– Viens près de moi, arrive-t-il à prononcer avec difficulté.

Simone tourne la tête et lui sourit. Jean-Claude lui tend un mouchoir. Elle le refuse du revers de la main.

– Non, Jean-Claude. Mes larmes portent désormais un nom. Viviane et Miriame. Mes deux petites filles, émet-elle en soupirant. J'ai l'impression de rêver. J'ai deux enfants en santé, deux, répète-t-elle. Sœur La Chapelle me donne même l'adresse des parents adoptifs de l'une d'elles, et l'autre, poursuit-elle avec émotion, a été adoptée par des gens du Saguenay. C'est merveilleux! Je perçois enfin une lueur au bout du tunnel.

Elle soupire à nouveau.

– Maman m'a déjà dit que lorsque le Seigneur ferme une porte, c'est qu'alors il ouvre une fenêtre. Aujourd'hui j'ai l'impression de vivre en plein courant d'air. Un vent d'espoir et d'assurance vient de s'infiltrer dans ma vie. Tout comme le feu, j'avais besoin de cet oxygène pour renaître. J'aurai sans doute à affronter quelques obstacles avant de m'épanouir complètement, mais je me sens revivre, tu comprends?

Simone s'interrompt quelques secondes avant de reprendre de plus belle.

– Je ne sais pas si un jour je pourrai pardonner à sœur La Chapelle ces nombreuses années de silence, néanmoins, sans ses aveux, je serais toujours dans l'ombre. Deux, deux, répète-t-elle en riant. Est-ce possible, Jean-Claude? J'ai mis au monde deux belles petites filles.

* * *

Chapitre 37

À l'autre bout de la province, Rita converse avec sa jumelle. En dépit du nombre d'années d'éloignement, le lien du sang a su rattraper le temps perdu. À présent, les deux sœurs ne passent pas une semaine sans discuter de longues heures au téléphone.

– J'ai tellement de peine, sanglote Miriame au bout du fil. Elle ne mérite pas ce qui lui arrive. Elle a toujours été si bonne. Pourquoi? Je ne comprends pas. Pourquoi?

– Pauvre Miriame, dit Rita, impuissante devant le désarroi de sa jumelle.

– Pourtant, poursuit-elle, ma mère n'a jamais été malade, alors pourquoi?

– Que disent exactement les médecins?

– Ils sont formels. Il n'y a rien à faire. Ma mère est condamnée, termine-t-elle d'une voix étouffée.

– Aimerais-tu que j'aille passer quelques jours avec toi?

– Mais… Tes enfants? Ton mari?

– Ce n'est pas un problème. Les enfants vont à l'école le jour et leur père est à la maison le soir.

– Et ton travail à l'hôpital?

– Il me reste plusieurs jours de congé à prendre. Ne t'inquiète pas pour moi, Miriame. Tu as d'autres chats à fouetter pour l'instant.

– C'est vrai, avoue-t-elle. Mon père n'en mène pas large lui non plus avec cette brique qui nous tombe sur la tête. Il n'arrête pas de pleurer depuis hier.

– Et ta sœur?

– J'ai l'impression qu'Annie ne réalise pas l'ampleur de la maladie de maman.

– C'est possible. Alors! Que dis-tu de ma proposition?

– Tu sais parfaitement ce que j'en pense.

– J'aimerais quand même te l'entendre dire.

– Je t'attends avec impatience, Rita. Tu me manques tellement.

– J'arriverai demain en fin d'après-midi.

* * *

Chapitre 38

Au volant de sa nouvelle voiture, Simone file à cent kilomètres à l'heure sur la route enneigée et sinueuse. En dépit d'une grande nervosité, elle se sent le cœur léger pour la première fois depuis bien des années. À ses côtés, Jean-Claude roupille depuis déjà un bon moment. Elle touche la médaille miraculeuse enchaînée à son cou et récite une prière avant d'ouvrir la radio.

Jean-Claude s'étire au son de la musique.

– Bonjour, fleur chérie.

– Bonjour, as-tu bien dormi?

– Comme un bébé. J'en avais grandement besoin, souffle-t-il en se frottant les yeux. Ai-je dormi longtemps?

– Plus de deux heures.

– Tant que ça?

– Eh oui! Il est presque dix-sept heures. Regarde, le soleil rejoint déjà l'horizon.

– On devrait peut-être s'arrêter pour prendre une bouchée. Qu'en dis-tu?

– Tu n'y penses pas. Il ne reste qu'une dizaine de kilomètres avant d'arriver à Saint-Georges de Beauce. J'ai si hâte, Jean-Claude, soupire-t-elle.

– Je sais. Seulement j'aimerais te mettre en garde encore une fois.

– Non merci. Je sais déjà tout ce que tu diras et, franchement, je n'en ai aucune envie. J'arrive comme un cheveu sur la soupe, je sais. Néanmoins je n'ai pas d'autre choix. Je dois me présenter chez les parents adoptifs de Rita si je veux prendre contact avec ma fille.

– Comment te sens-tu?

– Très agitée et paradoxalement très sereine. C'est difficile à expliquer. Voilà, nous arrivons, s'exclame-t-elle en apercevant les lumières de la ville.

Simone s'engage vers un garage à proximité de la route afin de s'informer du chemin à parcourir pour se rendre à l'adresse désignée. Elle reprend le volant de plus en plus excitée.

Arrivée devant la maison, des larmes surgissent en découvrant une vieille balançoire gisant à moitié sous la neige. Jean-Claude s'approche d'elle et lui prend la main.

– Ça va?

– Oui, échappe-t-elle avec difficulté, mais je ne sais pas si mes jambes tiendront jusqu'à la porte d'entrée. Je me sens terriblement nerveuse.

– Veux-tu que je t'accompagne?

– Non merci. Ça ira, et d'ailleurs je préfère y aller seule.

– Comme tu voudras, fleur chérie. J'irai prendre un café au restaurant du coin en attendant.

Simone respire à fond.

– Je suis prête maintenant.

– Je suis avec toi, mon amour. Tout se passera bien, tu verras.

– Merci.

De soupir en soupir, Simone descend de la voiture et se dirige lentement vers la maison de briques jusqu'à la galerie déblayée. Elle tourne la tête et regarde Jean-Claude une dernière fois avant de sonner à la porte.

« Ça y est. Je ne peux plus reculer maintenant. »

À l'intérieur, Thérèse enlève son tablier en entendant la sonnerie. Elle passe machinalement sa main sur ses cheveux remontés avant d'aller répondre.

– Oui.

– Suis-je bien chez M. et Mme Julien Dumas?

– Je suis Mme Dumas. Que puis-je pour vous?

– Je me présente. Simone Lavoie. Mon nom ne vous dira rien, mais…

Frissonnant de tout son corps, Simone murmure à peine la raison pour laquelle elle se retrouve ici.

– J'aimerais rencontrer Rita.

– Ne restez pas sur le perron. Entrez!

– Merci.

Un long frisson lui parcourt le dos en traversant le seuil de la porte.

– Rita n'habite plus ici depuis longtemps.

– Oui. Je m'en doutais un peu.

– Ça y est! s'exclame Thérèse, vous êtes une de ses copines qui a suivi le cours d'infirmière avec elle. Est-ce que je me trompe?

Embarrassée, Simone ne répond pas tout de suite. De plus en plus intriguée par ce silence, la dame au chignon attend.

– Je ne suis pas une ancienne copine de classe, madame Dumas. Je suis… Je suis sa mère naturelle et…

Secouée par ces mots, le visage de Thérèse change de couleur.

– Pardon!

– Ne croyez pas que…

– Je ne pense absolument rien, l'interrompt-elle grossièrement. Je suis surprise, c'est tout. Si je m'attendais à ça.

– J'aurais sans doute dû vous prévenir de ma visite, mais…

– Ne rajoutez rien, requiert-elle en élevant la main. Laissez-moi le temps de me remettre du choc.

– Bien sûr, excusez-moi.

– Je n'en reviens pas… Sa mère naturelle…

En dépit de la panique qui l'habite, Thérèse essaie de maîtriser sa réaction. En l'espace de quelques secondes, elle remonte le temps et se souvient du jour où Rita lui a annoncé vouloir retrouver sa mère biologique. Elle en avait été bouleversée. Et voilà qu'à présent cette femme sans visage qu'elle a jadis détestée se retrouve devant elle. De quelle façon doit-elle réagir devant cette inconnue? L'idée de la mettre à la porte lui traverse l'esprit, mais les paroles de son mari lui reviennent en mémoire. « Cette femme ne prendra jamais ta place, car la vraie mère, c'est celle qui en prend soin. C'est toi, tu comprends? Personne d'autre. » Ces mots lui redonnent confiance. Cependant, d'autres phrases viennent la troubler. « Ce n'est pas elle qui l'élève depuis sa naissance, mais elle reste celle qui l'a mise au monde. Cesse de la juger, car tu ne connais pas les circonstances de son abandon. »

Simone se sent infiniment intimidée par ce lourd silence. Déguerpir de cette maison serait sans doute la solution facile pour enrayer son embarras, mais le désir de retrouver sa fille outrepasse ce malaise. Finalement, au bout de quelques minutes, Thérèse l'invite à s'asseoir.

– Je ne suis pas ici pour vous enlever votre fille, madame Dumas, mais plutôt pour vous remercier d'en avoir pris soin, et, si c'est possible, j'aimerais la connaître.

– Me remercier!

– Oui. Que puis-je dire d'autre à la femme ayant chéri et élevé l'enfant que je n'ai pu garder?

– Vous croyez vraiment ce que vous dites?

– Bien sûr, madame Dumas.

Stupéfaite d'entendre de tels remerciements, Thérèse reste bouche bée.

– Je ne m'attendais pas à ça, finit-elle par articuler.

– Ce n'est sûrement pas facile de me voir débarquer chez vous sans craindre de…

– Oh! Je n'ai pas peur de perdre ma fille, loin de là, clarifie-t-elle aussitôt. Mon insécurité est remisée depuis déjà bien longtemps. Je suis même plutôt soulagée de vous connaître. Accueillir Rita chez nous fut un merveilleux cadeau. Ce serait plutôt à moi de vous remercier. Ma vie sans elle aurait été bien terne. Mais dites-moi, comment avez vous obtenu notre adresse?

– C'est une longue histoire, précise-t-elle avant d'entamer son récit.

Un peu moins gênée, Simone l'informe d'abord des événements tragiques de l'époque. L'émotion lui remonte à la gorge alors qu'elle évoque la mort du père naturel de Rita.

Curieuse de connaître son histoire, Thérèse l'écoute sans l'interrompre.

De fil en aiguille, Simone se laisse aller et témoigne de son séjour à la Maison Miséricorde. Ne cherchant aucunement à se disculper de ses choix antérieurs, elle lui parle de son éclampsie, du coma après l'accouchement, de l'amour de sœur Miriame et du rejet de la directrice de l'établissement.

Émue, Thérèse l'écoute avec intérêt. S'il lui restait une parcelle de ressentiment à son égard, celui-ci se dissipe totalement.

– J'ai appris l'existence de Rita dernièrement. Il y a à peine un mois, j'étais convaincue d'avoir accouché d'une seule fille.

Elle relate alors sa césarienne et le silence du médecin.

– Lorsqu'il m'examinait, il me disait constamment que tout allait bien.

– Il n'a jamais fait allusion à votre grossesse gémellaire?

– Jamais, sans doute par crainte des représailles de la directrice. Pour cette femme, je représentais le péché.

– Je veux bien vous croire, mais vous n'étiez tout de même pas la seule dans cette situation, alors pourquoi vous?

Pour répondre à sa dernière question, Simone retire de son sac à main la lettre de sœur La Chapelle et lui lit quelques passages. Elle lui montre ensuite la photo des deux jumelles.

– Comme elles sont mignonnes! s'exclame aussitôt Thérèse en posant son regard sur celle-ci.

– Laquelle des deux est Rita?

Sans hésiter, Thérèse pointe sa fille de son index.

– Rita a les cheveux un peu plus foncés. C'est elle.

– Je n'ai pas eu la chance de la prendre dans mes bras, pas même une seule fois. J'étais encore dans le coma lors de son départ.

– Je suis désolée.

– Tout ça est derrière moi maintenant. Il y a quelques mois, ma vie se desséchait comme une feuille d'automne. J'avais perdu tout espoir de retrouver ma fille et voilà qu'à présent…

Simone avale sa salive.

– Pensez-vous que Rita voudra me rencontrer?

– Je ne peux répondre à sa place, mais je connais le cœur de ma fille. Il est à la bonne place.

– Décrivez-la moi. Comment est-elle?

– Elle est très jolie. Ses yeux sont pers et sa chevelure ressemble à la vôtre.

Thérèse dépeint alors sa fille avec toute l'affection d'une mère. Les larmes aux yeux, Simone l'écoute religieusement et s'alimente de chaque petit détail. Celle-ci termine son exposé en lui mentionnant l'immense bonheur de l'avoir accueillie chez elle.

– Vous la décrivez avec tant d'amour, conclut Simone en s'essuyant les yeux.

Thérèse ne répond pas à cette remarque. Déjà debout, elle lui propose une tasse de café. Simone l'accepte volontiers.

– Une chose m'intrigue cependant, madame Dumas.

– Laquelle?

– Vous ne semblez pas surprise d'apprendre que Rita a une jumelle.

Thérèse toussote avant de réagir.

– C'est que… j'étais déjà au courant.

– Je ne comprends pas. Comment pouvez-vous le savoir alors que moi-même l'ignorais il y a à peine un mois?

Elle lui rapporte alors brièvement le voyage de sa fille de l'été dernier.

– Mes deux filles se connaissent?

– Oui et depuis ce merveilleux hasard, elles sont devenues très proches l'une de l'autre. Elles sont actuellement ensemble, ajoute-t-elle.

– Cette histoire est digne d'un conte de fées. Je vais entrer en relation avec mes deux filles en même temps. C'est au-dessus de tout ce que j'espérais.

– N'allez pas trop vite, Simone. Rita n'est pas dans la région. Elle se trouve au Saguenay, chez Miriame.

– Au Saguenay!

– La mère de Miriame est très malade. Rita a pris quelques jours de congé afin d'aller la réconforter. Ma fille doit revenir demain ou après-demain.

– Je vois.

– Restez-vous bien longtemps?

– Sûrement quelques jours.

– Laissez-moi vos coordonnées et, dès son retour, je lui parlerai de votre visite.

– Oui, bien sûr.

Remarquant le tremblement soudain de son hôte, Thérèse ajoute immédiatement :

– Retrouver ses origines a beaucoup plus d'importance à ses yeux depuis ses retrouvailles avec sa jumelle. Néanmoins, je ne veux pas vous faire de fausses joies. Il est également possible qu'elle ait besoin de temps avant d'accepter de vous rencontrer, mais je vous promets de lui parler dès son retour.

– Je ne sais comment vous remercier. J'étais loin de vous imaginer aussi gentille. Vous ne vous objectez pas à une éventuelle rencontre et, pourtant, votre refus serait légitime.

– J'avoue que votre venue me déstabilise un peu, cependant je ne suis aucunement angoissée. Je suis même heureuse pour Rita.

– Elle a eu bien de la chance d'avoir été adoptée par une personne aussi aimable.

– J'aime ma fille et je vais tout faire pour l'aider à s'épanouir davantage. Ceci dit, je ne crois pas que je vous aurais reçue de la même manière il y a quelques années. J'étais très possessive à l'époque.

– J'ai réservé au Grand Hôtel, dit-elle en se levant. Je vous remercie beaucoup de m'avoir reçue sans préavis et surtout de votre compréhension.

– La seule raison qui me pousse à agir de la sorte, c'est l'amour que j'ai pour ma fille. Je souhaite avant tout son bonheur. Je sais pertinemment qu'elle désire obtenir des réponses à ses questions, or le fait de vous connaître et d'apprendre à vous apprécier ne m'enlèvera rien.

– Vous savez, j'étais très angoissée à l'idée de frapper à votre porte, mais à présent je me sens beaucoup plus sereine. Je vous remercie.

– Dès son retour, je parlerai avec ma fille. N'ayez crainte.

– Merci, répète-t-elle.

À cet instant, quelqu'un entre sans frapper.

– Ah! Voilà mon mari, s'exclame Thérèse.

Celui-ci enlève sa casquette.

– Je vous présente Julien, mon époux. Julien, voici Simone Lavoie, la mère biologique de Rita.

Julien arque les sourcils et interroge sa femme du regard. Cette blondinette lui semble bien jeune pour être la mère naturelle de sa fille.

– Bonjour, madame, finit-il par prononcer.

– Bonjour, monsieur Dumas.

Il observe à nouveau sa femme. Celle-ci ajoute aussitôt :

– Mme Lavoie aimerait rencontrer Rita.

Connaissant parfaitement son époux, Thérèse s'attend à ce qu'il blague pour cacher son malaise.

– Vous ne seriez pas plutôt une autre de ses sœurs? s'empresse-t-il de lui demander.

– Julien! s'exclame Thérèse.

– Ceci dit, ma fille sera ravie de vous connaître.

– Vous le pensez réellement?

– Ma femme a dû vous en glisser un mot.

– C'est exact, mais je suis rassurée de l'entendre une deuxième fois.

– Ma Rita est la Vierge réincarnée, dit-il d'un air narquois.

– C'est vrai qu'elle a un cœur d'or, précise Thérèse, qui reconnaît parfaitement le genre d'humour de son mari, mais de là à la comparer à la Vierge!

– Ma femme ne veut pas être délogée de son statut de sainte, riposte-t-il, même pas par sa propre fille.

– Ne l'écoutez pas, Simone. Il ne cesse de me taquiner.

Enfin seule avec sa femme, Julien veut en savoir davantage sur cette femme. Thérèse lui explique en détail son entretien. Lorsqu'elle mentionne que le père biologique de Rita est décédé dans un accident de voiture avant même de savoir qu'il allait être père, Julien se détend enfin. Si jadis il s'était permis de faire la morale à sa femme, il s'était bien gardé de lui avouer sa crainte de voir surgir un jour le vrai père de Rita.

* * *

Dès l'instant où il aperçoit le visage de Simone, Jean-Claude devine sa satisfaction. Il s'abstient cependant de tout commentaire, sachant fort bien qu'elle ne dira rien pour l'instant. Il y a beaucoup trop de bruit et d'oreilles indiscrètes autour d'eux. Le couple quitte rapidement ce lieu assourdissant et regagne sa chambre d'hôtel. Simone manifeste illico sa joie en sautant au cou de son conjoint. Elle lui révèle ensuite son entretien de l'après-midi avec madame Dumas.

– J'ai aussi fait la connaissance de son père adoptif. Un monsieur très gentil d'ailleurs. Il est arrivé lorsque je m'apprêtais à partir. Il pense exactement comme sa femme.

– Ce qui veut dire?

– Il croit que Rita acceptera de me connaître.

– C'est très encourageant.

– Encourageant! C'est beaucoup plus, Jean-Claude. Je suis si anxieuse de la rencontrer.

Simone presse le pas vers le téléphone.

– À qui téléphones-tu, Simone?

– À ma mère. Elle doit certainement attendre mon appel.

Elle compose rapidement le numéro et patiente en tapant du pied. Marcelle répond au bout de quelques secondes.

– Allô!

– Bonjour, maman. C'est Simone.

– Enfin! J'avais une telle hâte de recevoir de tes nouvelles. Alors? Raconte.

– J'arrive à peine de chez M. et Mme Dumas.

– Je parie que tout s'est bien passé.

– À merveille, maman. Tu ne devineras jamais ce que j'ai appris.

– Je suis tout ouïe, ma grande. Je t'écoute.

Sans aucune interruption, Simone l'informe de sa rencontre avec la mère adoptive de sa fille.

– Tu parles d'une belle surprise! Tes deux filles se connaissent déjà. Je n'en reviens pas.

– C'est la pure vérité. Je suis si heureuse! Ce premier contact me donne des ailes. J'ai l'impression de planer sur un nuage.

– C'est merveilleux. Je suis réellement contente pour toi.

– Tout ce que je souhaite maintenant, c'est que Rita accepte de me voir.

– Cesse de te torturer, Simone. De là haut, ton père t'accompagne et veille sur toi.

– J'en suis convaincue, maman, répond-elle en touchant sa médaille miraculeuse. Je dois raccrocher maintenant. Jean-Claude m'attend. Nous n'avons pas encore soupé. Je te redonne des nouvelles bientôt.

– Je pense très fort à toi, Simone.

– Moi aussi, maman. Bonsoir.

– Bonsoir, ma grande, et bon souper.

* * *

Chapitre 39

Au Saguenay, le froid se fait de plus en plus mordant. Un vent aigre soulève des tourbillons glacés sur l'immense drap blanc. Devant la fenêtre, Miriame observe le mauvais temps et ne peut retenir ses larmes. Rita prépare sa valise pour retourner en Beauce.

– Miriame, ne fais pas cette tête.

– Excuse-moi, Rita. Je ne devrais pas pleurer, mais j'en suis incapable. Mes larmes débordent chaque fois qu'on se quitte.

– Ce n'est pas plus facile pour moi, mais j'ai ma famille et je ne peux m'éterniser. Tu comprends?

– Bien sûr et je te remercie d'être venue.

– Je te téléphone dès mon retour.

Miriame se jette dans ses bras en pleurant.

– Merci, Rita. Ta présence m'a été d'un grand réconfort.

– Tu en aurais fait autant pour moi.

– C'est vrai, approuve-t-elle.

– Les semaines à venir te demanderont un énorme courage. N'hésite pas à me téléphoner.

– Je commence à peine à me faire à l'idée qu'elle nous quittera sous peu. C'est si difficile à accepter.

Michel entre à cet instant.

– Ça y est. La voiture est déblayée.

– Je dois y aller maintenant, indique-t-elle en embrassant sa jumelle.

– Oui, il est l'heure. À bientôt, Rita.

– À bientôt, Miriame. Bonjour, Michel, et merci beaucoup.

* * *

Chapitre 40

Aussi nerveuse qu'au matin de ses noces, Thérèse Dumas époussette le buffet pour la septième fois en l'espace d'un quart d'heure. Entre deux coups de plumeau, elle tourne la tête, observe la trotteuse de l'horloge un instant et termine son rituel en scrutant l'horizon. Dehors, le vent est tombé, cependant le calme régnant au pays de l'érable ne parvient pas à apaiser sa tourmente.

Les phares d'une voiture attirent soudainement son attention. Sa fille arrive et elle n'a toujours pas trouvé la formule adéquate pour l'informer de la visite imprévue de Simone.

Le sourire dominical qu'affiche son aînée en entrant chez elle efface néanmoins toutes traces d'anxiété.

– Allô, maman.

– Bonsoir, Rita, répond-elle en l'embrassant. Comment s'est passé ton voyage?

– Assez bien, merci. Si seulement il n'y avait pas ce sacré parc des Laurentides!

– Pourquoi? Comment était-il? s'inquiète aussitôt Thérèse.

– Pas très beau. Il neigeait à plein ciel. J'ai pris trois heures à le traverser.

– Tu devais être très fatiguée.

– Un peu, mais j'ai un mari en or, ajoute-t-elle sans prétention. Roger prend bien soin de moi. Pour enrayer mon stress, il m'a fait couler un bain parfumé d'huiles essentielles quelques minutes après mon arrivée.

Thérèse sourit à cette remarque, tout en l'invitant à s'asseoir.

– Où est papa?

– Au local des Chevaliers de Colomb. Il est allé jouer au bridge avec ses copains. Mais parle-moi plutôt de Miriame. Comment prend-elle la nouvelle?

– Elle n'arrête pas de pleurer.

– De quelle forme de cancer souffre sa mère au juste?

– Cancer du pancréas. Habituellement, la mort survient quelques mois après le diagnostic. À l'hôpital où je travaille, j'ai même vu un patient mourir de ce genre de cancer au bout de vingt-sept jours.

– Miriame connaît-elle la rapidité de ce cancer?

– Je ne crois pas.

– Elle devait sûrement être très contente de te voir.

– Oh oui! Et moi aussi, spécifie-t-elle. C'est quand même incroyable, il y a à peine six mois, j'ignorais jusqu'à son existence, et à présent j'ai de la difficulté à m'en séparer. Aucun mot du dictionnaire ne peut expliquer cette complicité, ce lien intense qui nous unit l'une à l'autre.

Thérèse estime le moment opportun pour aborder le sujet qui la préoccupe à nouveau. Elle s'assoit près de sa fille.

– Pourquoi affiches-tu cet air sérieux, maman? remarque aussitôt Rita.

– Je dois t'informer d'un fait important. Seulement, précise-t-elle, ce n'est pas facile.

– Tu n'es pas malade au moins?

– Non, rassure-toi. Je vais bien, ton père et ta sœur aussi.

– Alors de quoi s'agit-il?

– J'ai reçu une visite inattendue hier, hésite-t-elle.

– Quelle visite? Qui est venu?

– Ta mère naturelle, finit-elle par prononcer avec difficulté.

À ces mots, le cœur de Rita semble s'arrêter et ses mains se mettent subitement à trembler. Afin de dissimuler sa nervosité, elle s'allume rapidement une cigarette.

– C'est une blague.

– Non, Rita. C'est la pure vérité.

– Es-tu certaine qu'il s'agissait bien de ma mère biologique?

– Absolument, Rita. C'était bien elle.

– Que voulait-elle?

– Te rencontrer.

– Je n'en ai rien à faire, émet-elle en expirant une bouffée de cigarette.

– Ne sois pas si rébarbative, Rita. Elle veut simplement te connaître. D'ailleurs, il me semblait que c'était un de tes désirs. Tu m'en as parlé à deux reprises depuis ton retour de vacances. Souviens-toi.

– Peut-être, mais c'était avant.

– Alors n'en parlons plus, abdique Thérèse.

– De quoi a-t-elle l'air? demande prestement Rita, avide d'en savoir davantage malgré sa rébellion.

– Tu veux vraiment savoir?

– Oui.

– Elle est grande et mince.

– Quel âge a-t-elle?

– Je n'en sais rien. Elle me semble assez jeune, peut-être quarante-cinq ans.

Rita a vite fait le calcul. Sa mère biologique serait tombée enceinte à l'âge de quinze ou seize ans.

– Est-ce que je lui ressemble?

– Un peu, je dois l'avouer. Par contre, Simone est un peu plus blonde.

– Simone!

– C'est son prénom. Elle se nomme Simone Lavoie.

Rita ferme les yeux et répète en silence le nom de sa mère naturelle.

« Simone Lavoie, ma mère se nomme Simone Lavoie, Simone Lavoie. »

Sous ses paupières, elle essaie d'imaginer cette femme, cette mère sans visage qu'elle a maintes fois dessinée, ce personnage pourtant bien réel qui, jusqu'à aujourd'hui, lui paraissait telle une illusion, une invention, une fiction. Et voici qu'à présent, l'opportunité d'assouvir sa curiosité s'offrait à elle. Que devait-elle faire?

– Pourquoi ne m'a-t-elle pas cherchée avant?

– C'est à elle de répondre à cette question, Rita.

– Est-elle à Saint-Georges de Beauce en ce moment?

– Elle s'est installée à l'hôtel pour quelques jours.

Cigarette sur cigarette, Rita expose à sa mère ses angoisses et ses craintes face à une éventuelle rencontre avec cette inconnue.

– Que dois-je faire, maman? Je ne sais plus, termine-t-elle à bout d'argument.

– Ce n'est pas une décision à prendre à la légère, je sais. Toutefois, clarifie-elle, ne rejette pas la possibilité de connaître tes origines.

* * *

Depuis 24 heures, Rita a l'impression d'être propulsée en plein cœur d'un film de Charlie Chaplin. Tout semble aller si vite autour d'elle. Perdue dans un monde presque irréel, elle y joue néanmoins le rôle principal et les évènements se bousculent à un rythme fou.

L'arrivée de Simone fait naître en elle une foule d'émotions nouvelles. Ignorant la bonne décision à prendre, elle est prise de panique. Malgré cette situation dramatique, elle se doit de revêtir son costume blanc d'infirmière afin de remplacer une collègue de travail, celle-ci ayant été blessée par un patient au département de psychiatrie. Au lendemain de cette nuit d'enfer, un autre scénario l'oblige à incarner un nouveau personnage. Une séance familière, elle doit arbitrer une querelle entre ses filles, ce qui ne l'enchante guère.

Exaspérée, elle fait une pause de quelques heures. Elle est réveillée par la sonnerie du téléphone. À l'autre bout du fil, Miriame est en pleurs. Sa mère lui a remis une enveloppe sur laquelle est écrit en gros caractères : « À lire après ma mort ». Personnifier un psychologue n'est pas de tout repos. Cependant, elle exécute son rôle avec adresse, car sa jumelle s'apaise au bout de quelques minutes.

En dépit de cette turbulence théâtrale, Rita apprécie grandement le soutien de son mari. Roger, si gentil, si compréhensif, si bon, si professionnel, peut-être un peu trop en y réfléchissant bien. Son blabla de spécialiste ne l'a-t-il pas incitée à faire le grand saut?

Marchant à pas lents vers l'hôtel, elle se rappelle leur dernière discussion.

– Que dois-je faire, Roger?

– Cette décision t'appartient, Rita. Je ne dois pas intervenir, cependant cette chance ne se reproduira peut-être plus jamais.

– Vais-je être capable de l'aimer?

– Personne ne t'oblige à l'aimer. Avant tout, tu dois te dépouiller de cette rancune. Ton ressentiment à son égard est sans doute légitime, mais est-il vraiment justifié? Tu ne sais rien d'elle. Donne-lui au moins la possibilité de s'expliquer avant de la rejeter.

– Tant que je n'étais pas confrontée à la réalité, je pouvais toujours en rêver, mais à présent c'est différent.

– Le premier pas est toujours le plus difficile, crois-moi.

Les mots de Thérèse lui reviennent ensuite en mémoire.

– Ne te sens pas coupable de vouloir connaître ta mère naturelle.

– Elle apparaît dans ma vie après toutes ces années et tu ne lui en veux pas?

– Comment pourrais-je la mépriser, alors que j'ai récolté le fruit de son amour d'adolescence?

– Le fruit de son amour! Alors je ne suis pas l'enfant d'un viol?

– Non, bien sûr que non, s'exclame aussitôt sa mère. Tu ne croyais tout de même pas…

– Si tu savais, maman, combien de fois je me suis posé la question.

– Tes parents biologiques s'aimaient vraiment, Rita, je peux te l'assurer.

Parvenue devant le grand hôtel, Rita pose instinctivement sa main sur sa médaille miraculeuse. Ce geste anodin la rassure. Elle touche ensuite au foulard rouge noué autour de son cou. Celui-ci servira à l'identifier. Le cœur battant la chamade, elle avance d'un pas incertain vers les portes de l'établissement. À l'intérieur, elle progresse jusqu'à la salle à manger. Convaincue d'être la première arrivée, elle s'oriente finalement vers le bar.

* * *

Emplie d'espoirs depuis l'accord de Rita, Simone n'en demeure pas moins nerveuse à l'approche du rendez-vous.

Cherchant en vain à dissoudre sa nervosité, elle se rend au bar annexé à la salle à manger de l'hôtel une bonne demi-heure d'avance. Tout en avalant à petites gorgées le vin blanc commandé un peu plus tôt, elle mémorise sans cesse les phrases de présentation soigneusement transigées et maintes fois récitées devant le miroir de sa chambre. Les mains moites, Simone repose finalement sa coupe sur le comptoir.

Intrigué par l'agitation évidente de sa cliente, le barman étudie discrètement son comportement dans l'énorme glace ornant le mur face au bar. Celle-ci regarde sa montre aux deux minutes, touche à son écharpe régulièrement et semble réciter un je-ne-sais-quoi, car ses lèvres ne cessent de remuer. De toute évidence, cette femme attend quelqu'un, mais qui est donc cette mystérieuse personne pour angoisser de si beaux yeux? La curiosité de l'homme au nœud papillon est bien vite satisfaite.

Sous le regard ébloui de sa mère biologique, Rita franchit le seuil de la porte. Paralysée sur place, Simone doit faire appel à toutes les ressources de son éducation pour maîtriser sa surprise. Son foulard rouge en guise d'identification est nettement superflu, car leur ressemblance est évidente. La lèvre supérieure de Rita saisit Simone. Comme la sienne, les recoins de celle-ci arquent vers le haut, ce qui donne l'impression de toujours sourire. Muette d'admiration, elle s'émerveille davantage à chaque détail. Ses yeux, ni tout à fait bleus, ni tout à fait verts, possèdent une intensité magnétique, ses traits finement ciselés révèlent un caractère doux, ses pommettes légèrement saillantes exposent un visage en santé et sa chevelure soyeuse brille en cascade jusqu'à ses épaules. Tel un mannequin expérimenté, Rita avance avec grâce et élégance.

Simone sent soudainement le besoin de se précipiter vers elle, de la prendre dans ses bras, de la découvrir pour la première fois. Au prix d'un effort indescriptible, elle parvient à dominer sa réaction. Arrivée près d'elle, Rita lui tend la main et se présente.

– Bonjour, je suis Rita Dumas.

Simone sent monter les larmes au contact de sa peau.

– Excuse-moi, finit-elle par prononcer au bout d'un long moment, je suis si émue que j'en oublie les règles les plus élémentaires. Je suis Simone Lavoie. Je te remercie beaucoup d'avoir accepté mon invitation. Allons nous asseoir à une table. Nous serons plus à l'aise pour discuter.

– Si j'ai accepté de venir, précise Rita en s'assoyant, c'est d'abord et avant tout pour obtenir des réponses.

– C'est tout à fait compréhensible. Mais avant, laisse-moi encore te regarder.

– Vous trouvez que je vous ressemble, n'est-ce pas?

– Je suis subjuguée par notre ressemblance, c'est vrai.

– Moi aussi, cependant ma mère m'avait prévenue.

– Elle m'en a aussi glissé un mot. D'ailleurs, renchérit-elle pour la mettre en confiance, je l'ai trouvée très gentille.

– Elle est également une mère exemplaire.

À ces mots, Simone baisse la tête.

– Je détecte de l'amertume dans ta voix. Est-ce que je me trompe?

– C'est possible, dit-elle sèchement. Pourquoi nous avez-vous abandonnées, Miriame et moi?

– C'est une très longue histoire.

– Je suis ici pour l'entendre. J'ai tout mon temps.

Simone entame alors son récit, un peu maladroitement au début, cependant elle prend de l'assurance lorsqu'elle constate l'intérêt de sa fille pour son histoire. Celle-ci l'interroge régulièrement.

– Alors entre vous et mon père, c'était un véritable roman d'amour?

– Avec un grand A. Nous nous aimions passionnément. Si cet accident ne lui avait pas arraché la vie, nous serions toujours ensemble.

– Mon père est mort!

– Avant même de savoir que j'étais enceinte.

– Racontez-moi.

– J'aimerais que tu me tutoies. Ça me semblerait plus facile.

– Comme vous voulez, pardon, comme tu veux, corrige-t-elle. Maintenant raconte-moi la suite.

Simone poursuit son témoignage. Au fil du récit, Rita prend parfois de bonnes inspirations afin de cacher ses émotions. L'autobiographie de sa mère naturelle est si triste. Sans même s'en rendre compte, la rancune qu'elle éprouvait envers Simone à son arrivée fond comme neige au soleil.

– Toute cette histoire semble irréelle.

– Pourtant elle est authentique. Si sœur La Chapelle ne m'avait pas écrit avant de mourir, je n'aurais jamais appris ton existence.

– Cette religieuse était un monstre d'égoïsme.

– Je l'ai méprisée moi aussi. Cependant, j'ai atténué mon ressentiment à son égard. Il est tellement facile de critiquer lorsque nous sommes de l'autre côté de la clôture.

– Tu l'as pardonnée?

– C'est quand même grâce à elle si j'ai pu te retrouver.

– C'est incroyable! Moi à ta place…

– J'étais certaine de la maudire toute ma vie, et puis un jour, j'ai compris. Seul le pardon me permettrait de recommencer à vivre et d'être enfin heureuse. Je n'oublierai jamais tout le mal qu'elle m'a fait, mais je ne la condamne plus.

– Je n'en reviens pas.

– À quoi me servirait la rancœur? Me rendrait-elle toutes ces longues années de silence? Non. Alors pour ne pas demeurer prisonnière de toute sa cruauté, de tous ses regards sarcastiques et de toutes ses paroles blessantes, j'ai choisi de pardonner. Seulement, clarifie-t-elle, cela n'a pas été facile.

La discussion entre les deux femmes prend une autre tournure.

– Raconte-moi maintenant comment vous vous êtes connues, Miriame et toi.

– Ça aussi c'est une longue histoire. Tout a commencé lorsque…

Rita dévoile alors l'anecdote de son voyage aux États-Unis.

– La situation était spéciale. Ma Juliette ne savait même plus qui était sa véritable mère.

– J'avais cru comprendre que Miriame avait les cheveux plus pâles.

– C'est exact, mais sa chevelure était cachée par un chapeau de paille.

– Comment avez-vous réagi en vous apercevant?

– Malgré ma surprise, j'ai dû me ressaisir bien rapidement afin de m'occuper de Miriame. Le choc était vraisemblablement plus fort de son côté, car en me voyant, elle a perdu conscience. Puisque je suis infirmière de profession, je me suis portée à son secours.

De fil en aiguille, Rita mentionne qu'elles ont toutes les deux une médaille miraculeuse.

– Sans doute un cadeau de sœur Miriame, soutient Simone. J'aimais beaucoup cette religieuse. Elle serait si contente de savoir que je t'ai retrouvée. C'est quand même bizarre, je porte également cette médaille depuis la mort de mon père, dit-elle en s'essuyant les yeux.

De toute évidence, ce décès l'affecte encore. Simone se ressaisit.

– J'ai une photo de vous deux, annonce-t-elle en fouillant dans son sac à main. Sœur Miriame vous a photographiées à l'insu de sœur La Chapelle, souligne-t-elle en la lui montrant.

Rita examine l'image avec attention.

– On dirait une photo de mes jumelles, s'exclame-t-elle.

– Tu as eu des jumelles?

– Oui, Juliette et Julie. Elles ont maintenant sept ans. Ça fait de toi une grand-mère.

La main de Rita se pose sur sa bouche avant même d'avoir terminé sa phrase. Que lui arrive-t-il? Pourquoi l'avoir qualifiée de grand-mère pour ses filles alors qu'elle vient à peine de faire sa connaissance?

– Enfin, renchérit-elle, tu vois ce que je veux dire.

Pour ne pas compromettre leur relation naissante, Simone change de sujet.

– Parle-moi un peu de Miriame. Comment est-elle? Elle a une fille, je crois.

– Elle a également un fils plus âgé.

La conversation reprend de plus belle. Pendant de longues minutes, Rita parle de sa jumelle avec enthousiasme. Elle l'aime et ne s'en cache pas. Un peu plus tard, Simone ose lui demander :

– Crois-tu qu'elle voudra me rencontrer?

– Je n'en sais rien. Pour ma part, c'était important de connaître mes origines. J'avais l'impression qu'il me manquait un morceau du casse-tête, mais pour Miriame, c'est peut-être différent. Je peux toujours lui en glisser un mot, si tu veux.

– Tu ferais ça pour moi?

– Évidemment. À présent, je n'ai plus le droit de t'ignorer.

– Tes paroles me vont droit au cœur.

Rita réfléchit un moment.

– Tu aimerais connaître mes enfants et mon mari?

Simone ne s'attendait pas à une telle proposition.

– Tu es sérieuse?

– Oui.

– J'en serais enchantée, Rita.

– Avant de planifier une réunion, j'aimerais quand même prévenir ma mère de ce projet. Malgré sa grande bonté et sa largeur d'esprit, je ne voudrais pas qu'elle se sente mise à l'écart. Tu comprends?

– Évidemment.

– Je t'appellerai sous peu.

– Je loge à la chambre 8, lui rappelle-t-elle.

– Je ne l'ai pas oublié. D'ailleurs, le numéro 8 a toujours été mon chiffre chanceux.

– Ce numéro me portera chance à moi aussi désormais.

– Je dois y aller maintenant.

Rita se lève de table et lui tend la main.

– Serait-il déplacé de te serrer dans mes bras, bégaye Simone, la gorge nouée d'émotions. Je n'ai jamais eu cette chance, pas même une seule fois depuis ta naissance.

Reniflant à son tour, Rita se laisse cajoler par cette femme aux yeux rougis qui ne s'exprime plus que par le langage gestuel.

* * *

En plein cœur de la nuit, l'éclat d'une lumière réveille Jean-Claude. Les yeux à demi clos, il distingue cependant Simone, assise sur le lit.

– Que se passe-t-il, Simone?

– Je suis incapable de dormir. J'ai trop peur.

– De quoi? Tu n'as rien à craindre puisque je suis là.

– J'ai peur de me réveiller demain et de découvrir que ma rencontre avec Rita n'était qu'un rêve.

– Je t'assure qu'elle a bel et bien eu lieu.

Simone sourit à ces paroles.

– J'ai hâte de te la présenter. J'ose espérer qu'elle te plaira.

– J'en suis certain. Comment pourrait-il en être autrement puisque c'est ta fille.

– Tu es si gentil. Que ferais-je sans toi?

– Aucune idée, mais tu n'as pas à te poser la question, car je n'ai nullement l'intention de céder ma place à qui que ce soit. À présent, viens te blottir contre moi.

Les paupières de Jean-Claude se referment.

– Jean-Claude!

– Oui.

– Crois-tu que Miriame voudra me connaître elle aussi?

– Voilà donc la vraie raison de ton insomnie.

– Je ne cesse d'y penser, c'est plus fort que moi.

– Arrête de te tourmenter. Profite plutôt de ta relation avec Rita.

– Tu as sans doute raison.

Au bout d'un quart d'heure, Simone brise à nouveau le silence.

– T'ai-je dit que Rita veut me présenter à sa famille?

– Oui, répond Jean-Claude à moitié endormi.

– Cela me stresse un peu.

Jean-Claude ne répond pas.

– Penses-tu qu'un jour mes filles vont m'aimer?

– Mmmmm…

– Jean-Claude! Tu ne m'écoutes pas.

– Excuse-moi, Simone, j'étais sur le point de me rendormir.

– Crois-tu que je suis assez bien pour mes enfants?

À cette question, Jean-Claude bondit instantanément. Il s'assoit sur le lit et regarde tendrement sa dulcinée.

– Je te défends de penser le contraire. Tu es la femme la plus merveilleuse que je connaisse. Tes enfants et tes petits-enfants t'adoreront, j'en suis certain.

Déployant ses bras, Jean-Claude l'enlace à nouveau et lui murmure à l'oreille :

– Je t'aime, et ils t'aimeront tous, eux aussi.

Rassurée, Simone s'apaise et s'endort dans les bras de son amoureux.

* * *

Les yeux brillants de larmes, Rita réintègre sa demeure après un long détour. Un silence de plomb l'accueille en entrant chez elle. Son mari ne l'a pas attendue avant d'aller au lit. Une ombre de tristesse traverse son regard, mais la tonalité de l'horloge grand-père l'extirpe prestement de cette mélancolie. Celle-ci sonne les douze coups de minuit.

« Je ne croyais pas qu'il était si tard », souffle-t-elle avant de se diriger vers sa chambre.

Blottie sous ses draps, Rita laisse dériver ses pensées jusqu'à ce qu'elles se fondent dans l'abîme du sommeil. Au petit matin, elle est réveillée par le mouvement du matelas. Toujours endormi, Roger se tourne vers elle. Dans le clair-obscur de la pièce, Rita l'observe avec amour, malgré son écart de la veille.

Subitement, son rendez-vous d'hier émerge de son esprit. Sans même s'en rendre compte, le souvenir de Simone la fait sourire.

– Bonjour, belle dame, émet Roger d'une voix encore chargée de sommeil.

– Bonjour.

– Mon petit doigt me dit que tu es enchantée de ta soirée.

– Je ne suis plus une enfant, alors cesse de te moquer de moi.

– Telles n'étaient pas mes intentions, ajoute-t-il d'un air taquin, seulement ton regard est aussi transparent que la vitre de ma voiture. Alors? Ta visite avec Simone s'est bien passée?

– Très bien, merci.

Roger attend patiemment la suite, mais elle ne vient pas.

– Que se passe-t-il? Tu ne veux pas m'en parler?

– Ça t'intéresse vraiment?

– Évidemment.

– Pourtant, marmonne-t-elle en faisant mine d'être fâchée, tes ronflements d'hier soir dénotaient totalement le contraire.

– Je suis désolée, ma chérie, mais vers onze heures j'étais si fatigué…

– Tu es impardonnable.

Au timbre de sa voix, Roger devine qu'elle se moque de lui. En conséquence, il bondit sur elle et l'enlace de toutes ses forces.

– Eh bien! chère madame Asselin, si vous le prenez ainsi, je n'ai plus le choix.

Ses mains se mettent rapidement à l'œuvre. Sous ses chatouillements, Rita se tortille comme une anguille cherchant à fuir le filet d'un pêcheur.

– Arrête, Roger, le supplie-t-elle.

– Je dois d'abord m'assurer que vous me raconterez tout, chère madame Asselin.

– C'est promis. Je te dirai tout ce que tu voudras, mais arrête, Roger. Je n'en peux plus.

Avant de lâcher prise, il l'embrasse fougueusement. Elle répond à son baiser. Quelques minutes plus tard, Rita relate les évènements de la veille.

– Et avant de nous quitter, termine-t-elle avec émotion, elle m'a serrée très fort.

– Qu'as-tu ressenti à ce moment-là?

– Je n'en sais trop rien. C'était à la fois embarrassant et…

– Et?

– Maternel, finit-elle par avouer.

– Maternel?

– Ne cherche pas à toujours analyser mes dires.

– Comme tu veux. Que comptes-tu faire à présent?

– Je vais d'abord téléphoner à maman pour l'informer du déroulement de cette rencontre.

– Telle que je la connais, réplique-t-il d'un air moqueur, elle doit attendre ton appel depuis l'aube.

Un léger sourire se dessine sur les lèvres de Rita.

– Ça lui ressemble.

– Vas-tu en faire autant pour Miriame?

– Non. Je préfère qu'elle l'ignore.

– Pourquoi? C'est aussi sa mère biologique.

– Elle est suffisamment préoccupée par la maladie de sa mère. Je ne veux pas en ajouter.

– Elle est pourtant en droit de savoir.

– Peut-être, mais ce n'est pas le bon moment. D'ailleurs, renchérit-elle, je ne veux pas l'ennuyer avec mes histoires.

Roger arque les sourcils en signe d'interrogation.

– Il m'est déjà arrivé de lui faire part de mon désir d'entamer des recherches pour retrouver notre mère naturelle, et chaque fois, elle déviait la conversation, ce qui démontre son manque d'intérêt.

Julie et Juliette surgissent à cet instant précis.

– Maman! Papa! J'ai faim.

– Moi aussi, crie Julie.

– Laissez-nous encore un petit cinq minutes et nous arrivons.

– Mais papa, j'ai mal au cœur, se plaint Julie.

– Ça va, je viens.

Les jumelles repartent aussi vite qu'elles sont arrivées. À nouveau, Roger regarde sa femme et lui souligne qu'il tient à poursuivre cette conversation le moment opportun.

– Maintenant, madame Asselin, laissez-moi vous préparer le petit-déjeuner. Qu'aimeriez-vous manger ce matin? Des crêpes? Des œufs?

– Juste un croissant et un café, monsieur Asselin.

– Parfait, madame. Je viendrai vous prévenir lorsque tout sera prêt.

– Merci, Roger, dit-elle en reposant sa tête sur l'oreiller.

* * *

Debout depuis longtemps, Thérèse Dumas tourne en rond dans la cuisine. Installé dans son fauteuil, feuilletant le journal du matin, Julien l'observe de temps à autre par-dessus ses lunettes. Décidément, sa femme ne cache pas son impatience.

– Thérèse, assis-toi pour l'amour du ciel. Ça ne sert à rien d'user le plancher.

– Arrête de te moquer, s'écrit-elle.

– Tu ne te vois pas. Tu rôdes autour du téléphone comme un vautour.

– Ce n'est pas vrai.

– Pourquoi ne l'appelles-tu pas? Ce serait beaucoup plus simple.

– Si Rita veut me donner des nouvelles, elle le fera d'elle-même.

– Tu meurs d'envie de savoir comment s'est passée sa rencontre avec Simone.

– Je suis quand même capable d'attendre son appel.

– Je n'en suis pas si certain.

À cet instant, le téléphone retentit. Thérèse décroche aussitôt l'appareil.

– Allô!

– Bonjour, maman. C'est Rita.

– Bonjour, Rita. Comment ça va?

– Bien, merci.

– Je ne m'attendais pas à recevoir de tes nouvelles si tôt, ment-elle sous le regard amusé de Julien. Alors, comment s'est déroulée cette soirée?

Rita détaille à nouveau ses retrouvailles en omettant bien volontairement de lui mentionner l'étreinte de Simone.

– On pourrait l'inviter à souper ce soir, avance Thérèse.

– Chez toi?

– Pourquoi pas? Simone connaît déjà la maison. Elle serait sans doute plus à l'aise ici pour faire la connaissance de Roger et des filles. Qu'en penses-tu?

– C'est une excellente idée, maman.

– Téléphone-lui et invite-la pour ce soir.

– Simone n'est pas seule, maman. Elle a fait le voyage en compagnie de son conjoint.

– Je ne vois pas où est le problème.

– Merci, maman. Tu es merveilleuse. Je t'aime.

Thérèse sent monter l'émotion à ces paroles. Après un bref silence, elle ajoute :

– Moi aussi je t'aime, Rita. Je t'aime énormément. J'attends ton appel.

Thérèse raccroche en soupirant fortement. Soulagée, elle retourne à ses occupations. Quant à Julien, il la dévisage encore d'un air espiègle.

– Qu'as-tu à me regarder ainsi? demande-t-elle aussitôt.

– Rien… Rien…

– Allez, insiste-t-elle.

– Ton coup de talon a drôlement changé. C'est tout.

– Que veux-tu insinuer par là?

– Tu sembles valser depuis l'appel de Rita alors qu'avant... on aurait juré que tu prenais part à une marche militaire.

– Tu n'arrêteras donc jamais de me taquiner?

– Jamais! C'est beaucoup trop amusant, rouspète-t-il en rigolant.

* * *

L'atmosphère est à la fête chez les Dumas. Dès leur arrivée, l'hôtesse de la soirée met rapidement ses invités à l'aise. Par amour pour sa fille, Thérèse s'oublie complètement. En dépit d'un léger pincement au cœur, elle est même prête à partager son rôle de mère et celui d'amie. L'essentiel, c'est le bonheur de Rita.

L'ambiance devient plus solennelle au moment de prendre place autour de la table. Les yeux fermés, Thérèse récite un court bénédicité avant d'accueillir officiellement Simone et Jean-Claude sous son toit.

– Je me fais le porte-parole de nous tous réunis ce soir pour vous souhaiter la bienvenue au sein de notre foyer. Désormais, vous faites partie de notre famille.

Elle poursuit en baissant la tête.

– Seigneur, construis autour de cette table des liens solides d'amour. Amen.

Elle relève ensuite la tête. Son regard s'immobilise sur le visage de sa fille.

– Veux-tu adresser un mot, Rita?

– Comment ne pas remercier Dieu, alors qu'il me comble de joie en unissant à la même table mes deux mamans?

Cette allocution remue le cœur de Simone.

– Ce soir, je veux avant tout remercier le Seigneur pour tout ce qu'il m'a accordé jusqu'à présent.

Après un bref silence, elle poursuit.

– Je tiens également à vous témoigner ma reconnaissance, chers parents que j'adore, car sans vous, sans votre soutien et votre protection, je ne serais pas la femme épanouie d'aujourd'hui. Vous avez toujours été pour moi de merveilleux parents et je bénis le ciel d'avoir été choyée de votre amour.

– Merci, Rita, ajoutent simultanément Thérèse et Julien.

– Seigneur, tu m'as offert dernièrement un prodigieux cadeau en me permettant de connaître Simone. Je sais bien qu'il aurait été impossible de nous retrouver, si tu n'étais pas allé te loger dans le cœur de sœur La Chapelle. Pour cela, ajoute-t-elle, je ne cesserai jamais de te remercier.

Rita respire à fond pour mieux peser les mots qui vont suivre.

– Ce soir, j'ai une pensée toute spéciale pour mon père biologique. Je n'ai pas la moindre idée de son aspect physique, ni de ses traits de caractère, et pourtant, je suis certaine qu'il devait être un homme exceptionnel puisqu'à l'époque il a conquis le cœur de Simone. J'ose néanmoins me l'imaginer aussi gentil et aussi bon que mon père adoptif.

Chavirée par le témoignage de sa fille, Simone lève les yeux au plafond afin de ne pas verser de larmes. L'œil vigilant de Julien discerne aussitôt son émoi. Pour remettre une note de gaieté à l'ambiance, il lève rapidement sa coupe de vin.

– Je porte un toast aux retrouvailles de Rita et de Simone.

– C'est une très bonne idée, appuie Roger en lançant un clin d'œil à son beau-père.

Julie regarde tout ce beau monde en train de trinquer et s'impatiente.

– C'est bien beau de prier et de boire, commente-t-elle fortement, mais pourrions-nous commencer à manger maintenant?

– Julie! réprimande Rita. Je ne t'ai pas élevée de cette façon.

– Mais maman, il est déjà sept heures. J'ai faim. À quoi sert la prière de grand-mère sur la nourriture, si nous ne mangeons pas pendant que c'est chaud?

Un éclat de rire s'ensuit aussitôt.

– Julie a raison. Il est grand temps de se délecter avant que tout refroidisse, intervient Thérèse, amusée par les paroles de sa petite-fille.

À la fin du repas, Thérèse invite ses hôtes à prendre le digestif au salon.

* * *

Revenue à sa chambre d'hôtel, Simone rayonne de bonheur. Pour la première fois de sa vie, elle a l'impression de vivre pleinement son statut de mère et de grand-mère. Tout le monde l'a acceptée, même Thérèse. Pourtant, celle-ci aurait eu bien des raisons de l'évincer.

– Je suis si contente de ma soirée, expose-t-elle à son amoureux en enfilant sa robe de nuit.

– Ces gens sont très accueillants.

– Je me suis vraiment sentie des leurs.

– Moi aussi. L'élocution de Thérèse m'a vite mis à l'aise.

– J'apprécie beaucoup leur attitude envers moi. Personne ne semble me juger.

– C'était si important pour toi?

– Plus que tu ne le crois, Jean-Claude. C'était vital, murmure-t-elle d'une voix étouffée par l'émotion.

Jean-Claude s'approche d'elle et l'enveloppe de ses bras. Simone se ressaisit au bout d'un moment. Elle argumente à nouveau.

– J'ai failli pleurer lorsque Rita a pris la parole. C'était si touchant de l'entendre parler de son père.

– C'était très émouvant, je l'admets.

– De là-haut, Vincent protège nos filles. J'en suis certaine.

– Sans doute.

– Il veillera à nous réunir un jour toutes les trois.

– Je te le souhaite sincèrement, fleur chérie. Ensuite nous…

Il ne poursuit pas sa pensée.

– …c'est sans importance. Viens près de moi, somme-t-il en s'étendant sur le lit.

– J'arrive.

Couché près de sa tendre moitié, Jean-Claude ferme les yeux et se contente de rêver. Il avait à nouveau failli reparler de mariage, mais s'était retenu à temps.

* * *

De retour au Saguenay, Jean-Claude repart à la recherche d'histoires passionnantes pour son émission mensuelle. Quant à Simone, elle réintègre avec joie sa classe après plusieurs jours de congé. Son amie Céline est ravie de la voir revenir au bercail avec de si bonnes nouvelles.

– Je suis si contente pour toi.

– J'ai enfin retrouvé ma fille après toutes ces années de noirceur, répète à nouveau Simone. C'est merveilleux.

– Parle-moi encore d'elle.

– C'est une femme magnifique. Nous avons développé une belle relation. Depuis mon retour au Saguenay, nous nous téléphonons tous les jours.

– Elle a deux enfants, c'est bien ça?

– Oui, deux jumelles, précise-t-elle.

– Apparemment, c'est héréditaire. Qu'en est-il de Miriame?

– Rita doit lui parler. T'ai-je dit qu'elle demeure au Saguenay?

– Oui. Tu l'as peut-être déjà croisée sur la rue sans le savoir ou peut-être même…

Simone devine sa pensée et l'interrompt tout de suite.

– Non, Céline. Je ne lui ai jamais fait l'école. Je le saurais.

– Mais…

– Lorsque j'ai commencé à enseigner, j'ai observé chacune de mes étudiantes soigneusement en essayant de discerner une quelconque ressemblance avec moi ou avec Vincent. Jamais je n'ai trouvé le moindre indice, la moindre similitude. Sur ce point, je suis certaine. Miriame n'a jamais été mon élève. Maintenant, assez parlé de moi. Que s'est-il passé au village pendant mon absence?

– Tu sais, tu n'es pas partie très longtemps.

Céline réfléchit quelques secondes. Subitement elle pouffe de rire.

– Pourquoi ce fou rire?

– Il s'est bien produit un événement, mais rien d'intérêt public.

– Raconte quand même.

– Après la messe de dimanche dernier, j'ai vu ta mère aller à la rencontre de Mme Larouche.

– Difficile à croire. Maman est incapable de la sentir.

– Pourtant, rien n'est plus vrai. Par contre, ce jour-là, cette commère nationale aurait certainement préféré passer inaperçue.

– Que veux-tu dire ? Je ne comprends pas.

– La fille de Mme Larouche est arrivée à la messe avec…

– Cesse de me faire languir. Avec qui?

– Sa conjointe.

– Répète. J'ai dû mal entendre.

– Tu as très bien compris. Sa fille est lesbienne et elle ne le cache pas. Sous le regard de tous les paroissiens, elles sont arrivées à l'église, main dans la main.

– Oh mon Dieu! s'écrit Simone en riant. J'imagine la tête de Mme Larouche.

– C'était à mourir de rire. Pendant la cérémonie, celle-ci n'a pas levé les yeux du plancher, pas même une seule fois. Elle n'est même pas allée communier. Tu imagines! Ta mère devait sûrement avoir une dent contre elle, car immédiatement après la messe, elle s'est précipitée dans sa direction pour lui parler. J'ai regardé la scène de loin et je peux t'assurer d'une chose. Mme Lavoie n'a pas répliqué une seule fois.

– Être détrônée de son titre de « famille idéale » doit la mettre dans tous ses états. J'espère au moins qu'elle en tirera une leçon et qu'elle cessera enfin de parler de tous et chacun.

* * *

Après avoir terminé le ménage, Rita prend une pause de quelques minutes avant d'entreprendre sa lessive. Assise à siroter un café bien chaud, elle regarde le téléphone pour la centième fois. Que doit-elle faire?

Le claquement d'une porte brise le silence et la fait sursauter.

– C'est moi, s'écrit Roger en pénétrant dans la cuisine. Je suis juste de passage. J'ai oublié mon porte-documents ce matin et j'en ai besoin cet après-midi.

Il s'aperçoit bien vite de l'ignorance de Rita.

– Qu'est-ce qui se passe?

– Excuse-moi, Roger. Que disais-tu?

– Je suis revenu chercher ma serviette. Rita! Ça ne va pas? Je te sens préoccupée.

– Ce n'est rien. Dépêche-toi de prendre ton porte-documents et retourne à tes patients. Tu dois avoir une journée très chargée.

– C'est vrai, mais aucun de mes patients n'est plus important que ma femme. Qu'est-ce qui te tracasse?

– Miriame. J'ai promis à Simone de lui parler d'elle, mais je ne me décide pas.

– Ah! Je vois.

– Que dois-je faire, Roger? Je sais bien que sa mère est malade, mais en lui cachant l'existence de Simone, j'ai l'impression de la trahir.

– C'est difficile, n'est-ce pas, d'autant plus que Miriame ne présente aucun intérêt pour ses origines.

– Rien, pas même un minimum de curiosité.

– Seulement, ajoute-t-il, tu as promis.

– C'est exact.

– Alors tu dois le faire, malgré vos opinions différentes.

– Ses racines ne l'intéressent pas, répète-t-elle.

– Aucune personne au monde ne connaît réellement la pensée de l'autre, affirme-t-il. Et même si tes suppositions s'avéraient justes, ton seul engagement envers Simone est d'informer Miriame de son existence et de votre relation. Elle ne t'a pas demandé de lui organiser un rendez-vous. Allez, mon amour, un peu de courage. Tu te sentiras beaucoup mieux après. À présent, je dois retourner au bureau. Je t'aime.

À nouveau seule, Rita compose le numéro de téléphone de Miriame. Elle entend la sonnerie une fois, deux fois, trois fois. Toujours pas de réponse. Rita est sur le point de raccrocher lorsqu'elle distingue la voix de sa sœur.

– Allô!

– Bonjour, Miriame. C'est Rita.

– Bonjour, Rita. Je m'excuse d'avoir pris un certain temps avant de répondre, mais j'avais les mains dans la pâte. Je suis en train de préparer une tourtière. Que me vaut l'honneur de ton appel en plein après-midi? D'habitude, nous attendons le tarif spécial de dix-huit heures pour faire nos interurbains.

– J'avais le goût de discuter avec toi, sans me faire interrompre par les enfants. Julie et Juliette sont à l'école.

– Chez moi, c'est pareil. Dave et Juliette ont toujours quelque chose d'urgent à me demander lorsque je suis en grande conversation.

– Comment va ta mère?

– C'est maintenant une question de semaines.

– Et toi? Comment ça va?

– Malgré ma peine, je n'ai pas le droit de m'apitoyer sur mon sort. J'ai deux enfants qui demandent énormément et je dois m'occuper de papa. Il est sidéré par la maladie de maman. Il ne parle presque plus et il a complètement perdu l'appétit. C'est d'ailleurs la raison pour laquelle je cuisine une tourtière. Il adore ce mets, alors j'ai pensé lui faire plaisir.

– Je reconnais ta gentillesse.

– Tu en ferais autant pour tes parents.

– Sans aucun doute.

Un court silence s'ensuit. Rita hésite encore à aborder le sujet. Elle prend alors une bonne inspiration.

– J'ai du nouveau.

– Cela doit être très important pour vouloir me parler sans personne autour de toi.

– Ça l'est effectivement, pour moi et pour toi, précise-t-elle.

– Ah!

– Il se passe quelque chose de merveilleux dans ma vie et j'estime que je dois te mettre au courant.

– Tu m'intrigues beaucoup.

– J'ai connu quelqu'un dernièrement.

– Es-tu en train de m'avouer que tu trompes ton mari?

– Mais non, que vas-tu imaginer?

– Que veux-tu que j'imagine? Tu m'informes que tu as rencontré une personne et que c'est important pour toi et… As-tu dit pour moi aussi?

– Pour nous deux, Miriame.

– Alors je ne saisis pas.

– Tu n'en as aucune idée?

– Non, ment-elle, craignant la réponse.

– J'ai fait la connaissance de notre mère biologique.

Sous le choc, Miriame ne dit plus un mot.

– Miriame! Miriame! Es-tu toujours là?

– Oui, Rita. Je suis encore là.

– Tu ne dis rien?

– Qu'attends-tu de moi au juste?

– Rien. J'aimerais seulement t'en parler.

– C'est que…

– Ça me ferait vraiment plaisir, insiste Rita.

– D'accord. Ceci dit, c'est parce que je t'apprécie beaucoup, clarifie-t-elle.

Après une quinzaine de minutes à écouter sa jumelle lui vanter les qualités de Simone, Miriame décide de lui couper le sifflet.

– J'en ai assez entendu, Rita.

– Son histoire ne te touche pas?

– À quoi t'attendais-tu au juste? Que je saute au plafond!

– Non. Seulement…

– Seulement quoi? Je suis bien contente pour toi, puisque tu désirais connaître tes racines, mais ce n'est pas mon cas. Ma mère, ce n'est pas cette inconnue. Ma mère, c'est celle qui se meurt en ce moment, s'écrit-t-elle en pleurant. Alors ne me parle plus de l'autre.

– Je m'excuse. Je n'aurais pas dû.

– Ça va, réplique-t-elle en reniflant. De toute manière, je l'aurais su un jour ou l'autre.

– J'espère que ma relation avec Simone ne changera rien entre nous.

– Tu n'as rien à craindre. Je n'ai nullement l'intention de laisser notre amitié se détériorer à cause de cette femme. Je t'estime beaucoup trop.

– Tes paroles me rassurent. Je ne t'ennuierai plus avec Simone. Lorsque tu seras prête…

– Comprends-moi bien, Rita. Je ne veux pas la connaître. J'ai une mère et je n'ai pas besoin d'une deuxième.

– Je n'insisterai plus alors. Chacun est libre de choisir.

– C'est exact, et moi j'ai choisi de l'ignorer. Je ne veux rien savoir d'elle. Rien, tu m'entends. Rien.

– Ne t'emporte plus, Miriame. J'ai compris. Écoute, dit-elle au bout d'un court silence, on sonne à ma porte. Je dois raccrocher. Je t'appellerai demain.

Le cœur trop lourd, Rita n'attend pas les salutations de sa sœur avant de raccrocher. Elle éclate aussitôt en sanglots, pleurant sur l'espoir anéanti de se retrouver un jour toutes les trois à la même table.

* * *

Chapitre 41

Décembre s'est endormi sous un froid glacial. En ce début d'année 1990, plusieurs élèves ne retournent pas en classe afin de soigner un rhume ou une grippe. Il en est de même pour quelques enseignants. Entre deux quintes de toux, Simone téléphone à la directrice pour l'informer de son absence. Les yeux vitreux et le nez rouge, elle retourne s'allonger sur le divan. Dehors, le vent souffle fort et la température baisse considérablement. Emmitouflée dans sa couverture, elle ferme les yeux. Sous ses paupières, le visage de sa fille Rita prend forme. Celle-ci lui sourit. Ne trouvant pas le sommeil, Simone s'assoit et s'empare de l'album abandonné la veille sur le recoin de la petite table. Elle examine à nouveau chaque photo prise pendant son séjour en Beauce, s'attardant parfois sur l'une d'elles. Elle soupire de bonheur en observant ses petits-enfants et l'homme de sa vie devant un énorme bonhomme de neige. Julie et Juliette la considèrent maintenant comme leur grand-mère. Passer le temps de Fêtes avec eux a été le plus beau cadeau qu'on ait pu lui faire. Elle tourne la page et ses yeux s'immobilisent sur une photographie d'elle et de Rita, enlacées. Aucun mot ne peut décrire ce qu'elle ressent. Merci Mon Dieu, murmure-t-elle tout simplement. Thérèse et Julien apparaissent sur l'autre page. Ce couple dégage une telle bonté. Toujours pleins d'attentions, les parents adoptifs de Rita ont tout fait afin que Jean-Claude et elle se sentent à l'aise chez eux. Simone remercie le ciel encore une fois.

Elle sent un nœud se former dans sa gorge alors que le portrait de ses jumelles lui saute aux yeux. Cette photographie a été prise lors de leur rencontre aux États-Unis. Connaissant le chagrin que lui cause l'ignorance de Miriame, Rita a cru bon de lui offrir une photo d'elles. Malgré sa peine, Simone garde espoir qu'un jour sa fille revienne vers elle. Cette pensée positive lui permet de tenir le coup.

Serrant très fort la médaille miraculeuse de son père, Simone invoque le Très Haut encore une fois avant de refermer son album de souvenirs.

* * *

Chapitre 42

En dépit de la température relativement clémente pour ce début de février, Miriame sent ses veines se glacer. Sa mère vient de mourir. Meurtrie par cette disparition, elle se retire dans sa chambre et refuse la présence de quiconque auprès d'elle, pas même celle de son époux.

Après avoir versé toutes les larmes de son corps, elle ouvre le tiroir de son bureau, aspire une large bouffée d'air, et d'une main tremblante, s'empare du message qu'Henriette lui a écrit peu de temps avant son agonie. Un frisson balaye tout son être en parcourant les premières lignes.

Ma très chère Miriame,

Couchée dans cette chambre d'hôpital à essayer de conjuguer le présent, je regarde par la fenêtre les premières feuilles de l'automne, et je me demande si Dieu m'accordera assez de temps pour que je puisse contempler la naissance de l'hiver avant d'accéder à la cinquième saison. J'aime observer la neige, car elle me fait revivre ta venue au sein de notre famille. Quel bonheur ce fut pour moi de t'accueillir après de si longs mois d'espérance! Je sais néanmoins que cette période dépourvue de couleurs chaudes n'a pas la même saveur pour tout le monde. Si le blanc immaculé des tempêtes me rappelle ce merveilleux moment, il obscurcit sans aucun doute l'existence d'une autre.

Je n'oublierai jamais ton premier mot, « Maman ». Ce matin-là, j'en pleurais de joie, sachant fort bien que, sans l'autre, jamais je n'aurais pu l'entendre. Je suis même devenue grand-mère alors que j'étais destinée à ne jamais avoir de descendance. Mon bonheur a duré trente belles années; le sien fut forcément éphémère, puisque j'ai récolté le fruit de sa frénésie d'adolescence.

Mon passage sur cette terre s'achève; Dieu me rappelle à lui. Bientôt je quitterai ce monde temporel, et comme l'eau d'une rivière, je m'évaporerai pour atteindre le ciel. Cependant, mon passeport pour l'au-delà n'est pas complet. Avant d'éteindre les yeux, j'éprouve le besoin de contribuer à la loi du retour. Ainsi, lorsque ta douleur se sera atténuée, j'aimerais que tu recherches ta mère naturelle. Il me semble juste qu'après trois décennies, cette jeune fille amputée dès sa délivrance puisse découvrir la belle et jolie femme que tu es devenue.

Depuis l'été dernier, je ne vois plus la vie de la même manière. Tes retrouvailles avec ta jumelle m'ont fait prendre conscience de l'importance du lien de sang, alors ne m'en veux pas trop si je laisse parler mon cœur de mère.

Depuis ton adoption, je n'ai jamais cessé de prier pour ta mère biologique, car je lui dois beaucoup. J'ignore son identité, mais la directrice de l'établissement a fait allusion à une jeune adolescente. Lors de son séjour à la Maison Miséricorde, elle se serait liée d'amitié avec une religieuse, une certaine sœur Miriame. C'est d'ailleurs la raison pour laquelle tu portais ce prénom en guise de nom fictif. Celui-ci t'allait à merveille et il nous plaisait, alors nous l'avons conservé.

Tu sais, Miriame, le décès d'un parent est très difficile à surmonter, néanmoins, rien n'est plus déchirant que la perte d'un enfant, j'en sais quelque chose.

Déterrer le passé me sera très pénible, mais par amour pour toi et par reconnaissance pour cette inconnue, je dois exhumer une certaine période de ma vie.

Léo et moi rêvions d'une grande famille, or quelques mois après notre mariage, je suis tombée enceinte. J'étais folle de joie à l'idée de mettre notre premier enfant au monde. Ce petit être tant désiré allait sceller notre amour. À part quelques nausées matinales, tout se déroulait à merveille et le futur père, soucieux de mon bien-être, me préparait le petit-déjeuner chaque matin avant de partir travailler. Le soir, il rentrait bien souvent les bras chargés de fleurs. J'étais une femme comblée, une femme heureuse.

J'entamais mon quatrième mois de grossesse lorsque nous avons décidé de chercher un nid d'amour un peu plus grand. Notre choix s'est arrêté sur un immense quatre et demi. Malgré la dizaine de marches à gravir pour y accéder, ce logement nous paraissait idéal pour accueillir notre aîné. Sur le terrain arrière, un coin de jeux avait même été aménagé par le propriétaire, alors que pouvions-nous demander de plus? Un mois plus tard, nous emménagions.

Les semaines passaient et j'étais de plus en plus grosse. En dépit de ma rondeur, Léo me trouvait toujours belle et me complimentait sans cesse. Au milieu de mon sixième mois, j'avais l'impression de porter un boxeur tellement mon ventre remuait. Léo riait à mes allégations en affirmant qu'un jour il deviendrait son gérant. Nous nagions en plein bonheur.

L'automne survint au calendrier en même temps que mon septième mois. Mes rendez-vous chez le médecin devenaient maintenant plus fréquents. Léo m'accompagnait très souvent, mais son travail à l'extérieur de la ville ne lui permettait pas toujours de revenir à temps. Ainsi, à la mi-octobre, j'y suis allée seule. Après l'examen de routine, le docteur m'affirma que j'allais accoucher avant les Fêtes. Je rayonnais de joie en revenant à la maison. Dehors, il faisait un temps magnifique. J'avais l'impression de valser sous la caresse du soleil. À croire que l'été ne voulait pas céder sa place. Qui aurait pu prédire que mon conte de fées se transformerait en cauchemar par une si belle journée?

J'avais presque atteint la dernière marche de l'escalier quand soudain, j'entendis les pleurs de Vincent, le fils du propriétaire. Je me suis retournée et... j'ai perdu l'équilibre.

Lorsque j'ai repris conscience, j'étais couchée dans un lit d'hôpital. Dans la pénombre de la pièce, je distinguais à peine le visage de Léo. Il pleurait en silence. Je sentis subitement une sensation de vide, de solitude. J'avais perdu mon bébé, notre bébé. Ma peine était insupportable.

Constatant mon désarroi, le médecin attendit quelques jours avant de m'annoncer que je ne pourrais plus en avoir d'autre. Cette nouvelle eut sur moi l'effet d'une bombe. Je me sentais complètement détruite, brisée.

Dès lors, ma santé mentale a commencé à se détériorer. J'étais incapable d'accepter la mort de mon petit garçon, ni celle de mettre un trait sur mon désir le plus cher. Aucune thérapie n'aurait pu me sortir de cette détresse. J'en voulais à tout le monde, et en particulier à Dieu. Pourquoi n'avait-il pas empêché qu'une telle tragédie se produise, alors que je lui étais si dévouée? Pour illustrer ma révolte, je refusais d'assister à la messe du dimanche, je ne participais plus au chapelet en famille et j'avais envoyé au diable le bénévolat. J'avais assez donné, pour ce que cela m'avait apporté.

Ce drame avait inévitablement atteint Léo, seulement j'étais bien trop concentrée sur ma petite personne pour entrevoir sa douleur. Les mois passaient et mon état empirait. Je pleurais encore très souvent, et pour aggraver le tout, je faisais de l'insomnie. Inquiet, Léo m'amena de force consulter. Le médecin décela rapidement une petite dépression à la suite du décès de notre enfant. Il me prescrit des antidépresseurs.

Tout doucement, je repris goût à la vie. J'accusais même de temps à autre un sourire et j'appréciais davantage les attentions de Léo. En dépit de ce regain, je n'allais toujours pas à la cérémonie religieuse de la semaine. Il me fallait un coupable, et ça ne pouvait qu'être Lui. Léo aurait bien aimé que je l'accompagne à l'église, mais après plusieurs requêtes demeurées stériles, il abdiqua.

Un an plus tard, je fus forcée d'y remettre les pieds pour les funérailles de mon père. C'était très éprouvant. Quelques mois après son départ, ma sœur eut un accident. La gravité de ses blessures présageait le pire. Je ne pouvais l'accepter. Là, c'était trop. Me voyant inconsolable, le médecin chef me prit par les épaules et me dit :

« Nous avons tenté l'impossible, croyez-moi. Malheureusement il faut vous faire à l'idée. Votre sœur rendra l'âme sous peu. Je suis désolé. »

Après cette évidence, que pouvais-je faire d'autre sinon de quémander l'aide de Dieu? Anéantie par ce décès qui planait de nouveau au-dessus de notre tête, je l'ai prié, imploré, supplié de la laisser vivre. Elle ne méritait pas la mort, pas à dix-neuf ans.

Inexplicablement, Johanne a survécu et n'a gardé aucune séquelle. Le Très Haut avait répondu à ma prière. À présent, je ne pouvais plus lui tourner le dos, pas après une telle grâce. Le dimanche suivant, j'assistais à l'eucharistie. Je repris graduellement mes bonnes habitudes. Le bénévolat n'effaçait en rien ma souffrance, mais il occupait mes journées et surtout mon esprit.

À l'approche des Fêtes, le masque de bien-être fardé sur mon visage fondait comme neige au soleil. J'étais incapable de dissimuler mon chagrin face aux éternelles réunions de famille. J'enviais mes sœurs et mes frères, car la plupart d'entre eux connaissaient déjà la joie d'être parents.

Pendant la messe de minuit, je me suis recueillie et j'ai demandé au Créateur d'étancher cette soif maternelle gémissant en moi. Il avait déjà fait un miracle pour Johanne, alors il était certainement capable d'en faire autant pour moi. Sa réponse fut presque immédiate. Dans son homélie, le prêtre invita l'assistance à accomplir des gestes d'amour, tout spécialement en cette période de réjouissance. Ensuite il s'adressa uniquement aux enfants, insistant sur leur chance de jouir d'un foyer, alors que tant d'autres sur cette terre attendaient toujours d'être adoptés. Ce mot résonna dans ma tête jusqu'à la fin de l'office. Comment n'y avais-je pas pensé avant?

Quelques semaines plus tard, Léo et moi entamions les démarches nécessaires afin d'accueillir chez nous une petite fille. Cette petite fille, c'était toi.

Comprends-tu à présent la raison qui me pousse à écrire cette dernière volonté? J'ai connu la joie de porter un enfant et l'immense supplice de revenir à la maison les bras vides. Ta mère naturelle a parcouru le même chemin. Retrouve-la et fais-lui part de ma gratitude, car son sacrifice fut jadis ma bouée de sauvetage.

Je termine ici, car je suis épuisée. Je peux maintenant partir avec la conviction d'avoir accompli mon devoir jusqu'à la fin. De là-haut, je te protégerai. Je t'aime.

Maman

Bouleversée, Miriame replie la lettre en reniflant.

* * *

Tel un robot programmé pour la circonstance, Miriame tend la main et la joue aux gens défilant devant elle. Engourdie par le chagrin, elle n'entend aucun mot d'encouragement, ni même de sympathie. Ses yeux rougis observent constamment le cercueil de sa mère. Celle-ci semble dormir.

Près d'elle, son père réconforte sa sœur. Annie est inconsolable. Le salon funéraire est bondé, et pourtant, Miriame ne voit toujours pas sa jumelle. Lorsqu'elle distingue finalement sa silhouette à l'entrée, elle délaisse son point de repère et s'élance vers elle.

– Enfin! s'exclame-t-elle en se jetant dans ses bras.

– Je suis là, Miriame. Comment te sens-tu?

– C'est terminé. Elle nous a quittés pour toujours.

Miriame s'aperçoit soudainement de la présence de Roger.

– Bonjour, Roger.

– Bonjour, Miriame. Je t'offre mes sympathies.

– Merci beaucoup et merci d'être venu de si loin.

Rita se manifeste aussitôt.

– Aucune tempête n'aurait pu nous empêcher de venir.

– C'est tellement difficile! J'ai l'impression d'être en plein milieu d'un cauchemar.

Michel réussit à se frayer un chemin.

– Bonjour, Roger, bonjour, Rita, dit-il en arrivant près d'eux.

– Mes sympathies, Michel, murmure Roger en lui serrant la main.

– Merci.

– Mes plus sincères condoléances, Michel, formule Rita à son tour en l'embrassant.

Alors que les deux hommes bavardent, Miriame entraîne Rita près de la tombe.

– Regarde, Rita, regarde son visage.

– Elle ne souffre plus.

– J'espère qu'elle est heureuse de l'autre côté.

– J'en suis certaine, Miriame.

– Viens. Je vais te présenter ma petite sœur. Tu n'as pas encore eu la chance de connaître Annie.

Après quelques phrases de courtoisie, Rita et Roger s'éloignent de la foule, préférant s'asseoir à l'écart. Miriame et Michel les accompagnent.

– Avez-vous amené Julie et Juliette? s'informe Miriame.

– Bien sûr.

– Où sont-elles?

– Je les trouvais encore bien jeunes pour…

– Tu n'as pas à t'excuser de ne pas les avoir amenées au salon. Dave et Juliette n'y sont pas, eux non plus. Demain par contre, ce sera différent. Ils viendront aux funérailles.

– Mes filles vont également nous accompagner à l'église.
– Qui les garde ce soir?
– Je préférerais parler d'autre chose.
– Je vois. Elles sont chez Simone, n'est-ce pas?
– Elle s'est offerte pour les surveiller et j'ai accepté.
– Je vois.
– Changeons de sujet. Je ne veux pas t'ennuyer avec…
– Tu la vois souvent?
– Pourquoi cette question, Miriame? Aurais-tu changé d'idée?
– Jamais de la vie. Je veux juste savoir.
– Elle vient régulièrement nous rendre visite en Beauce.
– Tu t'entends bien avec elle?
– Oui, et avec Jean-Claude aussi.
– Jean-Claude!
– Son conjoint. C'est un homme merveilleux.
– Il est au courant de mon existence?
– Évidemment. Miriame, cesse de te faire du mal pour rien. Tu ne veux pas faire partie de la vie de Simone et, pourtant, tu me poses sans cesse des questions sur elle. Pourquoi?
– Comme ça, pour savoir. Et les jumelles?
– Les jumelles!
– S'entendent-elles bien avec cette inconnue?
– Simone n'est pas une étrangère.
– Excuse-moi. Alors?
– Tu veux vraiment le savoir?
– Je ne te le demanderais pas autrement.
– Mes filles l'adorent.
– Et ta mère dans toute cette histoire?
– Ma mère!
– Elle accepte cette inconnue… je veux dire cette femme?
– Entièrement. Elles s'entendent à merveille toutes les deux. Tu as l'air de penser que Simone est un monstre.
– Non, seulement, c'est un peu sa rivale.

– Pas du tout. Ma mère a compris depuis bien longtemps l'importance de Simone dans ma vie et elle l'accepte très bien.

En grande discussion, Roger et Michel ne prêtent pas attention à la conversation cahoteuse de leurs femmes.

Rita et Roger prennent congé quelques minutes avant la fermeture du salon funéraire. Demeurée seule près du cercueil, Miriame fixe le visage de sa mère.

« Je ne te l'ai jamais dit, maman, mais Rita connaît déjà notre mère biologique. Elle se nomme Simone Lavoie. Je n'ai jamais voulu la rencontrer, car ma mère, c'est toi, personne d'autre. Et maintenant, je suis perturbée par ta demande. Que dois-je faire? »

– Viens, Miriame. Le salon ferme.

– Oui, j'arrive, Michel.

* * *

Sur le chemin du retour, Rita questionne son mari.

– J'aimerais avoir ton avis professionnel, Roger.

– Je t'écoute.

– Que penses-tu de la réaction de Miriame ce soir?

– Elle était très proche de sa mère. Sa peine est tout à fait légitime.

– Je ne te parle pas de son chagrin, mais de toutes ses questions.

– Quelles questions?

– Mais où étais-tu lorsqu'elle m'interrogeait au sujet de Simone?

– Je devais parler hockey avec Michel.

Rita soupire avant de poursuivre.

– Pourquoi me pose-t-elle autant de questions en rapport avec Simone, alors qu'elle l'ignore?

– C'est ce que tu penses.

– Que veux-tu dire?

– Sa conscience lui interdit de la connaître, alors que son inconscience le désire.

– Tu crois?

– J'en suis certain.

* * *

Chapitre 43

L'immense tapis blanc recouvrant la région depuis le mois de novembre fond rapidement sous un soleil ardent. La vallée du Saguenay semble reprendre vie. Les arbres bourgeonnent à nouveau, les tulipes se fraient un chemin parmi le dégel et les habitants entament joyeusement leur grand ménage. Cette année encore, les paris sont ouverts. Qui réussira à prédire la date et l'heure exacte auxquelles les glaces du lac Saint-Jean agoniseront sous l'immense étendue d'eau?

Chez un des commerçants du coin, Roger fait son entrée afin d'y acheter un paquet de cigarettes. À l'intérieur, il capte une discussion animée entre un jeune garçon et un homme d'âge avancé.

– Les glaces caleront le sept mai, à huit heures du matin, souligne l'homme à la casquette.

– À votre place, monsieur Lessard, j'opterais plutôt pour huit heures du soir. Ça fait trois ans qu'elles s'enfoncent après le souper, lui rappelle l'adolescent.

– Écoute, le jeune, je n'ai pas besoin de tes conseils. Je fais à ma tête. D'ailleurs, clarifie-t-il, mon expérience est beaucoup plus grande que la tienne, alors ne me fais pas suer avec tes recommandations.

– Je ne voulais pas vous froisser, monsieur Lessard, mais…

– Tu pourrais attendre d'avoir un peu de poils au menton avant d'essayer de m'en montrer.

Attiré par ce dialogue vivant, Roger s'approche d'eux tout doucement.

Je m'excuse de vous interrompre, mais je n'ai pas pu faire autrement que d'entendre votre conversation. C'est sérieux ce pari se rapportant au lac Saint-Jean?

Déconcerté, le plus jeune rouspète sans ménagement :

– Mais d'où sortez-vous? D'une autre planète?

– Allons, mon garçon, réplique le plus vieux, ce n'est pas une façon d'accueillir les gens. Retourne à ta caisse au lieu d'être polisson.

Frustré de se faire remettre à sa place, le stagiaire hausse les épaules et disparaît derrière son comptoir en maugréant.

– Apparemment, vous n'êtes pas de la région.

– J'habite en Beauce. Je suis en visite au Saguenay pour la fin de semaine.

– Alors, cher monsieur…

– Asselin. Roger Asselin.

– Alors monsieur Asselin, sachez qu'ici la plupart des résidents de cette région se font presque un devoir de trouver la date et l'heure auxquelles les glaces du lac Saint-Jean disparaîtront de la surface.

– C'est assez particulier. Je n'en avais encore jamais entendu parler.

– J'ai soixante-sept ans bien sonnés et, d'après ce que j'en sais, ce genre de gageure est vieille comme la lune. Enfin… Donc vous êtes au village pour quelques jours.

– Nous restons jusqu'à dimanche. Ma famille et moi sommes invités à un anniversaire.

Intrigué, le sexagénaire lui demande directement :

– Qui est fêté?

– Vous la connaissez peut-être. Il s'agit de Simone Lavoie.

– Si je la connais? Sa mère a été mon premier amour.

– Vous êtes sérieux?

– Malheureusement, Marcelle a préféré Édouard. Je n'ai jamais vraiment compris pourquoi. Pourtant, poursuit-il d'une voix nostalgique, j'étais un beau jeune homme à l'époque et je gagnais très bien ma vie. Vous savez, je gère ma propre entreprise. Je loue des voitures. J'ai même une limousine pour les occasions spéciales. Comme ça, la petite maîtresse d'école va être fêtée.

– Sa mère et son conjoint lui ont organisé une surprise pour son quarante-cinquième anniversaire.

– Elle a déjà cet âge-là! C'est incroyable comme le temps passe vite. Je l'imagine encore adolescente. Elle était si jolie. Je la vois encore marchant main dans la main avec le fils du docteur.

– Le fils du docteur!

– Je ne veux pas vous ennuyer avec mes histoires.

– Vous ne m'importunez pas du tout. Parlez-moi de ce garçon.

– Il s'appelait Vincent. À l'époque, son père était le médecin du village. Vincent voulait suivre ses traces. Simone et lui faisaient un très beau couple. Elle était si délicate! Une vraie belle blonde. Et lui, grand et svelte, avait l'allure d'un athlète. Ils se sont fréquentés quelques semaines, peut-être même quelques mois. Je ne m'en souviens plus très bien.

Le vétéran s'allume une cigarette avant de poursuivre.

– Vincent est décédé dans un accident de la route quelque temps plus tard. Simone en a été foudroyée. Pauvre curé! Il n'était pas au courant de leur relation. Il aurait certainement agi différemment. Mais ça, c'est une autre histoire.

Il s'arrête le temps d'aller chercher un cendrier au comptoir et revient.

– La petite Lavoie était tellement affligée par sa mort qu'elle a dû s'exiler pendant presque un an. Pauvre petite! Il faut croire qu'elle s'en est bien remise, puisque aujourd'hui elle file le parfait bonheur avec l'homme de la télévision. Le temps arrange bien les choses, heureusement, mais il passe si rapidement.

– Je ne vous le fais pas dire. Il est temps d'acheter mes cigarettes et de filer, sinon nous serons en retard à la fête.

– Bien sûr, allez-y.

– Au revoir monsieur…

– Jules Lessard.

– Ça m'a fait plaisir de vous connaître et de bavarder un moment avec vous, monsieur Lessard.

– Faites mes amitiés à la belle Marcelle de ma part.

– Je n'y manquerai pas.

Roger disparaît aussitôt après avoir payé ses emplettes.

* * *

Dans la grande maison familiale spécialement décorée pour la circonstance, Sonia et Solaine dressent la table pour le buffet de ce soir. Heureuse d'accueillir sa famille et les amis de sa fille, Marcelle chantonne un air joyeux tout en déposant quelques chandelles sur l'énorme gâteau au chocolat.

Au salon, Carl est en grande conversation avec Pierre et ses deux beaux-frères. Quant à Céline, elle discute de mode avec Nicole, la femme de Carl.

Rita, Roger et les enfants arrivent à leur tour.

– Entrez vite, s'exclame Marcelle tout excitée.

– Nous ne sommes pas trop en retard? demande Roger.

– Non. Jean-Claude et Simone ne sont pas encore là.

– Alors tant mieux, car nous avons bien failli l'être.

– Il vous est arrivé un incident?

– Non, rassurez-vous, mais en m'arrêtant, j'ai rencontré un homme et nous avons bavardé un peu. Vous le connaissez d'ailleurs, Marcelle.

– Et qui est donc cette mystérieuse personne?

– Un de vos anciens soupirants.

– Vous devez parler de Jules Lessard.

– C'est bien lui. Il vous envoie ses amitiés. Il semble ne pas vous avoir oubliée.

– Allons donc! Jules a toujours été un bon ami, rien de plus. Il s'était fait des idées à l'époque. Mais cessons de parler de ce vieux fou et venez. Je vais vous présenter.

Quelques minutes plus tard, Solaine fait signe à tout le monde de se taire. Le couple vient tout juste de stationner la voiture. Simone pénètre la première dans la maison.

– SURPRISE!

Saisie, celle-ci recule instantanément d'un pas. Derrière elle, Jean-Claude la retient.

– Bonne fête, fleur chérie, s'exclame-t-il en l'embrassant.

– Tu le savais? Et tu ne m'as rien dit?

– Je n'étais tout de même pas pour t'avertir qu'on t'organisait une petite fête pour tes quarante-cinq ans.

Simone scrute rapidement la cuisine et le salon d'un coup d'œil.

– Je n'en reviens pas. Vous êtes tous là.

Marcelle s'avance et l'embrasse sur la joue.

– Bonne fête, ma grande. Quarante-cinq ans, ça se fête!

Marcelle consulte ensuite Jean-Claude.

– Vous a-t-il été pénible de lui cacher la vérité?

– Un peu, je l'avoue. Simone réclamait un petit tête-à-tête au restaurant pour son anniversaire.

– Ton souper en amoureux attendra, riposte sa mère en riant.

– Je n'en pâtirai pas. Merci, merci beaucoup maman.

Simone remercie personnellement chacune des personnes. Lorsqu'elle aperçoit Rita au fond du salon, ses yeux s'embrument.

– Tu es là. C'est extraordinaire. C'est dommage que papa ne soit plus de ce monde pour me voir si heureuse. Ma fille est dans ta maison, papa, murmure-t-elle en serrant Rita contre son cœur.

– Eh! Je suis là moi aussi, réagit Julie en lui saisissant le bras.

– Nous sommes là, précise Juliette.

Simone se libère et s'agenouille devant ses petites-filles. Elle les embrasse l'une après l'autre.

– Nous avons un cadeau pour toi. Tu vas être contente.

– Je suis déjà comblée par votre présence.

Marcelle prie ses invités de venir se chercher un verre de vin afin de porter un toast.

– Je lève mon verre à Simone, dit-elle à haute voix, en espérant que ce jour soit un des plus beaux de ta vie.

Émue, Simone prend la parole.

– Merci maman d'avoir organisé une si belle rencontre et merci à vous tous d'être venus.

– Je n'ai pas préparé cette réunion toute seule, spécifie Marcelle.

– Je le sais.

Simone saisit la main de Jean-Claude.

– Merci, mon amour. Merci beaucoup. J'ai bien de la chance d'avoir un partenaire tel que toi dans ma vie.

Celui-ci s'approche plus près et l'embrasse tendrement.

– Je t'aime, Simone.

Témoin de cette déclaration, Julie ne peut s'empêcher de rouspéter.

– Alors si vous vous aimez autant, quand pourrons-nous aller aux noces?

– Tu le sauras en temps voulu, chère petite. Pour l'instant, ce soir, c'est la fête.

– Est-ce le moment de donner les cadeaux?

– Oui, c'est le moment.

– Hourra! s'écrient les jumelles.

Bien assise dans un des fauteuils du salon, Simone déballe une foule de présents, tous aussi remarquables les uns que les autres. En découvrant le contenu de l'enveloppe offerte par Céline et Pierre, elle s'exclame aussitôt :

– Céline! Pierre! Vous n'auriez pas dû. Je me sens très mal à l'aise.

– Je t'implore depuis des années, ma chère amie, de venir prendre des vacances en Floride et tu ne viens jamais. Avec ces billets d'avion entre les mains, tu ne peux plus refuser.

– Je ne trouve rien à dire. Je suis si…

– Ne dis rien, car c'est à moi que je fais ce cadeau. J'ai tellement hâte de lézarder au soleil avec toi.

– Donc je n'ai plus tellement le choix, dit-elle en souriant.

– C'est exact.

– Je te remercie beaucoup, Céline, et toi aussi Pierre.

Julie et Juliette s'alignent à leur tour avec un emballage cadeau.

– C'est de nous deux. Nous l'avons acheté sans l'aide de papa et de maman.

– Vous êtes si gentilles!

– Allez! Ouvre-le, s'écrie Julie.

Sous les yeux pétillants des jumelles, Simone se met à l'œuvre. En découvrant la figurine d'une grand-mère aux cheveux blancs, ornée de lunettes rondes sur le bout du nez, celle-ci sent l'émotion lui monter à la gorge.

– Ce bibelot est ravissant.

– Regarde en dessous, décrète Julie.

Lorsqu'elle découvre les mots « Bonne Fête grand-mère » inscrit à la main, elle ne peut retenir ses larmes.

– Pourquoi pleures-tu? Tu n'es pas contente?

– Ce sont des larmes de joie.

– Pourquoi?

– Je n'ai jamais rien reçu de si beau.

– Nous autorises-tu alors de t'appeler grand-maman Simone?

– Bien sûr. J'en serais même ravie.

Julie et Juliette l'embrassent sur la joue.

– Bonne fête encore, grand-maman Simone, murmure Julie avant de s'éloigner.

Rita s'avance maintenant près de Simone.

– J'aimerais te lire un poème. Je l'ai composé spécialement pour cette occasion. Il a pour titre : « Soupir retenu »

Simone écoute alors avec attention chaque mot prononcé par sa fille.

À l'aube de ton quinzième printemps
Un vent glacial s'est levé
Emportant sur son passage grossier
Ton fiancé d'hier et son héritage, nous tes enfants

De soupir en soupir
Tu as retenu ton chagrin
Il t'était interdit de défaillir
Car à l'époque, le silence était saint

Malgré cette blessure intolérable
Tu as cultivé tes lendemains
Afin de t'entourer d'un immense feuillage
Qui pourtant n'était pas le tien

L'enseignement fut l'égide de ta survie
Jusqu'à ce jour, tu lui as consacré ton énergie
Mais aujourd'hui pour tes quarante-cinq ans
Permets-moi d'embellir comme il se doit ton présent

Sous le regard voilé de Simone, Rita s'éloigne de quelques pas et ouvre la porte d'entrée.

– Voici mon cadeau, Simone.

En apercevant le visage de Miriame, Simone fond littéralement en larmes.

* * *

De retour chez elle, Simone manifeste à nouveau sa joie.

– Je n'ai jamais été aussi heureuse, Jean-Claude.

– C'était une belle surprise, n'est-ce pas?

– J'ai enfin rejoint le cœur de mes deux enfants. J'ai peine à croire à ce nouveau bonheur, soupire-t-elle en s'essuyant les yeux.

– Il est pourtant bien réel. Tes deux filles étaient près de toi ce soir.

– Elles sont tellement belles.

– Elles te ressemblent beaucoup, fleur chérie.

– Miriame et Michel sont adorables.

– C'est vrai. Ils sont très gentils.

– Dave et Juliette m'appelaient grand-maman Simone à la fin de la soirée, soupire-t-elle avec émoi. Je n'aurais jamais cru qu'ils m'adopteraient si rapidement.

– Moi, tu vois, je n'en ai jamais douté.

– J'ai enfin une famille bien à moi. Sœur Miriame serait certainement ravie de me voir enfin heureuse.

Plus près d'elle, Jean-Claude lui murmure à l'oreille :

– Tu as une très belle famille, fleur chérie.

Après avoir effleuré sa joue, Simone se précipite hâtivement dans la chambre. Parée d'une paire de gants blancs, celle-ci revient et s'agenouille face à l'homme de sa vie.

– Veux-tu en faire partie, mon amour? Veux-tu m'épouser?

Les yeux de Jean-Claude s'embrument.

– Mais tu pleures!

– Excuse-moi, fleur chérie, lui répond-il d'une voix quasi éteinte par l'émotion. Je fais un piètre Roméo, n'est-ce pas?

– Non, mon amour. Les larmes ne sont pas réservées uniquement aux femmes.

D'un geste tendre, celui-ci l'aide à se relever.

– Tu as même pensé à ma demande spéciale. Oh! Simone.

– Cette remarque affirme-t-elle une réponse positive?

– Plus que jamais.

– C’est vrai? Tu veux toujours de moi?

En guise de réponse, Jean-Claude l’embrasse passionnément. Il disparaît ensuite à son tour dans la chambre à coucher. Il revient rapidement près d’elle et lui saisit la main.

– Je t’offre cette alliance en signe de mon amour éternel, lui témoigne-t-il en lui passant un énorme solitaire au doigt.

– Cette bague est magnifique, Jean-Claude, s’exclame-t-elle en l’observant.

– Rien n’est trop beau pour la femme de ma vie. Je t’aime, Simone.

– Je t’aime aussi, Jean-Claude. J’ai l’impression de l’avoir déjà vue, lance-t-elle au bout d’un moment. Est-ce la bague…

– Oui. Puisque j’entretenais l’espoir de t’offrir ce diamant, je suis retournée à la petite bijouterie pour le chercher. La vendeuse m’a reconnu immédiatement.

– Je n’en doute pas. Comment a-t-elle réagi?

– Un peu bizarrement. Avant même de m’offrir son aide, elle m’a fait signe de la suivre.

– Pour quelle raison?

– Pour me faire découvrir le nouveau slogan calligraphié sur la vitrine.

– Quel est-il?

– «L’endroit est petit, mais nous pouvons combler tous vos besoins… <u>ou presque!</u> »

* * *

Chapitre 44

Devant le miroir de sa chambre, Simone, vêtue d'une magnifique robe de soie blanche, étudie son image. Malgré l'horloge du temps, celle-ci se trouve resplendissante.

– Tu es superbe, Simone.

– Merci, Miriame.

– Jean-Claude en aura le souffle coupé.

– Tu crois, Rita?

Simone s'admire à nouveau en tournoyant sur elle-même. Il lui tarde de surprendre l'expression de Jean-Claude lorsqu'il posera son regard sur elle. Si jadis l'enseignante baignait dans l'angoisse, à présent elle nage en plein bonheur, car ses deux filles sont près d'elle pour son mariage.

– C'est le plus beau jour de ma vie.

Rita s'approche d'elle et l'embrasse sur la joue.

– Tu es radieuse, Simone.

– Merci beaucoup.

– Je vais rejoindre les autres à la cuisine.

– Dis-leur que j'arrive dans quelques minutes.

– Je n'y manquerai pas.

Miriame rejoint sa mère naturelle près de la glace.

– Ça m'a pris un certain temps avant de vouloir te connaître, Simone, mais aujourd'hui, je suis heureuse de faire partie de ta vie, affirme-t-elle en lui prenant la main.

– Chère Miriame, émet-elle en s'essuyant les yeux, j'ai si souvent rêvé de ces paroles lorsque je serrais ta suce au creux de mes mains.

– Ma suce!

Simone se dirige à son bureau et y ouvre un tiroir. Elle y récupère un petit objet défraîchi par le temps.

– Je conserve cette suce depuis ta naissance. Je l'ai cachée très longtemps en dessous de mon oreiller. Le soir, avant de m'endormir, je la prenais dans mes mains et je priais le Seigneur de te protéger et de te ramener un jour vers moi. Il y a cinq mois, lorsqu'on s'est retrouvées, j'ai décidé de la ranger.

– C'est incroyable! Raconte-moi, Simone.

– Une heure avant ton départ de l'établissement, j'ai pu te prendre dans mes bras grâce à l'amabilité de sœur Miriame. Celle-ci trouvait injuste de te voir partir avec tes nouveaux parents, sans que je puisse te voir au moins une fois. Ainsi, elle a violé la règle d'obéissance et elle t'a amenée à moi. Quel merveilleux bébé j'avais engendré! Malheureusement, mes illusions furent de courte durée, car tes parents adoptifs se trouvaient déjà chez la supérieure et t'attendaient. Me voyant terriblement triste à l'idée de te quitter, sœur Miriame s'est attardée un peu plus longtemps que prévu, ce qui, de toute évidence, l'a mise en retard. Pressée par le temps, elle est repartie très rapidement et elle a oublié la suce sur mon lit. Avant que quelqu'un s'en rende compte, je l'ai fait disparaître.

– Ton histoire est tellement triste. Cette religieuse t'aimait sans doute beaucoup.

– Je l'aimais énormément, moi aussi. Nos routes se sont séparées à ma sortie et je ne l'ai jamais revue. Je la regrette beaucoup.

Simone toussote avant de reprendre.

– Si on y allait maintenant?

– Oui. Il est temps. Mais avant, j'aimerais te dire une dernière chose.

– Je t'écoute, Miriame.

– Je suis très fière d'être ta demoiselle d'honneur, maman.

– Miriame, finit-elle par prononcer avec difficulté, si tu savais…

– Ne dis rien, Simone. Je sais.

– Je vais devoir refaire mon maquillage. Tu as réussi à me faire pleurer.

* * *

Sous le regard de nombreux parents et amis, Simone, accompagnée de ses deux filles, défile d'un pas mesuré dans l'allée centrale de l'église. Ses yeux croisent ceux de Jules Lessard, maintenant le compagnon de sa mère. C'est d'ailleurs dans sa luxueuse limousine qu'elle et sa mère ont été conduites jusqu'ici. Son regard se pose à présent sur le visage de son amie Céline. Celle-ci l'examine et croise les doigts. Simone lui sourit. En arrivant près de l'autel, elle sent soudainement battre sa poitrine très fort. Complètement sous le charme de sa promise, Jean-Claude semble figé sur place. Au bout d'un moment, il s'avance vers elle et lui tend la main.

– Magnifique! Tu es absolument ravissante, fleur chérie.

Le cœur amoureux, Simone se laisse guider par l'homme avec lequel elle partagera le reste de sa vie.

* * *

Leur voyage de noces à Acapulco est à la fois reposant et romantique. Détendus, Simone et Jean-Claude profitent amplement de leur nouvelle vie de couple marié. Leurs journées s'écoulent dans les rires et la gaieté. Ils se baignent, se dorent au soleil et explorent avec intérêt l'arrière-pays. Le soir venu, ils parcourent la petite ville et s'aventurent dans les restaurants, goûtent à la cuisine locale en écoutant de la musique, tantôt paisible, tantôt remuante des orchestres latino-américains. Ils dansent jusqu'aux petites heures du matin sous les étoiles, serrés l'un contre l'autre, absorbés par leur amour. Coupés du monde, ils jouissent pleinement de leur solitude à deux.

De retour au pays, après un voyage fantastique de deux semaines, Simone regagne le milieu scolaire et Jean-Claude reprend son rôle d'animateur à l'émission « *Vos histoires touchantes et invraisemblables* », devenue très populaire partout au pays.

* * *

Chapitre 45

Alitée depuis un nouvel infarctus, sœur Miriame s'exaspère en entendant les conseils et hésitations de sa consœur Bernadette. Celle-ci, désireuse de bien paraître aux yeux de sa supérieure, ne prend aucune décision sans l'accord de mère Brigitte.

– Voudriez-vous allumer la télévision avant de quitter la chambre, s'il vous plaît, sœur Bernadette?

– Vous n'y pensez pas. Vous venez à peine de sortir de l'hôpital.

– Je récupère depuis déjà deux semaines. Regarder la télévision ne me fera certainement pas mourir.

– Je n'ai pas l'autorisation de mère Brigitte, alors je ne peux pas.

– Quand cesserez-vous de toujours vous référer à notre supérieure avant d'accomplir un geste? Allez, allumez-la. L'émission commence dans cinq minutes.

– Pas encore cette émission en français?

– Si.

– Vous demeurez en Ontario, sœur Miriame. Vous devriez faire un effort pour écouter la télévision en anglais.

– Merci pour le conseil, mais je regarde ce qui me plaît. Aujourd'hui l'émission *« Vos histoires touchantes et invraisemblables »* est retransmise directement du Saguenay et l'animateur est fabuleux.

– Quelle soit diffusée de cette région ou de Montréal, cela ne change rien. La production demeure néanmoins en français.

– Peu importe, s'impatiente-t-elle. Maintenant allumez-la.

– Je suis désolée, mais je ne peux pas. Sans l'accord de mère Brigitte…

– Alors sortez de ma chambre, rétorque-t-elle. Je vais me reposer.

– Enfin! Vous devenez raisonnable. Voulez-vous boire un peu d'eau avant de dormir?

– Non, merci. Fermez la porte en sortant. Je ne veux pas être dérangée pendant mon sommeil.

– Bien sûr. Je reviendrai un peu plus tard.

– Je me sens lasse, alors ne revenez pas avant deux heures.

Enfin seule, sœur Miriame se lève de peine et de misère jusqu'à son téléviseur. Elle se recouche aussitôt.

* * *

Chapitre 46

Dans le studio d'enregistrement, Jean-Claude traverse le plateau en direction de Simone et des jumelles.

– Comment vous sentez-vous, les filles?

– Jean-Claude! Je me demande si j'ai bien fait d'accepter. Je me sens terriblement nerveuse, avoue Simone.

– Ne t'en fais pas, mon amour. Tout se passera bien. Je peux t'assurer que l'animateur ne te mettra pas dans l'embarras. Il t'aime beaucoup trop pour ça.

– Ce n'est pas le moment de plaisanter, Jean-Claude.

– Prends une bonne inspiration, et surtout, rappelle-toi que je suis à tes côtés et que je t'aime.

– Je sais, mais cela ne m'empêche pas d'être très stressée.

– La plupart des gens retrouvent leur calme devant la caméra. Je sais les mettre à l'aise, alors ne crains rien. Et vous, les filles? Est-ce que ça va?

– Tout va bien, répondent simultanément Rita et Miriame.

Les techniciens apparaissent un peu partout comme par magie. Machinistes, électriciens, preneurs de son et assistants vont et viennent en une chorégraphie bien réglée. Derrière la caméra, Pierre discute avec le premier opérateur. Céline s'installe à ses côtés.

– D'ici, je peux tout voir, lance-t-elle.

– L'émission devrait commencer dans quelques minutes, spécifie-t-il.

La voix du producteur tente de dominer le brouhaha.

– Silence sur le plateau. Lumière!

Une musique retentit dans le studio. Derrière une petite table, Jean-Claude accueille déjà les téléspectateurs.

– Bonjour mesdames et messieurs. Bienvenue à « *Vos histoires touchantes et invraisemblables* ». Notre émission de cette semaine est diffusée directement du Saguenay-Lac-Saint-Jean. Nous entendrons aujourd'hui le récit d'une femme ayant mis au monde deux enfants à l'âge de quinze ans. Comme bien d'autres jeunes filles enceintes de son époque, elle fut forcée de s'exiler loin de son village afin de camoufler sa grossesse, car l'Église et la société des années vinyles ne toléraient aucune inconvenance, aucune faiblesse. Ainsi, afin de préserver l'anonymat des personnes concernées par cet événement, je tairai l'endroit où notre invitée fut délivrée par césarienne. Jusqu'ici, ce passage émouvant n'a rien encore d'invraisemblable. L'histoire nous paraît même familière, si l'on se réfère à l'ère des boîtes à gogo des années 1960. Ce qui l'est moins cependant, c'est le mystère entourant ce tableau, car les autorités de l'établissement qui l'ont hébergée lui ont volontairement caché la naissance d'une de ses filles. Je ne vous en dis pas davantage pour l'instant.

Attentive, sœur Miriame boit les paroles de l'animateur. Sa poitrine se met à battre plus rapidement.

« Mon Dieu! Est-ce possible? »

– Sans plus tarder, je vous présente notre invitée de ce soir, Mme Simone Lavoie.

En voyant apparaître sa petite protégée à l'écran, la religieuse sent les larmes lui monter aux yeux et son cœur se serrer.

« C'est bien elle! C'est bien ma Simone! »

En studio, Jean-Claude essaie d'apaiser son invitée en lui prenant la main.

– Bonsoir, Simone.

– Bonsoir.

– Ça va bien?

Celle-ci acquiesce d'un signe de la tête.

– De toute évidence, votre cauchemar se termine en conte de fées. Racontez-nous d'abord le déroulement de votre mésaventure.

Simone livre une partie de ses mémoires.

– Ainsi votre amoureux de l'époque n'a jamais su que vous étiez enceinte.

– Il est décédé avant même de connaître mon état.

De fil en aiguille, Simone révèle la suite des événements jusqu'à son admission à la Maison Miséricorde.

– Comment vous a-t-on reçue?

À cette question, Simone baisse la tête avant de répondre.

– Je percevais beaucoup de mépris dans les yeux de la directrice.

– Vous semblait-il justifié? Vous n'étiez tout de même pas la première à venir vous réfugier dans ce lieu.

– C'est exact. Nous étions plusieurs. Néanmoins, au début, précise-t-elle, je croyais largement mériter sa méchanceté, car j'avais péché.

– Racontez-nous votre quotidien au cours de votre séjour.

Simone parle ouvertement de sa relation avec sœur Miriame. Ses cils s'humectent chaque fois qu'elle prononce son nom.

– Sœur Miriame m'était très précieuse. Sans elle, tous ces mois passés dans cet établissement auraient été bien sombres.

– Vous en parlez comme si vous ne l'aviez jamais revue.

– Jamais. J'aurais bien aimé la revoir, mais lorsque j'y suis retournée quelques années plus tard, elle n'y habitait plus.

– Vous l'aimiez beaucoup.

– Énormément. Sans elle, sans son appui, il m'aurait été pénible de vivre constamment avec les sarcasmes de la directrice. Je me confiais beaucoup à sœur Miriame. Elle était d'une grande écoute. Avec elle, je me sentais importante, malgré ma faute.

– Racontez-nous le déroulement de votre grossesse.

Simone parle alors de ses inquiétudes.

– …et lorsque j'osais poser des questions au médecin, celui-ci me répondait toujours vaguement.

– Il devait sûrement savoir que vous portiez deux enfants?

– Oui, mais…

Simone sent son cœur se gonfler. La sentant fragile, Jean-Claude reprend aussitôt la parole.

– Chers téléspectateurs, nous interrompons notre émission le temps d'une pause publicitaire. Demeurez à l'écoute, car au retour, j'aurai le plaisir d'accueillir les deux jumelles de notre invitée, Mme Simone Lavoie.

Après avoir perçu le signal d'arrêt, Jean-Claude s'approche immédiatement de sa femme. Celle-ci ravale ses larmes.

– Bois un peu d'eau, fleur chérie.

Simone s'exécute lentement.

– Te sens-tu assez forte pour continuer?

– Oui, Jean-Claude. Ne t'en fais pas.

– Je vais faire entrer Miriame et Rita avant la phase finale.

– Merci. Elles me donneront le courage nécessaire pour terminer mon récit.

Une voix très forte se fait soudainement entendre.

– Nous reprenons dans dix secondes, 6-5-4-3-2-1, allez-y!

L'animateur reprend la parole.

– Comme vous pouvez le constater, notre émission de cette semaine donne droit à de sérieux frissons.

Sous le regard de milliers de téléspectateurs, Jean-Claude lance un clin d'œil à Simone en signe d'encouragement.

– Aujourd'hui, Simone, vous êtes accompagnée de vos deux filles. Avant de les accueillir, voudriez-vous nous parler un peu de votre état de santé. Quelles sont les raisons qui ont incité le médecin à vous faire subir une césarienne?

Un silence funeste règne dans le studio.

– …et lorsque je suis sortie du coma, sœur Miriame se trouvait à mes côtés.

– Chers auditeurs, recevons à présent les deux bébés de Simone, devenues aujourd'hui de jolies jeunes femmes. Miriame Fortin et Rita Dumas.

Sous le regard de millions de téléspectateurs, les deux jumelles font leur apparition.

– Bonsoir, mesdames.

– Bonsoir.

Les jumelles prennent place auprès de Simone.

– Je discerne une très grande complicité entre vous trois. Est-ce que je me trompe?

Rita parle la première.

– C'est exact, approuve-t-elle. Nous sommes très proches l'une de l'autre depuis nos retrouvailles.

– De toute évidence, vous n'avez pas été adoptées par les mêmes parents puisque vous ne portez pas le même nom. Comment vous êtes-vous retrouvées?

– C'est un peu dû au hasard, commente Miriame.

Très à l'aise devant les caméras, Miriame dévoile l'anecdote de leur voyage aux États Unis. Sourire aux lèvres, elle consulte de temps à autre sa sœur.

– Votre histoire est pour ainsi dire invraisemblable. Et vous portiez la même médaille?

– Oui, répond Rita. Je l'ai découverte en aspergeant Miriame d'eau fraîche. J'en étais renversée.

– D'après vous, qui vous a épinglé ces médailles?

– Sœur Miriame, personne d'autre.

Concentrée sur l'émission, sœur Miriame sent son cœur se comprimer davantage.

– Racontez-nous la suite des événements.

– Nous nous sommes revues quelques mois plus tard. Aujourd'hui, malgré la distance qui nous sépare, nous nous rendons visite régulièrement.

– Quand avez-vous ressenti le besoin de rechercher votre mère naturelle?

Rita reprend aussitôt la parole.

– J'éprouvais le besoin de retrouver mes origines depuis bien longtemps.

– Et vous, Miriame?

– Je n'étais pas aussi pressée. J'étais plutôt préoccupée par l'état de santé de ma mère adoptive. Elle était cancéreuse lorsque nous nous sommes retrouvées, Rita et moi.

– Sur ce, nous allons faire une pause de quelques minutes, puis nous vous revenons pour la suite de cette passionnante histoire. Restez des nôtres.

Chez les Larouche, Anna repasse des draps à la cuisine en écoutant de la musique à la radio pendant qu'Albert écoute religieusement la télévision. Elle sursaute en distinguant le visage de son mari au-dessus de son épaule.

– Tu m'as fait une des ces peurs! Tu n'écoutes plus ton émission?

– Si, mais c'est la pause publicitaire. Laisse ton repassage, Anna, et viens l'écouter.

– Tu ne vois pas que je suis occupée? J'ai une pile de linge à…

– Simone Lavoie passe à l'émission, l'interrompt-il afin de susciter son intérêt.

– Simone Lavoie! Tu aurais pu me le dire avant. Que fait-elle là, pour l'amour du ciel?

– Elle raconte son histoire. Une histoire des plus passionnantes, je te le jure.

– Que veux-tu dire? Parle, je t'écoute.

– Te souviens-tu lorsqu'elle a quitté le village pendant près d'un an?

– Évidemment. Pourquoi?

– C'était pour aller accoucher. Elle était enceinte.

– Je le savais, lance-t-elle en débranchant son fer à repasser. Je me suis toujours doutée de quelque chose.

– Alors, tu viens écouter le reste de l'émission?

– Évidemment. J'arrive tout de suite.

Jean-Claude apparaît à nouveau au petit écran.

– À notre prochain rendez-vous, j'aurai le plaisir de recevoir un couple de lesbiennes. Leur histoire vous passionnera, car elles ont été sans doute les premières à s'afficher publiquement.

Assise depuis quelques secondes, Anna Larouche se relève aussitôt.

– L'histoire de Simone Lavoie ne m'intéresse plus, lance-t-elle. J'ai assez des nôtres.

– Tu penses à notre fille?

– Je ne pense à rien, rouspète-t-elle en lui tournant le dos. Seulement, j'ai autre chose à faire que d'écouter les ragots de tous et chacun.

Sans ajouter un mot, Anna Larouche retourne à la cuisine. Demeuré seul, Albert monte le son du téléviseur.

– Comment avez-vous appris l'existence de vos deux filles, Simone?

– Il y a quelque temps, j'ai reçu une lettre. Celle-ci provenait de la directrice de l'établissement.

Simone met un précieux temps à raconter le contenu de cette missive. La larme à l'œil, elle remonte le temps, sans se soucier des caméras dirigées sur elle. La voyant bouleversée, Jean-Claude l'interrompt.

– Voulez-vous prendre une pause avant de poursuivre, Simone?

– Ça va, merci. Cette lettre a été pour moi le début d'un nouvel espoir, car sans les aveux de cette religieuse, jamais je n'aurais pu retracer mes deux enfants.

– Vous semblez lui avoir pardonné sa méchanceté?

– Aujourd'hui, je suis heureuse. Il n'y a pas de place dans ma vie pour la rancune.

– Qu'avez-vous fait ensuite?

– Je me suis rendue en Beauce où j'ai finalement rencontré Rita. Quelques mois plus tard, je faisais la connaissance de Miriame.

– En terminant, Simone, dans ce récit passionnant et très touchant, vous nous avez souvent parlé de cette religieuse, sœur Miriame. Si elle est à l'écoute actuellement, avez-vous un message à lui transmettre?

– Oui.

– Alors dites-le-lui. Elle est peut-être devant son téléviseur en ce moment.

Les yeux fixés sur l'écran, sœur Miriame ressent une force incroyable se presser sur son cœur. Le regard voilé par les larmes, elle porte une grande attention aux paroles de sa petite protégée.

– Je veux d'abord vous rassurer, sœur Miriame. Je ne vous en veux pas. Vous étiez liée par le vœu d'obéissance, alors j'ai compris votre silence. Je bénis le ciel de vous avoir placée sur ma route, car sans vous, sans votre amour inconditionnel, ma pénitence aurait été embrasée de honte et de désespoir. Par votre gentillesse, vous avez su trouver les mots pour me réconforter et me redonner courage. Vous avez été une vraie mère pour moi. Que puis-je ajouter, sinon que vous êtes à jamais gravée dans mon cœur? Merci, merci d'avoir fait partie de ma vie.

Le cœur oppressé par ce témoignage émouvant, sœur Miriame lève les yeux au ciel, et, dans un soupir retenu, remercie le Seigneur de lui avoir accordé ces faveurs avant de s'endormir pour l'éternité.

FIN

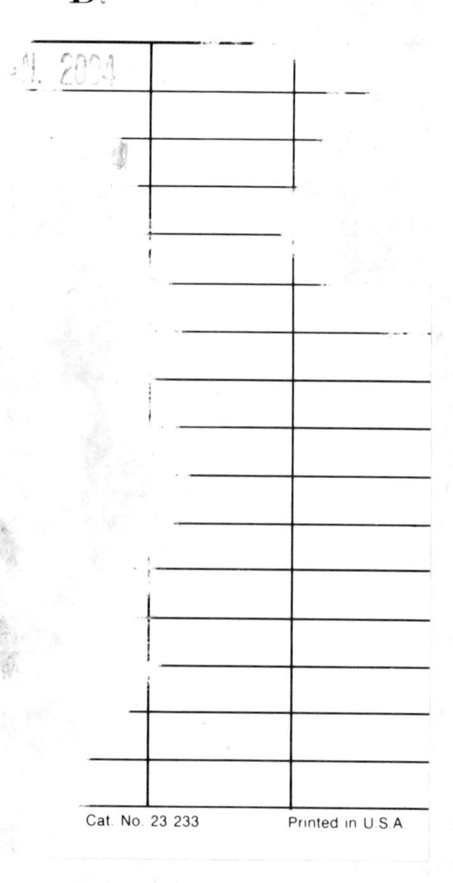